Les Perses sassanides

Fastes d'un empire oublié *(224-642)*

Musée Cernuschi
Musée des Arts de l'Asie de la Ville de Paris

15 septembre
30 décembre 2006

PARIS musées

Éditions Findakly

Comité d'honneur

M. Bertrand DELANOË
Maire de Paris

Mme Moïra GUILMART
Adjointe au maire chargée du Patrimoine

M. Christophe GIRARD
Adjoint au maire chargé de la Culture

Mme Hélène FONT
Directrice des Affaires culturelles

M. Henri LOYRETTE
Président-directeur de l'établissement public du musée du Louvre

M. Jean-Noël JEANNENEY
Président de la Bibliothèque nationale de France

M. Édouard de RIBES
Président de Paris-Musées

Comité d'organisation

Mme Catherine HUBAULT
Sous-directrice du Patrimoine et de l'Histoire de la Ville de Paris

M. Kevin RIFFAULT
Chef du bureau des musées

Mme Aimée FONTAINE
Directrice de Paris-Musées

Commissariat scientifique

Mme Françoise DEMANGE
Conservateur en chef au département des Antiquités orientales du musée du Louvre
Commissaire invitée

Commissariat technique
Musée Cernuschi

M. Gilles BÉGUIN
Conservateur général

M. Nicolas ENGEL
Conservateur

Production
Paris Musées

M. Denis CAGET
Responsable du secteur expositions

Laurence JOUANNIC
Chef de projet
Assistée de Marion EYBERT

Laurence PETIT
Attachée de production

Et l'ensemble des collaborateurs de Paris Musées

Remerciements

Cette exposition n'aurait pu avoir lieu sans l'aide de :

En Allemagne
Staatliche Museen zu Berlin, Museum für Islamische Kunst, à Berlin
Staatliche Museen zu Berlin, Skulpturensammlung und Museum für Byzantinische Kunst, à Berlin
Antikensammlung Römisch-Germanisches Zentralmuseum à Mayence

En Belgique
Les musées royaux d'Art et d'Histoire à Bruxelles

En France
Le musée du Louvre à Paris
La Bibliothèque nationale de France à Paris
Les Arts Décoratifs, musée de la Mode et du Textile à Paris
Le Musée des Tissus de Lyon
L' abbaye Notre-Dame de Jouarre

En Grande-Bretagne
The British Museum à Londres

En Iran
Le Musée national de Téhéran

En Russie
Le musée de l'Ermitage à Saint-Pétersbourg

Aux États-Unis
The Corning Museum of Glass
The Metropolitan Museum of Art à New York
The Field Museum of Natural History à Chicago
The Cincinnati Museum of Art
The Cleveland Museum of Art
The Collection Shelby White-Leon Levy à New York
The Freer Gallery of Art and Arthur M. Sackler Gallery à Washington

Nous tenons aussi à remercier tous ceux qui ont œuvré à la préparation et à la réalisation de l'exposition et du catalogue, et notamment :
Mmes Norbeil Aouici, Camille Bailly, Véronique Barnéoud, Véronique Belloir, Agnès Benoit, Maryvonne Deleau, Caroline Florimont, Jacqueline Germain, Charlotte Lanciot, Véronique Lebrun, Phone Lelièvre, Anne Mettetal, Marie Schoefer, Ariane Thomas et MM. Philippe Colomban, Rodolphe Lambert, Jean-Paul Leclerc, Christophe Personne.

Une reprise partielle de l'exposition aura lieu à l'Asia Society Museum, New York (15 février-20 mai 2007).

Exposition réalisée avec la collaboration exceptionnelle du musée du Louvre

et le concours exceptionnel de la Bibliothèque nationale de France

Par l'originalité du sujet, la rareté et la force des œuvres présentées, certaines expositions font date. *Les Perses sassanides, fastes d'un empire oublié* est de celles-là.

Si New York (1978) et Bruxelles (1993) ont, en leur temps, consacré d'importantes manifestations à cette prestigieuse dynastie qui régna sur le plateau iranien de 224 à 642, aucune exposition n'a été organisée en France exclusivement sur ce thème. Cette situation est paradoxale lorsque l'on sait l'importance des missions archéologiques françaises en Iran et la qualité des œuvres conservées dans nos institutions.

Je suis donc particulièrement heureux que le public puisse découvrir l'une des plus brillantes périodes de l'histoire de la Perse antique, célèbre notamment pour la richesse de sa vaisselle d'argent et de ses textiles.

L'exposition, co-organisée par le musée Cernuschi, musée des Arts de l'Asie de la Ville de Paris, et le département des Antiquités orientales du musée du Louvre, rassemble les œuvres les plus précieuses conservées dans les grandes collections publiques de France et de l'étranger autour de la « Tasse de Salomon ». Ce véritable trésor, en raison de sa fragilité, ne quitte jamais le département des Médailles Monnaies et Antiques de la Bibliothèque nationale de France, et ce n'est qu'exceptionnellement qu'il est présenté avenue Vélasquez.

Mettre les œuvres majeures de l'humanité à la portée de chacun, permettre à tous les publics d'accéder à cette beauté universelle de l'art qui transcende les frontières et les époques est au cœur de notre ambition culturelle, comme l'illustre ce rendez-vous majeur, auquel vous êtes convié.

Bertrand Delanoë
Maire de Paris

ALORS QU'AU IIIe SIÈCLE DE NOTRE ÈRE, l'Empire romain amorçait son déclin, plus à l'est, une nouvelle puissance brillante et conquérante voyait le jour et renouait avec la tradition des grands empires orientaux qui dominèrent le Proche-Orient au cours du premier millénaire avant J-C. Elle avait à sa tête des rois ambitieux, le premier d'entre eux Ardashir, roitelet de Perside, s'émancipa de la tutelle parthe et fonda une nouvelle dynastie perse : celle des Sassanides.

Les Perses sassanides fédérèrent autour d'un pouvoir central fort un territoire gigantesque qui s'étendait des frontières du monde romano-byzantin aux confins de l'Inde, englobant des pays de haute civilisation tels que la Mésopotamie ou l'Égypte. Ce nouvel empire tirant parti de son immense richesse, et de la diversité culturelle de ses provinces, favorisa l'éclosion d'un art national au service de ses souverains, de leur volonté de gloire et de splendeur.

Cet art qui puise à la source du fond irano-oriental, s'est ouvert aux influences diverses venues aussi bien de l'Occident que du lointain Orient, pour offrir des créations d'une incontestable originalité.

Et pourtant une si brillante civilisation reste peu connue du public.

L'art sassanide est toujours à découvrir et n'a fait l'objet que de très rares expositions, dont aucune ne s'est tenue en France. C'est dire l'importance particulière que revêt l'exposition au musée Cernuschi des quelque deux cents objets qui viennent l'illustrer et mettre en scène un art de cour somptueux.

Cette manifestation est le fruit d'une collaboration exceptionnelle entre le musée du Louvre et le musée Cernuschi. Les trois départements antiques du musée du Louvre ont consenti des prêts exceptionnels, Françoise Demange, conservateur en chef au département des Antiquités orientales, commissaire scientifique de l'exposition, a mis en œuvre et orchestré les efforts des différents partenaires qui ont accepté de participer à ce projet. Cette exposition est une entreprise internationale qui n'aurait pu voir le jour sans la coopération des grands musées européens et américains ainsi que celle du musée de l'Ermitage et du Musée national de Téhéran. Tous ont accepté de se séparer pour un temps de leurs plus beaux chefs-d'œuvres pour offrir au public un panorama cohérent de l'art du dernier grand empire de l'Antiquité.

Henri LOYRETTE
Président-directeur du musée du Louvre

Depuis près d'un siècle, les expositions du musée Cernuschi, tout en privilégiant le domaine spécifique des arts de l'Extrême-Orient, abordent régulièrement des thèmes plus variés. L'Iran ancien, pays incontournable pour la compréhension de l'histoire de l'Eurasie, a ainsi fait l'objet de plusieurs manifestations (1947, 1959, 1972).

Les cultures anciennes qui se sont succédé sur le plateau iranien ne sont pas étrangères à l'institution. Connu principalement pour son circuit permanent consacré à la haute antiquité chinoise, le musée Cernuschi conserve également des collections beaucoup plus variées, dont un petit lot d'antiquités iraniennes de l'âge du bronze. Leur catalogue raisonné, en cours de rédaction, paraîtra en 2008.

C'est donc avec enthousiasme que mes collaborateurs et moi-même avons accepté la proposition de Mme Annie Caubet, alors conservateur général du département des Antiquités orientales du musée du Louvre, d'organiser une exposition sur l'art des Sassanides, conjointement avec la plus prestigieuse institution patrimoniale française. Nous avons trouvé le même esprit de coopération chez son successeur, Mme Béatrice André-Salvini, grande amie depuis toujours.

Nous sommes particulièrement reconnaissant à M. Henri Loyrette, président-directeur du musée du Louvre, d'avoir favorisé ce beau projet. Son ombre tutélaire a favorisé nombre de négociations délicates.

Notre gratitude s'adresse à tous les responsables de collections publiques qui ont accepté pour quelques mois de se défaire de leurs œuvres iraniennes les plus précieuses. Parmi elles, on notera la présence de la fameuse « Tasse de Salomon », l'une des pièces emblématiques de la Bibliothèque nationale de France, présentée avenue Vélasquez grâce à la générosité de M. Jean-Noël Jeanneney, président de la Bibliothèque nationale de France, et de M. Michel Amandry, directeur du département des Monnaies, Médailles et Antiques.

Mme Françoise Demange, conservateur en chef au département des Antiquité orientales, a assuré la délicate fonction de commissaire scientifique invité avec l'efficacité, l'érudition et le calme que chacun lui connaît. Au musée même, M. Nicolas Engel, conservateur, a suivi le dossier avec son dynamisme et son professionnalisme habituels.

Gilles BÉGUIN
Conservateur général du musée Cernuschi

Liste des auteurs

A. J. : Anna Jerusalimskaja, musée de l'Ermitage

A. N. : Alexander Nikitin, musée de l'Ermitage

B. M. : Boris Marshak, musée de l'Ermitage

B. O : Bruno Overlaet, musées royaux d'Art et d'Histoire, Bruxelles

C. F. : Cäcilia Fluck, Staatliche Museen zu Berlin, Skulpturensammlung und Museum für Byzantinische Kunst

C. G. : Cécile Giroire, musée du Louvre, département des Antiquités grecques, étrusques et romaines

D. B. : Dominique Bénazeth, musée du Louvre, département des Antiquités égyptiennes, section copte

D. W. : David Withehouse, Corning museum of Glass

E. H. : Ernie Haerinck, Université de Gand

F. D. : Françoise Demange, musée du Louvre, département des Antiquités orientales

F. G. : Frantz Grenet, E.N.S., C.N.R.S.

J. K. : Jens Kröger, Staatliche Museen zu Berlin, Museum für Islamische Kunst

M. A.-B : Mathilde Avisseau-Broustet, Bibliothèque nationale de France, département des Monnaies, Médailles et Antiques

P. O. H. : Prudence O. Harper, Metropolitan Museum of Art à New York

R. B. : Rémy Boucharlat, C.N.R.S.

R. G. : Rika Gyselen, C.N.R.S.

Cet ouvrage a été réalisé sous la direction de Mme Françoise DEMANGE
Conservateur en chef au département des Antiquités orientales du musée du Louvre

avertissement

Les mesures : longueur (L.) , largeur (l.), hauteur (H.),
diamètre (D.), petit diamètre (d.), épaisseur (Ép.) et profondeur (P.)
sont données en mètre.
Les poids (Pds) sont donnés en gramme.
La mention « cat. » renvoie au présent catalogue.

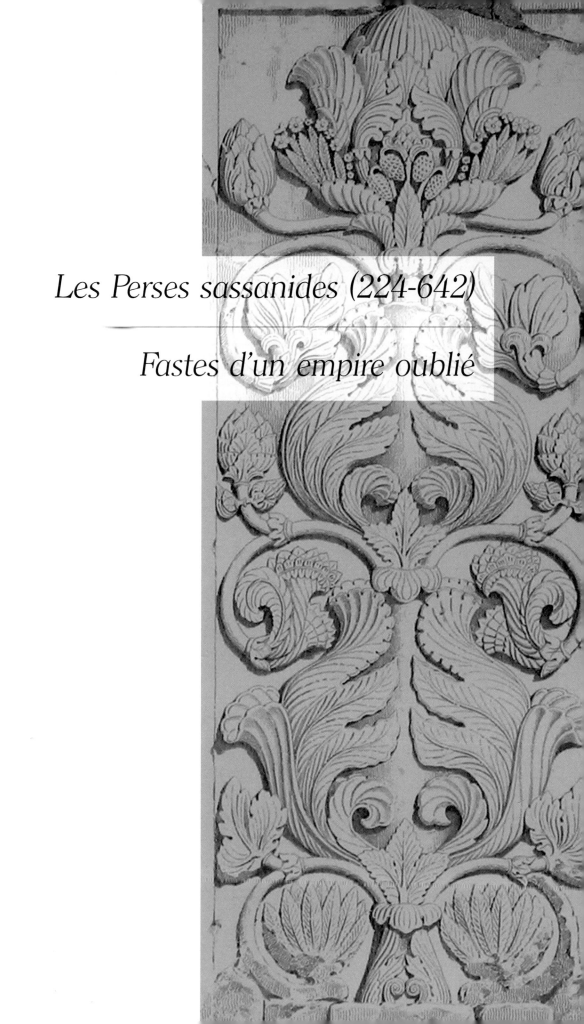

Les Perses sassanides (224-642)

Fastes d'un empire oublié

Naqsh-i Radjab, Iran. Shapur Ier et sa suite, au fond, investiture d'Ardashir Ier, *in* Flandin et Coste, pl. 189.

« La tiare était en or et ornée de pierres, répandant une splendeur éblouissante par les escarboucles incrustées et encadrée d'une rangée de perles qui brillaient sur la coiffure en mêlant leurs rayons ondulants à la belle splendeur des émeraudes de sorte que l'œil regardant était quasi pétrifié dans un étonnement insatiable. Il portait un pantalon chamarré d'or tissé à la main et de haute valeur et en général son habillement faisait preuve d'autant de faste que le penchant pour l'ostentation le voulait. »

Théophylacte Simocatta, IV . 3
Description du roi Hormidz IV (519-590)

Au début du IIIᵉ siècle, Ardashir, prince de Perside, se libère de la tutelle du roi Artaban, et de proche en proche, rassemble sous son autorité les territoires de l'Empire parthe. Il fonde une nouvelle dynastie, celle des Perses sassanides qui pendant près de 400 ans va contrôler l'immense territoire qui assure la jonction entre le monde romain puis byzantin et la Chine, par-delà l'univers mouvant des royaumes d'Asie centrale. Aux structures relâchées d'un état féodal succède une organisation centralisée, appuyée sur une administration efficace et une religion officielle, le zoroastrisme. Après cinq siècles d'effacement, cette résurgence d'un pouvoir monarchique fort et ambitieux favorise la naissance puis l'épanouissement d'un nouvel art national.

Cet art au service de la dynastie, est un art de cour, composite et éclectique ; nourri d'influences diverses, l'art sassanide emprunte à l'Occident comme à ses voisins orientaux. S'il explore dans tous les domaines des pistes nouvelles, cette volonté de renouvellement ne s'accomplit pas aux dépens de l'antique tradition irano-orientale. Les gigantesques reliefs rupestres perpétuent une tradition plus que millénaire, et on reconnaît, à la source de bien des motifs iconographiques, les vieux thèmes orientaux comme celui du roi chasseur ou des animaux affrontés de part et d'autre d'un arbre de vie.

Au centre des créations sassanides l'image glorieuse du souverain témoigne de l'unité du pays et de l'autorité de la couronne. Le roi trône en majesté ou domine les scènes d'investiture, de chasse, de combat taillées au flanc des montagnes en reliefs colossaux, gravées en miniature sur les sceaux de pierre fine ou figurées sur le fond des coupes d'argenterie. Tous les chroniqueurs, à l'instar du Byzantin Théophilacte Simocatta, dépeignent avec complaisance le luxe et le faste dont s'entourent les souverains. Ce sont de grands bâtisseurs qui fondent des villes nouvelles, édifient temples et palais enrichis d'un luxuriant décor en stuc vivement colorié. Les fêtes somptueuses qui se déroulent à la cour sont l'occasion de déployer une extraordinaire magnificence qui entraîne une floraison exceptionnelle des arts précieux.

Cette étape historique et culturelle majeure de la fin de l'Antiquité demeure encore peu connue du public, en particulier du public français, puisque cette exposition est la première manifestation entièrement dévolue à l'art des Sassanides à être présentée en France.

Argenterie précieuse, verrerie, étoffes de soie, armes et vêtements d'apparat, mais aussi sceaux et monnaie, décors architecturaux en stuc ou en mosaïques : les quelque deux cents œuvres rassemblées au musée Cernuschi, grâce à l'exceptionnelle générosité des musées prêteurs, révèlent l'éclat et la diversité des créations sassanides.

Au cours de ces dernières années, les travaux consacrés à cette période charnière de l'histoire ont remarquablement progressé et les découvertes faites lors de fouilles tant sur le sol iranien, qu'en Asie centrale et en Chine ont fourni des éléments de comparaison et de datation fiables en particulier dans les domaines de la verrerie et de l'argenterie. Ce catalogue, qui fait le point sur les différents aspects de l'art sassanide et en privilégiant les « arts du luxe », est le fruit de la collaboration des spécialistes internationaux qui tous ont accepté avec enthousiasme de participer à cette entreprise, qu'ils en soient ici chaleureusement remerciés.

Deux singularités propres aux créations de l'art décoratif sassanide doivent être soulignées, en particulier l'ambiguïté de l'emploi du terme « sassanide ».

On a ici choisi d'englober sous cette désignation des œuvres qui toutes procèdent du même fond culturel iranien, utilisent, avec quelques variantes, le même « langage » iconographique et les mêmes codes symboliques mais qui n'ont pas toutes été produites sur le territoire sassanide. Certaines ont été façonnées dans des ateliers situés aux confins de l'empire, dans des régions périphériques, d'autres ont été exécutées dans les années qui ont suivi la chute des Sassanides, par des artisans qui ont perpétué les anciennes traditions.

La deuxième particularité est que, jusqu'à ce jour, relativement peu d'objets ont été retrouvés à l'intérieur des frontières de l'empire lors de fouilles archéologiques scientifiquement menées. Pièces d'argenterie, textiles précieux, verreries : ces produits de luxe étaient particulièrement recherchés et appréciés, ils étaient offerts en cadeau aux princes des royaumes alliés, aux ambassadeurs étrangers, étaient objets de troc ou de commerce. On les a retrouvés dans des contrées aussi lointaines que la Chine ou le Japon. Un nombre impressionnant de pièces d'argenterie est le fruit de découvertes fortuites faites de part et d'autre des montagnes de l'Oural et bien plus loin vers le nord, jusqu'aux confins de la Sibérie. De nombreux tissus de soie enveloppant les reliques des saints, sont arrivés en Occident à l'époque des croisades et ont été préservés dans les trésors des églises ou des abbayes. Mais la plupart de ces œuvres sont privées de tout contexte archéologique, c'est pourquoi, malgré les découvertes et les travaux récents, beaucoup d'incertitudes demeurent encore sur la date exacte ou le lieu précis de fabrication de nombre de créations des artisans sassanides. L'exemple le plus frappant est celui des textiles, seuls d'infimes lambeaux d'étoffe ont été exhumés en Iran ou en Irak, et aucun vestige d'ateliers de tissage n'a pu être repéré alors que l'on sait par les textes qu'ils étaient nombreux et actifs à travers tout l'empire.

En Orient, la vaisselle précieuse a toujours fait partie de l'apparat de la vie de cour, c'est avec ces œuvres prestigieuses en argenterie que s'ouvre l'exposition.

À l'époque de l'Empire achéménide la riche production d'orfèvrerie se cantonnait, mis à part les rhytons, à des pièces fonctionnelles, simplement ornées de gaudrons ou de pétales en relief.

De l'époque parthe peu de témoignages subsistent, cependant, en introduction, trois pièces évoquent les créations que l'on peut attribuer à cette période, elles soulignent le renouvellement spectaculaire de l'art de la toreutique qu'accomplirent les artisans sassanides, sans doute sous l'impulsion de la cour.

Dans leur quête de modèles ils se sont tournés vers l'Occident romain où depuis plusieurs siècles la mode était aux plats d'argent chargés de décors historiés.

Ils en ont adopté les formes, l'imagerie, mais ont transcrit et retravaillé ces différents éléments pour créer des œuvres originales adaptées aux besoins de leur propre culture. Ainsi les figures allégoriques qui personnifient dans le monde romain les mois, les heures ou les saisons, sont devenues sur les vases et les coupes d'argent de pulpeuses danseuses parées à la mode sassanide. Symboles de prospérité et de félicité elles évoquent les cérémonies au cours desquelles cette vaisselle luxueuse était utilisée.

La présentation des œuvres par thèmes iconographiques ou par type de forme permet de mettre en évidence le jeu des influences, de suivre l'évolution dans le temps et dans l'espace d'un motif précis, par exemple celui des « pampres de vigne habités » dérivé de l'imagerie dionysiaque, ou de souligner, à travers le choix d'un décor comme l'image du *senmurv*, la communauté d'inspiration des différentes formes d'expression artistique.

Une salle est entièrement consacrée au thème du roi chasseur. Les orfèvres se sont emparés de cette représentation métaphorique du guerrier victorieux, traditionnelle dans l'art du Proche-Orient antique, et l'ont transformée en une icône royale figée dans un hiératisme glorieux. Ils en ont orné le creux de coupes somptueuses, travaillées en relief et rehaussées de dorure. À travers les œuvres présentées on peut suivre l'évolution de cette image, symbole de la gloire et de la Fortune royale, la *kwarnah* ; elle fut le monopole des ateliers de la cour au début de l'empire, avant d'être déclinée en maintes variantes par des artisans provinciaux.

Ce sont aussi les chasses royales qui se déploient sur les murs de cette salle en deux scènes monumentales reproduisant grandeur nature, les parois latérales de la grotte de Taq-i Bustan. Ces moulages qui font partie des collections du musée du Louvre, ont été réalisés en 1899 par la Délégation archéologique française en Perse. Ils ont été restaurés à l'occasion de l'exposition et sont, pour la première fois, montrés dans leur intégralité.

Cette première section, qui présente aussi un remarquable ensemble de verrerie, de monnaies et de sceaux, se clôt sur le flamboiement coloré de la « Tasse de Salomon », l'œuvre la plus connue de l'art sassanide, exceptionnellement prêtée par la BnF.

La deuxième partie de l'exposition est consacrée aux armes, aux textiles et aux vêtements d'apparat. Nous avons fait le choix de mettre l'accent sur les trouvailles faites en Égypte lors des fouilles de la nécropole d'Antinoopolis, en réunissant des pièces conservées à Paris, Lyon et Berlin. Caftans en cachemire, guêtres en laine, lourdes bottes en cuir semblent bien peu adaptés au climat égyptien. Si l'identité de leurs propriétaires reste toujours une énigme, le patient travail mené par les conservateurs et les restaurateurs a mis en évidence certains indices qui indiquent l'origine orientale de ces textiles.

En guise de conclusion, quelques pièces d'argenterie présentées à la fin du parcours, évoquent l'influence de l'art sassanide sur le premier art islamique.

Françoise DEMANGE
Conservateur en chef au musée du Louvre
Commissaire de l'exposition

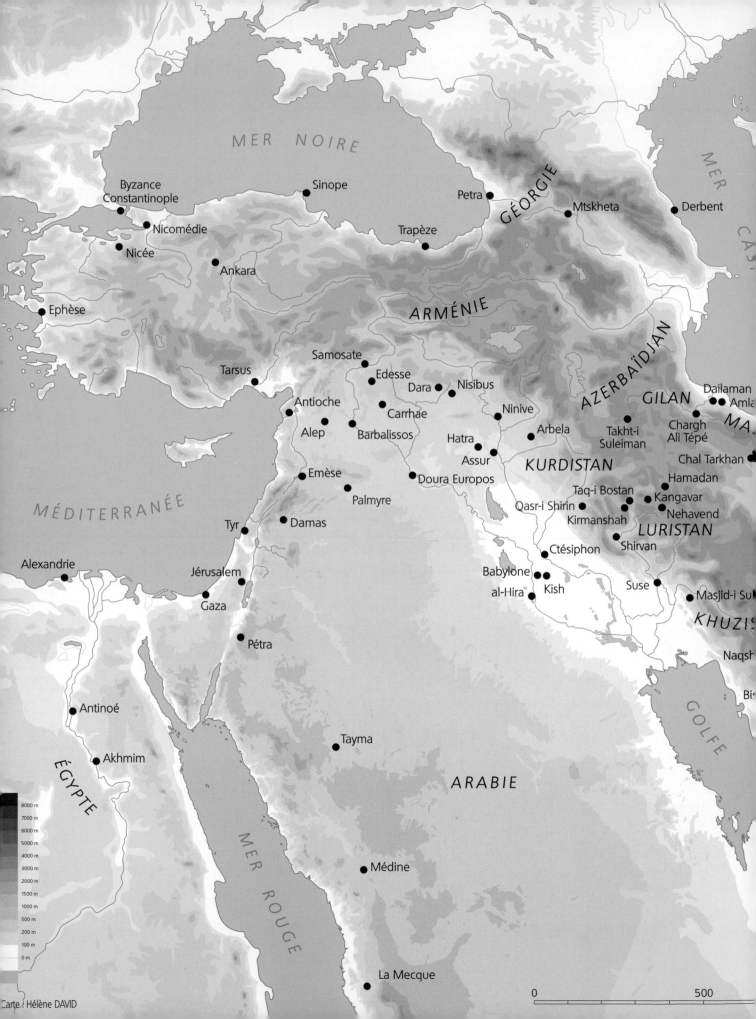

MER NOIRE

GÉORGIE

MER CAS...

Byzance
Constantinople
Sinope
Petra
Mtskheta
Derbent
Nicomédie
Trapèze
Nicée
Ankara
ARMÉNIE

AZERBAÏDJAN
GILAN
Dailaman
Amla...
MA...

Ephèse

Samosate
Edesse
Dara
Nisibus
Ninive
Arbela
Takht-i
Suleiman
Chargh
Ali Tépé
Chal Tarkhan

Tarsus
Antioche
Carrhae
Hatra
KURDISTAN
Hamadan
Alep
Barbalissos
Assur
Táq-i Bostan
Kangavar
Emèse
Doura Europos
Qasr-i Shirin
Nehavend
Palmyre
Kirmanshah
LURISTAN
MÉDITERRANÉE
Tyr
Damas
Shirvan
Ctésiphon
Alexandrie
Babylone
Suse
Jérusalem
al-Hira
Kish
Masjid-i Su...
Gaza
KHUZIS...

Pétra
Naqsh...

Antinoé
Bi...

GOLFE
Akhmim

ÉGYPTE
Tayma

ARABIE

8000 m
7000 m
6000 m
5000 m
4000 m
3000 m
2000 m
1500 m
1000 m
500 m
200 m
100 m
0 m

MER
ROUGE
Médine

La Mecque

0   500

Carte : Hélène DAVID

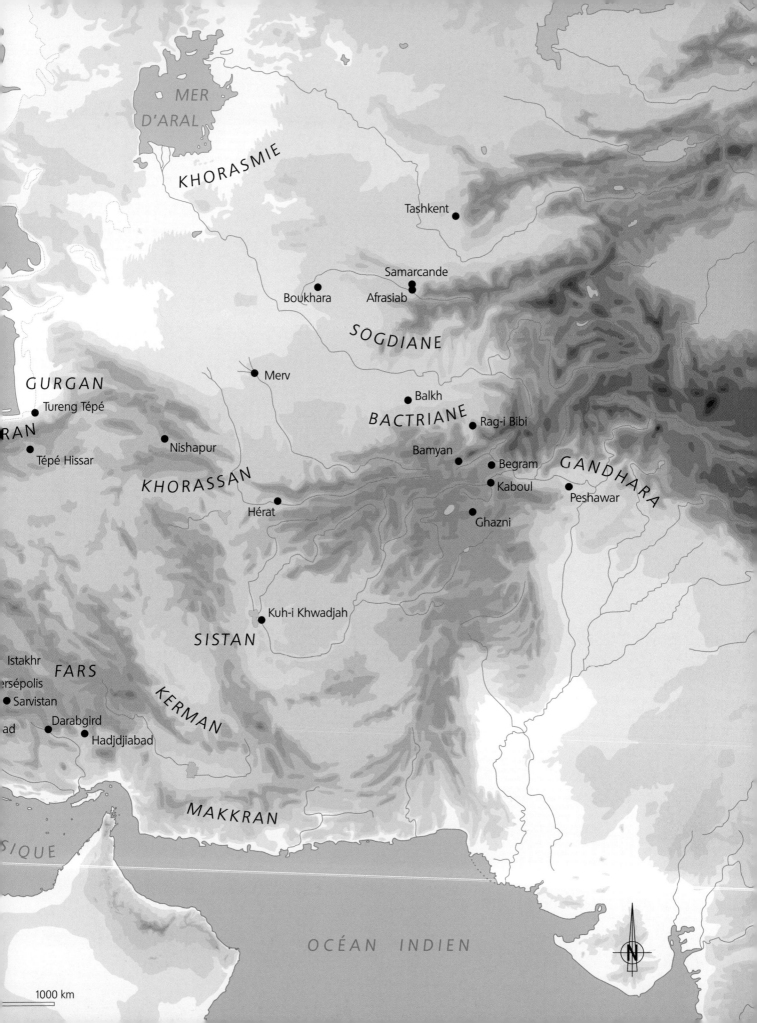

MER
D'ARAL

KHORASMIE

Tashkent

Samarcande
Boukhara   Afrasiab

SOGDIANE

GURGAN   Merv
    Tureng Tépé   Balkh
RAN   BACTRIANE   Rag-i Bibi
    Tépé Hissar   Nishapur   Bamyan
                                                  Begram   GANDHARA
                   KHORASSAN   Kaboul
                            Hérat   Peshawar
                                                  Ghazni

                                    Kuh-i Khwadjah

                        SISTAN
Istakh
rsépolis
 Sarvistan   KERMAN
ad   Darabgird
        Hadjdjiabad

FARS

MAKKRAN

SIQUE

OCÉAN INDIEN

N

1000 km

Vue générale de la falaise de Naqsh-i-Rustam, *in* Flandin et Coste 1843.

Rika Gyselen

La parenté entre Sassan, l'ancêtre éponyme de la dynastie, et le premier roi sassanide Ardashir Ier (224-241) reste obscure. Avant d'accéder au trône de l'Empire, ce dernier était un roitelet de Perside, la région méridionale de l'Iran d'où provenaient aussi les
Perses achéménides (vers. 558-331 av. J.-C.) et où ceux-ci avaient laissé de nombreux vestiges monumentaux comme Persépolis ou leurs tombeaux rupestres dans les falaises de
Naqsh-i Rustam (fig 1). C'est en contrebas de ces tombeaux que les premiers rois sassanides
vont faire exécuter plusieurs reliefs rupestres. C'est aussi dans la vallée de Naqsh-i Rustam
que Shapur Ier (241-271) fera graver ses « *Res Gestae* », principale source de l'émergence
du pouvoir sassanide.

Les Sassanides désignent leur empire par le terme Êrânshahr, (pays [empire] des
Aryens [Iraniens]). La partie centrale du royaume se compose de l'Irak et de l'Iran actuels
ainsi que de la frange occidentale de l'Afghanistan et du Pakistan. S'y ajoutent, au gré
des guerres et des traités de paix, la partie septentrionale de la Mésopotamie et les
régions caucasiennes comme la Géorgie, ou des parties de l'Arménie dont le contrôle
génère un *casus belli* endémique avec les Romains. La date de la mainmise sassanide
sur l'ouest de l'empire kouchan (Asie Centrale et Bactriane) est très controversée (entre
226 et 368 environ). Cette région une fois conquise, le pouvoir sassanide y installe rapidement, à titre de gouverneurs, des princes de la maison royale qui seront connus sous
le nom de rois kouchano-sassanides. À partir de la fin du IVe siècle, les Sassanides per-
dront peu à peu cette contrée et, après leur défaite en 484 face à l'empire hephtalite, la
Margiane, l'Arachosie et le Khorassan, régions traditionnellement sassanides, échappe-
ront même à leur contrôle pendant une quinzaine d'années. S'associant aux Turks d'Asie
centrale, les Sassanides réussissent à récupérer la région située entre l'Oxus et le Sind
(560), mais dès la fin du VIe siècle, la présence sassanide dans ces contrées devient plus
nominale que réelle. Des seigneurs locaux en profitent pour fonder des principautés

autonomes dont la résistance va considérablement freiner l'avancée des armées arabes lors de leur invasion de ce qui est de nos jours l'Afghanistan. En 570, Khusro Ier (531-579) s'assure le contrôle de la mer Rouge et du commerce international en expulsant les Éthiopiens du Yémen qui devient un état vassal de l'Empire sassanide. C'est sous Khusro II (591-628), surnommé Abarwez (le Victorieux), que l'empire atteindra, pendant une vingtaine d'années, sa plus grande extension, englobant le Proche-Orient, l'Égypte et l'Asie mineure, conquis sur les Byzantins. Cette phase d'expansion prend fin avec l'invasion des armées byzantines qui dévastent Takht-i Sulaiman, le sanctuaire national, et la résidence royale de Khosrow II à Dastagird. Entre 628 et 632, une demi-douzaine de rois et de reines se succèdent sur le trône. Lorsque Yazdgird III (632-650) stabilise enfin le pouvoir, il est trop tard pour sauver l'empire, affaibli notamment par les nombreuses erreurs tactiques de Khosrow II, en particulier l'élimination du roi arabe lakhmide dont la principauté, al-Hira, constituait un état tampon contre les tribus arabes qui menaçaient le pays depuis le Ve siècle déjà. La conversion à l'islam (622) va unifier ces tribus et agir comme le déclencheur de la conquête arabe. En prenant al-Hira, les Arabes s'ouvrent la voie vers la capitale, Ctésiphon. Exsangue, l'armée sassanide est définitivement défaite à Nehawand en 642. Après l'assassinat de son père Yazdgird III dans l'Est iranien, et malgré un appui des Turks et des Chinois, Peroz ne parvient pas à reconquérir son royaume et doit chercher refuge à la cour chinoise. Les Sassanides laissent aux Arabes un empire unifié et centralisé autour d'un pouvoir fort. Les concepts sassanides de gouvernement et de royauté seront repris par les dynasties arabo-islamiques des Omeyyades et des Abbassides.

L'empire parthe arsacide était composé d'innombrables principautés semi-indépendantes dirigées par des rois locaux dont certains firent allégeance à Ardashir Ier, préservant ainsi leur trône. D'autres régions tombèrent sous le contrôle direct de l'État qui leur affecta un satrape, souvent un proche du pouvoir. Dans sa grande inscription décrivant l'empire, Shapur Ier n'évoque pas les immenses régions appartenant à des familles nobles comme les Waraz, les Mihran, les Souren ou les Karen, qui levaient leurs propres armées et constituaient une force politico-militaire incontournable que le roi se devait de ménager. Sous Kawad Ier, les désordres sociaux, surtout provoqués par le mouvement mazdakite qui prônait la communauté des femmes et des biens, vont offrir aux souverains l'occasion de modifier les rapports de force avec cette noblesse traditionnelle. C'est peut-être à l'issue de ces troubles que le pouvoir établit définitivement son contrôle sur les régions appartenant aux grandes familles. En tout état de cause, les sceaux administratifs des VIe-VIIe siècles montrent que le canevas administratif provincial s'applique alors à l'intégralité du territoire. Après avoir dépossédé ces grandes familles d'une partie de leurs droits sur leurs terres traditionnelles, Khosrow Ier les intégrera dans l'appareil de l'État. C'est dans leurs rangs qu'il recrute les cadres supérieurs de l'empire, en particulier les généraux de l'armée, celle-ci étant désormais centralisée entre ses mains. Ainsi ces familles nobles se forgent-elles à nouveau un pouvoir, différent certes, mais tout aussi dangereux pour la dynastie sassanide, interférant comme auparavant dans les affaires de

Fig. 1 - Falaise de Naqsh-i Rustam, Iran. En haut, tombeaux achéménides ; en bas reliefs sassanides.

l'État, notamment lors de l'intronisation d'un nouveau roi. La transmission du pouvoir sassanide se fait en général de père en fils, mais peut aussi passer par un frère. La prérogative de couronner le roi revenait, au moins dans les premiers temps, à la famille Souren. Certaines sources semblent indiquer que cet honneur fut plus tard dévolu au chef de l'église mazdéenne. À différentes époques, l'influence du clergé sur la royauté est

La vie de cour

Rika Gyselen

La composition de la cour au IIIe siècle est connue grâce à quelques inscriptions royales comportant des listes de courtisans dont l'ordre correspond probablement à celui observé lors des cérémonies. Au cours des audiences et des banquets royaux, l'étiquette était régie par des règles très contraignantes, consignées dans des « manuels » *ad hoc* aujourd'hui perdus.

Les rois aimaient s'entourer de ménestrels et de conteurs, qui développèrent des genres littéraires séculiers comme le roman de cour, les histoires épiques et le conte. Certaines de ces œuvres appartenaient à la tradition iranienne parthe (*Vis et Ramin*), d'autres étaient des traductions du grec, du syriaque ou du sanscrit. Essentiellement orale, cette littérature de cour ne fut mise par écrit qu'à l'époque de Khosrow Ier. Seuls quelques textes brefs ont survécu en pehlevi, les autres nous sont parvenus à travers des traductions, dont certaines en arabe – la *Lettre de Tansar* sur l'art de gouverner –, ou en persan comme le célèbre *Livre des rois* de Firdousi.

Musiciens et musiciennes divertissaient les invités lors des fêtes et accompagnaient aussi le roi à la chasse. Astrologues, magiciens et devins de toutes sortes font également partie de l'entourage du roi, celui-ci attendant d'eux qu'ils lui apportent des précisions sur les jours et les heures propices à ses actions.

Le jeu d'échecs, à travers lequel il est fait allusion à la guerre (pièces du roi, corps d'éléphant, flotte ...), et qui s'inscrit donc à ce titre dans l'idéologie royale, compte au nombre des loisirs auxquels s'adonnait la cour.

Le roi et toute sa maisonnée se déplaçaient fréquemment. Outre le palais proprement dit, les domaines royaux comportaient d'immenses réserves de chasse, des « paradis », sur lesquels nous renseignent l'auteur latin Ammien Marcellin et surtout les reliefs rupestres de Taq-i Bustan. La chasse, allégorie de la guerre et de la défaite de l'ennemi, était le passe-temps favori du roi et de ses courtisans.

Jeux et joutes figurant sur la coupe cat. 70. Dessin de Cl. Florimont.

notoire. Mais le principal facteur déstabilisant pour la dynastie reste la noblesse, comme en témoignent les usurpations de Bahram Chobin (590-591), un général de la famille Mihran, et de Wistahm (591/592-597 ?), oncle maternel de Khosrow II (590-628).

Ardashir Ier hérita aussi de la situation internationale qui avait prévalu durant les dernières années de l'époque parthe, ainsi que de l'ennemi séculaire, l'Empire romain, qui jouxtait la frontière occidentale de l'empire. C'est Shapur Ier qui obtiendra les premières victoires éclatantes : mort de l'empereur romain Gordien sur le champ de bataille, puis reddition de Philippe l'Arabe et surtout capture de l'empereur Valérien avec une partie de son armée. Il saura tirer profit de la compétence des prisonniers de guerre romains pour réaliser ses grands ouvrages d'art, ponts et barrages. Malgré quelques revers sassanides, les traités de paix se soldent en général par un tribut romain. Les incursions des Sassanides dans les régions de l'Empire romain d'Orient ayant donné lieu à des déportations périodiques, les rois sassanides fondèrent de nombreuses villes pour établir ces populations déplacées. Ainsi, Shapur Ier fera construire dans le Khuzistan, pour les déportés d'Antioche, Weh-az-Andiyok-Shapur, (meilleure qu'Antioche Shapur [a fait]). Mieux connue sous le nom de Djund-i Shapur, cette ville devint un centre renommé de médecine et de philosophie « grecques » et accueillit de nombreux philosophes, en particulier à la suite de la fermeture de l'École d'Édesse (489) et de celle d'Athènes (529). Shapur II y fonda une faculté de médecine fortement influencée par les théories de Galien, et Khosrow Ier la dota d'un hôpital appelé « Académie d'Hippocrate ».

Dans l'Est iranien, une culture composée d'éléments iraniens, grecs et indiens s'était épanouie sous les Kouchans. De sa rencontre avec la culture sassanide vont résulter des

Une religion d'état : le zoroastrisme

Rika Gyselen

L'Église nationale mazdéenne

Les premiers rois sassanides se proclament « mazdéens » sur leurs monnaies et dans leurs inscriptions. Sous Bahram II, un prêtre mazdéen, Kartir, réussit à instaurer une hiérarchie cléricale dont la présence et la structure iront ensuite en se développant. Aux VIe-VIIe siècles, l'Église mazdéenne tient entre ses mains tout l'appareil juridico-religieux de l'État et contrôle le territoire national à travers plusieurs types d'administrations.

Le zoroastrisme – d'après le nom du prophète Zoroastre (ou Zarathushtra) – est une religion dualiste où les principes du Bien et du Mal se combattent. De ce combat sortira victorieux Ahura Mazda, le « Seigneur

Naqsh-i Rajab, Iran. Le grand prêtre Kartir.

Sagesse », duquel dérive le terme mazdéisme qui désigne aussi cette religion. Ohrmazd, autre forme du nom d'Ahura Mazda, est entouré de divinités qui incarnent différents concepts s'opposant aux forces maléfiques qui accompagnent Ahriman. Le Feu, symbole d'Ohrmazd, joue un rôle central dans le rituel zoroastrien et est abrité et vénéré dans des temples du Feu. Des sanctuaires ont aussi été dédiés à la déesse Anahita intégrée dans le zoroastrisme tout comme le dieu solaire Mithra. Afin d'éviter la souillure des quatre éléments sacrés – eau, air, terre et feu –, de nombreux rituels de purification sont appliqués ; d'où les pratiques funéraires relatives au cadavre, cause principale de pollution, qui est décharné par les chiens et les rapaces et dont les os, considérés comme le siège de l'âme, sont recueillis et conservés en vue de la résurrection. Cette pureté physique doit aller de pair avec une pureté morale selon la triple règle d'or « bonnes pensées, bonnes paroles, bonnes actions ».

Ce n'est que vers la fin de l'époque sassanide que l'enseignement de Zoroastre, transmis oralement pendant des siècles, fut mis par écrit dans le livre de l'Avesta. La doctrine, l'eschatalogie, la philosophie, la cosmologie et la mythologie du zoroastrisme sont consignées dans des ouvrages en pehlevi qui n'ont été rédigés qu'aux IXe-Xe siècles.

œuvres d'art surprenantes, dont le monnayage kushano-sassanide ou les peintures murales. C'est aussi dans ces régions, où naquit le zoroastrisme, probablement autour de 1000 avant notre ère, que se développera un art religieux mazdéen remarquable qu'on chercherait en vain dans l'Empire sassanide « intérieur » et dont l'absence, dans cette région, a parfois été attribuée au sectarisme du clergé mazdéen ou à de supposés mouvements iconoclastes.

Une constante de la géo-politique régionale est la pression nomade sur les frontières septentrionales, d'une part le Caucase, d'autre part le nord-est iranien (Hyrcanie, Margiane, Bactriane) qui jouxte les steppes d'Asie centrale. Pour résister à cette pression, les Sassanides renouent avec la tradition séculaire consistant à édifier des réseaux de forteresses et de citadelles ou à construire de longues murailles. Mais dès le milieu du IVe siècle, des vagues successives de tribus envahissent peu à peu tout l'espace sassanide oriental et le flux ne cessera plus jusqu'à l'arrivée des Turks en Asie centrale au VIe siècle.

Khosrow Ier, surnommé Anoshirwan (À l'âme immortelle), inaugure une époque de renaissance culturelle. C'est à partir de son règne, ou de celui de son père, qu'une forte influence indienne s'exerce dans le domaine des arts et des idées. Des œuvres littéraires sont traduites du sanscrit en pehlevi — *Les mille contes, Kalila et Dimna*, ou *Le livre de Sindbad* — et passeront ensuite en arabe, persan, grec et latin, atteignant ainsi l'Europe. Sont également traduits de nombreux ouvrages de philosophie, d'astrologie et de médecine, ces deux dernières sciences étant étroitement associées aux croyances prophylactiques et aux pratiques magiques, très répandues dans toutes les classes de la société sassanide. De très nombreux types d'amulettes et des milliers de plats en terre cuite couverts d'invocations, souvent en araméen, témoignent de l'intense utilisation d'objets qui, par la force des mots ou des images, protègent contre la maladie et le mauvais œil.

La période sassanide connut une importante urbanisation, soutenue par les rois eux-mêmes, qui fondèrent de nombreuses villes, souvent pour accueillir des populations déportées ou déplacées dont les artisans qualifiés contribuèrent fortement à la promotion de l'artisanat. L'économie est fondée sur la terre et sur l'agriculture qui, dans la plupart des régions, nécessite une irrigation. Celle-ci est assurée par des canaux souterrains et des pont-barrages – le plus célèbre étant celui de Band-e Caesar (Digue de César) dans le Khuzistan, dont le nom rappelle qu'il a été construit par des prisonniers de guerre romains. C'est en Mésopotamie, au Khuzistan et dans les environs de Darabgird, dans le Fars, que se situent les plus productives des régions céréalières, sucrières et sans doute aussi viticoles. Les principales sources de revenu de l'État sont l'impôt foncier sur les récoltes, la taxe personnelle qui, en définitive, ne s'applique qu'aux gens du peuple, et les taxes douanières sur le commerce international. L'activité minière (or, argent, cuivre, pierres semi-précieuses) et la localisation des mines sont mal connues. La production d'objets de luxe destinés à la cour et aux échanges internationaux (vaisselles d'argent et de verre, brocart) a pu être le monopole d'ateliers royaux, souvent installés dans des villes royales comme celle fondée par Shapur II, au nord de Suse, et connue sous le nom d'Iwan-e Karka.

La Route de la Soie

Rika Gyselen

La « Route de la Soie » est le nom générique que donnent les Occidentaux au réseau routier par lequel la soie chinoise brute est acheminée vers l'ouest. Partant de la capitale chinoise Chang'an, elle se divise à Dunhuang en trois routes terrestres, reliées entre elles par des routes secondaires. La route centrale (Turfan - Koutcha - Kachgar - Balkh), contrôlée par les marchands sogdiens de Koutcha, rejoint à Marw un embranchement de la route septentrionale (Tachkent - Samarcande) et traverse Nishapur, Ray et Hamadan pour atteindre la capitale Ctésiphon et au-delà la Méditerranée orientale. À partir de la route méridionale (Khotan - Koundouz), plusieurs voies mènent vers l'embouchure de l'Indus d'où partent des routes maritimes. Celle de la mer Rouge, qui permettait de contourner l'Empire sassanide, sera surtout empruntée par les marchands égyptiens et syriens de l'empire romain, tandis que les marchands perses utiliseront celle du golfe Persique pour atteindre la Chine méridionale et l'Extrême-Orient.

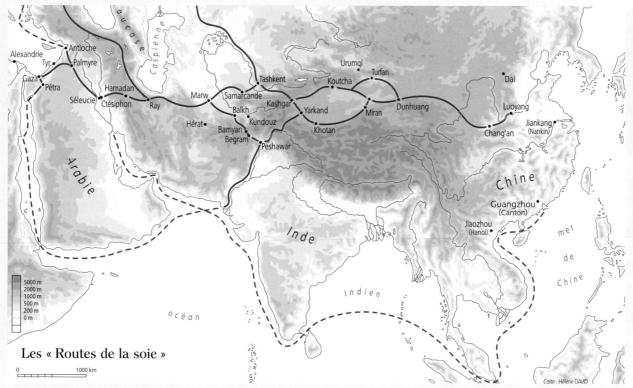

Les « Routes de la soie »

Pour les Chinois, la « Route de la Soie » est la « Route des Chevaux » par laquelle transitent les chevaux d'Asie centrale, ou encore la « Route du Verre », un produit de luxe hautement prisé en Chine et fabriqué en Méditerranée orientale, en Perse sassanide et en Inde du Nord. De Chine viennent miroirs en bronze, papier et laque. De l'or et de l'argent sont acheminés vers la Chine sous forme de pièces de monnaies, de plats et de bols. Si ces objets y furent en général fondus, quelques-uns ont toutefois survécu dans des trésors de réserve. La Perse sassanide exporte du brocart de soie broché d'or et d'argent, des perles fines et des perles d'agate et de cristal de roche indispensables à l'orfèvrerie, à la bijouterie, à la décoration des vêtements et aux fameux rideaux de perles. La « Route de la Soie » a aussi été un extraordinaire vecteur pour ce qui est des idées philosophiques, des techniques et des religions, en particulier le christianisme, le manichéisme et le bouddhisme.

Les rois sassanides ont pratiqué une politique expansionniste et autoritaire dont a résulté un important brassage de populations d'origines ethniques, linguistiques et religieuses diverses. Bien que certains groupes aient conservé leur religion ou leur langue – nombre de communautés étant bilingues –, le milieu sassanide a constitué un creuset qui a continuellement absorbé ces différents apports et duquel est sortie une culture à forte connotation iranienne offrant une image identitaire remarquable.

Les minorités religieuses dans l'Empire sassanide

Rika Gyselen

Déportés en Mésopotamie après la prise de Jérusalem en 587 av. J.-C. par le roi de Babylone, les Juifs constituent la plus ancienne minorité religieuse à l'aube de l'époque sassanide. Dans ces mêmes régions sont aussi installées quelques communautés chrétiennes. Mais c'est à la suite des déportations périodiques et massives de populations syriennes (surtout aux IIIe et VIe-VIIe siècles) que le christianisme va essaimer à travers tout l'empire, comme en attestent les listes épiscopales des synodes et des conciles. En dépit d'un certain nombre de persécutions ponctuelles, Juifs et Chrétiens étaient intégrés dans le tissu économique et administratif, sinon culturel, et pouvaient faire partie de l'entourage du roi, lequel choisissait parfois favorites et conseillers dans ces minorités. En marge de ces deux religions monothéistes ont fleuri de nombreuses « hérésies » à tendance mazdéenne (zurvanisme, mazdakisme, ...) et chrétienne.

En Bactriane et en Asie centrale, des monastères et des monuments attestent l'installation du bouddhisme dont l'expansion s'était produite à l'époque des Kouchans.

Seule religion universelle d'origine « sassanide », le manichéisme voit le jour au IIIe siècle en Mésène dans le milieu baptiste, mouvement religieux se situant à l'intersection du judaïsme et du christianisme. Son prophète, Mani, prêche une doctrine dualiste à fort caractère syncrétique où s'entremêlent des éléments bouddhiques, mazdéens et chrétiens, ainsi que certaines notions issues de la philosophie grecque et des anciennes religions mésopotamiennes. Sous la pression du clergé mazdéen, les successeurs d'Ohrmazd Ier tentèrent d'éradiquer le manichéisme dont de nombreux disciples émigrèrent alors d'une part vers l'Empire romain – on ne peut oublier que Saint Augustin fut d'abord manichéen –, d'autre part vers l'Est iranien, l'Asie centrale et le Turkestan chinois où ils créèrent leur propre alphabet pour écrire le moyen-iranien et développèrent un art spécifiquement manichéen.

Plaquette représentant un saint chrétien, un livre à la main (stuc, H. : 0,136 ; l. : 0,085, découvert à Suse, Paris, musée du Louvre, inv Sb 9375.

Naqsh-i Radjab, investiture d'Ardashir détail,
in Flandin et Coste 1843.

Salmas - Ardashir Ier et Shapur Ier :
victoire sur les Arméniens
in Flandin et Coste, 1843.

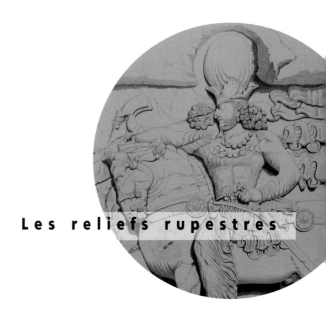

Les reliefs rupestres

Ernie Haerinck

L'ART DU BAS-RELIEF RUPESTRE en Iran connaît son apogée à l'époque sassanide qui ne compte pas moins de trente-cinq panneaux. Ces reliefs perpétuent une tradition qui date de la fin du IIIe ou du début du IIe millénaire av. J.-C. Les Élamites dans le Sud-Ouest de l'Iran, les Assyriens dans le Zagros central, les Achéménides près de Persépolis, mais surtout les Parthes, prédécesseurs immédiats des Sassanides, ont pratiqué l'art du bas-relief. Bien plus tard, au XIXe siècle, les souverains de la dynastie qadjare renoueront avec cette tradition.

La plupart des reliefs sassanides ont été révélés par les voyageurs des XVIIe-XIXe siècles mais certaines découvertes datent de la seconde moitié du XXe siècle (Sarab-i Qandil, près de Bishapur). La liste n'est peut-être pas close, comme le montre le relief de Shapur récemment retrouvé dans les montagnes d'Afghanistan.

Les reliefs sont sculptés sur des parois rocheuses mais parfois sur des blocs isolés ; l'immense majorité est concentrée en Iran méridional, dans la province du Fars, berceau de la dynastie. Naqsh-i Rustam, près de Persépolis et d'Istakhr, centre religieux important de l'époque, n'offre pas moins de huit reliefs des rois des IIIe et IVe siècles, tous placés, très symboliquement, au-dessous des tombes des rois achéménides, dont les Sassanides se voulaient les héritiers (fig. 1, p. 27). À quelques kilomètres de là, trois autres panneaux sont sculptés dans le petit vallon de Naqsh-i Radjab, ils appartiennent aux deux premiers souverains sassanides Ardashir et Shapur Ier.

À Firuzabad, sa première capitale, Ardashir a fait réaliser deux reliefs ; six reliefs de Shapur Ier et II sont sculptés dans une gorge proche de la ville de Bishapur, à l'ouest de Shiraz. Chacun des autres bas-reliefs est isolé (Darab, Sarab-i Bahram, Bishapur, Sarab-i Qandil, Guyum et Sar Mashad), à l'exception de Barm-i Dilak près de Shiraz (trois reliefs).

Dans le reste de l'Iran, Taq-i Bustan, près de Kermanshah, est le seul endroit où sont sculptés plusieurs reliefs, dans des grottes aménagées faisant partie d'un parc royal. Le Nord-Ouest de l'Iran ne compte qu'un seul panneau à Salmas.

Ces bas-reliefs sont souvent de grandes dimensions (4 à 7 m. de hauteur et 8 à 10 m. de longueur). À Firuzabad, le panneau représentant la victoire d'Ardashir sur les Parthes, ne mesure pas moins de 20 mètres de long.

Souvent situés près d'une source ou d'une rivière ou bien à proximité d'une ville comme à Bishapur, ils sont pour la plupart sculptés à plusieurs mètres au-dessus du sol, ce qui pose la question de leur fonction. Certains étaient à peine visibles depuis la route et parfois difficilement accessibles, pourtant, ils ont bien été conçus pour être vus depuis le bas et non pas à l'horizontale. En effet, pour conserver des proportions normales pour l'observateur, le sculpteur a déformé les personnages, augmentant les proportions du corps vers le haut.

Fig. 1 - Darabgird, Iran. Relief rupestre de Shapur Ier : Victoires sur les Romains.

On a pu observer au moins deux panneaux qui portaient encore des traces d'un enduit de plâtre. Il est probable que la plupart d'entre eux étaient, à l'origine, couverts d'une couche de stuc et probablement peints de couleurs vives. Nous n'avons aujourd'hui qu'une vision réduite de la réalité, limitée à une image inachevée.

Ils ont souffert de leur situation en plein air : ils ont été dégradés par la pluie, le gel, les infiltrations d'eau, les plantes. À certaines époques, les visages des personnages ont été martelés ; à Bishapur, les eaux d'un canal construit au beau milieu des panneaux les ont gravement endommagés ; à Rayy, aujourd'hui banlieue de Téhéran, un relief sassanide encore visible au XVIIe siècle a été détruit par un nouveau relief au XIXe siècle.

Ces bas-reliefs témoignent d'une grande maîtrise technique et d'une iconographie soigneusement élaborée. Les reliefs du IIIe siècle offrent une composition simple, mettant en valeur les quelques personnages représentés, en général le roi et le dieu ; ceux de Shapur II au IVe siècle, très grands, sont au contraire peuplés d'une multitude de figures, soldats ou prisonniers. Enfin, ceux de la grande grotte ou *iwan* de Taq-i Bustan sont très fouillés dans la représentation de scènes de chasse. Tous fourmillent de détails sur les traditions vestimentaires, l'armement, la richesse du harnachement des chevaux.

D'après les thèmes et les personnages représentés, il est clair que la presque totalité a été exécutée sur ordre du roi. Deux seulement ont été commandités par le grand prêtre et ministre, Kartir, au service de Shapur Ier puis de ses fils, identifié par une longue inscription placée au-dessous de son buste. Quelques autres, en général plus modestes, localisés dans des endroits isolés, ont peut-être été commandés par un personnage important, même si le roi est représenté.

La majorité des reliefs a été exécutée principalement au IIIe siècle puis au IVe sous Shapur II. Ils seront ensuite très rares jusqu'à la fin de l'époque sassanide, période illustrée par les reliefs de Taq-i Bustan. Il n'y a presque aucune inscription sur ces reliefs qui informe sur l'identité des personnages ou la signification des scènes représentées. C'est la numismatique qui permet de les dater. En effet, sur les monnaies figure l'effigie du roi avec sa couronne particulière, facilement identifiable pour les premiers souverains, mais avec plus d'incertitudes pour les derniers. La grande majorité des panneaux datent du IIIᵉ siècle ou du tout début du IVᵉ siècle (Ardashir Iᵉʳ, Shapur Iᵉʳ, Bahram Iᵉʳ et II, Narseh et Hormizd II). Shapur II, qui eut un long règne de 70 ans, a fait exécuter des reliefs à Naqsh-i Rustam et Bishapur. De la fin du IVᵉ siècle date un relief de Shapur III à Taq-i Bustan. Suit une longue interruption, sans doute jusqu'à Khosrow II, à la fin du VIᵉ et au début du VIIᵉ siècle quelques décennies avant la chute de l'empire sassanide.

Malgré quelques inscriptions, nous ne disposons d'aucun texte permettant de comprendre la fonction de ces reliefs. Le sens de la représentation n'est pas toujours clair. Sans doute, la plupart montrent le roi sassanide dans toute sa grandeur, en chef de guerre triomphant ou vainqueur d'un combat équestre ; rarement seul, il est soit face au dieu Ohrmazd qui l'investit, soit accompagné de dignitaires, ou parfois d'une femme.

Il est évident que ces images sont conçues pour la glorification du souverain, mais à qui étaient-elles destinées ? Qui pouvait les voir ? Certains panneaux étaient placés trop hauts pour être visibles, d'autres, à Naqsh-i Rustam et sans doute Naqsh-i Radjab, étaient à l'intérieur d'une enceinte protégeant un haut lieu dynastique ou cultuel.

Leur vocation première n'était donc pas la propagande royale, leur fonction était avant tout symbolique, ce qu'indique aussi leur lieu d'implantation, choisi parce qu'il était chargé d'histoire comme Naqsh-i Rustam, nécropole des « ancêtres » achéménides, ou proche d'une résidence royale comme Bishapur ou Firuzabad. Le roi commanditaire ne s'adresse pas à un public, il met sa marque dans un lieu naturel impressionnant ou un site historique ou cultuel reconnu ; il s'inscrit en quelque sorte pour l'éternité.

Parce qu'ils ne sont pas narratifs, ces tableaux ne représentent pas un événement, un moment précis dans le temps. Les différents reliefs de Shapur Iᵉʳ qui illustrent ses victoires sur les Romains ne montrent pas le résultat d'un seul combat, mais évoquent deux, voire trois batailles, espacées dans le temps, sur les empereurs Gordien, Philippe l'Arabe et Valérien.

L'investiture, à pied ou à cheval, est l'un des motifs préférés tout au long de la période sassanide (fig. 3). Le dieu Ohrmazd/Ahura Mazda transmet au roi un anneau à ruban, symbole de légitimité, la scène n'a évidemment rien de réel. Ardashir Iᵉʳ et Shapur Iᵉʳ, les premiers rois de la dynastie, ont représenté ce geste symbolique plusieurs fois.

Le thème de la victoire est représenté par neuf reliefs. Ardashir Iᵉʳ a fait sculpter sa victoire sur les Parthes à Firuzabad, tandis que Shapur Iᵉʳ, le Sapor des textes latins, a surtout immortalisé ses combats victorieux sur les Romains dans plusieurs panneaux (fig. 1 et 2). Magnifique illustration de la supériorité des Sassanides sur l'Empire romain au IIIᵉ siècle !

Les combats équestres constituent le troisième thème préféré. À Naqsh-i Rustam trois panneaux montrent un cavalier au galop, armé d'une lance avec laquelle il désarçonne un adversaire. Ces combats équestres de Bahram II ou de Hormizd II étaient peut-être des représentations de tournois plus que de réels affrontements.

Fig. 2 - Darabgird, Iran. Relief rupestre de Shapur Iᵉʳ : Victoires sur les Romains.

La chasse est admirablement représentée à Taq-i Bustan, près de Kermanshah. Ces reliefs sont sculptés dans une sorte de grotte voûtée en plein cintre qui formait peut-être une aile d'une construction disparue. Ils sont généralement attribués à Khosrow (591-628) bien que cette identification ne soit pas entièrement assurée. La paroi du fond de la grotte porte deux registres, en bas le roi à cheval, et en haut une investiture par une femme. Les parois latérales de la grotte illustrent le thème de la chasse. Ces reliefs uniques dans l'art rupestre sassanide par le souci du détail, témoignent de l'opulence de la cour.

La signification des scènes plus intimes est plus difficile à interpréter : le roi entre ses dignitaires ou sa famille, à cheval à Naqsh-i Radjab, ou debout à Naqsh-i Rustam, ou encore de face, représentation unique, à Sarab-i Bahram. Et comment comprendre la scène figurant le roi, ou peut-être un personnage de la cour, face à une femme, épouse ou déesse, dont on ne sait lequel des deux offre une fleur à l'autre.

Du tableau grandiose ou officiel à la scène apparemment intime, l'art rupestre sassanide parcourt un répertoire iconographique très étendu dont la signification nous échappe encore largement, comme il devait échapper aux souverains iraniens du XIXᵉ siècle lorsqu'ils ont repris cette tradition de l'image royale sculptée dans le rocher.

Fig. 3 - Naqsh-i Rustam, Iran
Investiture à cheval d'Ardashir Iᵉʳ.

Le relief sassanide de Rag-i Bibi en Afghanistan

Frantz Grenet

Le seul relief sassanide d'Afghanistan, situé à 1 600 kilomètres à l'est de tous ceux connus en Iran, se trouve en hauteur, creusé dans la falaise à faible distance de la principale route moderne qui traverse l'Hindukush et reprend elle-même l'un des axes anciens mettant en communication la Bactriane et l'extrémité nord-ouest du monde indien. Il n'était connu que de la population du village voisin et n'a été signalé aux autorités qu'à la fin de 2001, à la suite d'une tentative des Taliban pour le détruire. Il a été étudié en mai 2004 par une mission française (Délégation archéologique française de l'Afghanistan / Laboratoire d'Archéologie de l'ENS), qui en a effectué un relevé tridimentionnel au scanner, méthode appliquée pour la première fois à un relief rupestres.

Long de 6,50 mètres et haut de près de 5, le relief a été exécuté avec un grand naturalisme, selon un mouvement tournant qui épouse le contour de la roche, la partie centrale (l'avant du cheval du roi) étant en saillie complète par rapport au fond. La roche de grès était cependant fissurée, ce qui a obligé à compléter de nombreux détails, surtout des têtes et des bras, au moyen de pièces mortaisées. Le sujet se laisse cependant facilement reconnaître. Au centre, un roi à cheval tire à l'arc sur un gros animal à l'arrière-train couvert d'écailles qui s'enfuit dans la direction opposée ; plus bas un autre animal, ou plus vraisemblablement le même, agonise, langue pendante, derrière un rocher. Bien que mutilé, il ne fait pas de doute qu'il s'agit

Relief de Rag-i Bibi, photo Franz Grenet.

d'un rhinocéros indien. La scène se déroule sous un manguier, autre allusion non équivoque à l'Inde (ni le rhinocéros ni le manguier ne se rencontrent au nord de l'Hindukush). Le roi est suivi par deux cavaliers dont l'un porte un carquois double, typique de l'armement de l'Asie centrale. Derrière la tête du cheval royal se tient de face un personnage debout et sans armes qui arbore le lourd caftan et les pantalons à gros plis des souverains kouchans, la dynastie qui avait dominé le pays jusque vers 230 avant d'être refoulée vers l'Inde par Ardashir Ier, fondateur de la dynastie sassanide.

Malgré la perte du visage et de la couronne le roi chasseur peut être identifié presque certainement comme Shapur Ier (240-272), fils et successeur d'Ardashir. Plusieurs détails de la composition (notamment l'ennemi vaincu debout derrière la tête du cheval) trouvent des parallèles dans les reliefs qu'il fit exécuter à la fin de son règne. La phalère arrière du cheval du relief de Rag-i Bibi porte un décor « en cœurs » analogue à celui des phalères de Shapur à Naqsh-i Rustam. Situé sur la route vers l'Inde, le relief de Rag-i Bibi proclame l'extension de l'empire sur des territoires indiens, et l'annexion par Shapur de la région du Kapisa jusqu'à la passe du Khaïber aux dépens d'un des derniers Kouchans. L'exécution du relief, originellement plâtré et peint, traduit l'intervention conjointe d'artistes sassanides et d'artistes locaux habitués à sculpter des *stupa* bouddhiques (voir notamment la balustrade sous le bord supérieur).

Les reliefs de Taq-i Bustan

Françoise Demange.

À Taq-i Bustan, non loin de Kermanshah, la falaise domine un petit lac alimenté par des sources d'eau vive (fig. 1). Ce lieu était dans l'Antiquité un paradis, c'est-à-dire un parc clos où le roi et sa cour se livraient aux plaisirs de la chasse.

Shapur II y fit sculpter son investiture et sa victoire sur l'empereur Julien (r. 361-363), puis quelques années plus tard, Shapur III innova en faisant creuser dans la paroi rocheuse une grotte artificielle en forme d'*iwan* ; un relief le montrant avec son père en occupait le fond.

Fig. 1 - Taq-i Bustan, Iran. Vue du site, *in* Flandin et Coste 1843.

Fig. 2 - Taq-i Bustan III, Iran. Investiture de Khosrow II, *in* Flandin et Coste 1843.

Deux cents ans après, un souverain, probablement Khosrow II (591-628), renouant avec la tradition des reliefs rupestres, fit creuser à côté de la grotte de Shapur, un grand *iwan*. Au fond, le roi en armure sur son cheval lourdement caparaçonné est représenté en très haut-relief, presque en ronde-bosse, tout comme les personnages de la scène d'investiture figurée au-dessus (fig. 2).

Sur les parois latérales, deux grands panneaux montrent à gauche, une chasse aux cerfs (restée inachevée) et, à droite, une chasse aux sangliers. Chaque tableau se lit comme une bande dessinée illustrant les différents épisodes de l'action qui se déroule dans un paradis dont les palissades forment le cadre de la composition..

La chasse aux sangliers, dans les marais, débute à gauche : les éléphants rabattent le gibier vers le roi, au centre, qui tire sur les animaux. Puis le souverain est représenté une seconde fois : il se délasse après la chasse en écoutant les musiciens installés sur des bateaux qui entourent la barque royale. Enfin à droite, les cornacs chargent le gibier mort sur les éléphants. L'action dans la chasse aux cerfs (fig. 3), se déroule de droite à gauche, le roi y est représenté trois fois. En haut abrité sous un parasol, il pénètre dans le parc, suivi de ses musiciens, au centre, accompagné de la cour il poursuit sur son cheval lancé au galop la horde des cerfs qui s'enfuient et les crible de ses flèches. En bas il quitte la chasse.

Ces deux scènes qui reprennent et développent le thème de la chasse royale, évoquent, au-delà de la symbolique du roi guerrier tout-puissant et victorieux, les fêtes somptueuses durant lesquelles se déployait le faste de la cour. Paysages, animaux, serviteurs, musiciens sont détaillés avec une verve narrative inhabituelle dans l'art sassanide. Des influences venues de Byzance, mais aussi de l'Est de l'empire et même de Chine transparaissent dans l'iconographie et le style des reliefs [1].

Ces panneaux, comme les deux pilastres sculptés de feuilles d'acanthe qui encadrent l'entrée de l'*iwan*, évoquent, tant par leur sujet que par la technique employée – un relief très plat – les décors de stucs et les peintures qui ornaient les murs des palais. Ils devaient être vraisemblablement eux-mêmes stuqués et rehaussés de couleurs vives.

Fig. 3 - Taq-i Bustan, Iran. La chasse aux cerfs, détail du roi sous un parasol.

Les reliefs de Taq-i Bustan ont été estampés au printemps 1899 par la Délégation française en Perse, au prix de grandes difficultés. Chaque panneau a été moulé en 6 ou 8 éléments différents. Ils viennent d'être restaurés et, de nouveau, assemblés. Ces moulages sont des documents précieux car les originaux, exposés aux intempéries, se détériorent inexorablement.

1 cf perspective.

1

La chasse aux cerfs

Iran, Taq-i-Bustan, paroi droite du grand *iwan*.
Moulage réalisé à partir des empreintes prises par la délégation Archéologique française en Perse en 1899.
H. : 4,30 ; L : 5,87.

Biblio. : E. Herzfeld, 1920 ; p. 57-139, pl.XXVII-LXV ; Holmes Peck, E, 1969, p. 101-124, fig. 16 ; Fukai et Horiuchi, 1969 ; 1972, pl. XCII ; Fukai, Sugiyama, Kimata, 1977, p. 61-65, pl. 2 ; Vanden Berghe L, 1983, p. 144-151; pl. 35-40.

2

La chasse aux sangliers

Iran, Taq-i-Bustan, paroi gauche du grand *iwan*.
Moulage réalisé à partir des empreintes prises par la délégation
Archéologique française en Perse en 1899.
H. : 4,30 ; L : 5,91.

Biblio. : E. Herzfeld, 1920 ; p. 57-139, pl.XXVII-LXV ; Holmes Peck, E., 1969,
p., 101-124, fig. 16 ; Fukai et Horiuchi, 1969 ; 1972, pl. XCII ; Fukai., Sugiyama,,
Kimata., 1977, p. 61-65, pl. 2 ; Vanden Berghe L, 1983, p. 144-151; pl. 35-40.

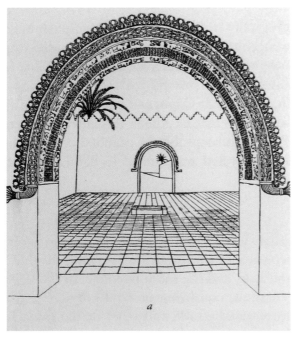

a

Kish, palais I, proposition de reconstitution du décor
du portail, *in* Pope et Ackermann 1938.

LES MONUMENTS SASSANIDES d'Iran et de Mésopotamie jouissent d'une célébrité qu'ils doivent à leur aspect grandiose et, pour certains, à leur bon état de conservation qui permet de les voir dans presque toute leur élévation. L'architecture sassanide témoigne d'inventions, mais aussi d'emprunts à l'Orient romain, dans les formes – voûtes paraboliques ou berceau plein cintre et coupoles sur trompes par exemple – et dans les techniques, moellons liés au mortier très résistant, qui la différencie totalement de celle de l'époque perse achéménide.

Les monuments sassanides se répartissent inégalement dans le temps et dans l'espace ; ainsi, le IIIe siècle, celui d'Ardashir le fondateur et de son fils Shapur, et les VIe-VIIe siècles, époque des deux grands Khosrow, ont fourni la quasi-totalité des villes, des palais et des grands temples. Ces monuments sont localisés dans la province d'origine de la dynastie, le Fars, autour de Chiraz, dans les montagnes du Zagros depuis la frontière Irak-Iran jusqu'à Kermânshâh et Bisutun, mais aussi à l'ouest, à Ctésiphon au sud de Bagdad, et au nord en Azerbaïdjan iranien. D'autres constructions, souvent peu connues car récemment découvertes, situées dans le Nord-Est de l'Iran montrent que ces concentrations spatio-temporelles peuvent se trouver modifiées.

La fondation de Firuzabad par Ardashir au début du IIIe siècle, avant même l'établissement de son empire, marque avec éclat la naissance de l'architecture sassanide. Dominant la gorge qui donne accès à une plaine entièrement remodelée sur des dizaines de kilomètres carrés, est érigé un palais fortifié sur trois terrasses. Celle du haut porte le palais proprement dit qui offre déjà plusieurs éléments caractéristiques de l'architecture sassanide : une salle à coupole parabolique sur trompes d'un diamètre de 14 m que précède un *iwan*, espace rectangulaire voûté en berceau plein cintre, totalement ouvert sur un petit côté. Ici la salle à coupole est noyée dans un puissant donjon circulaire dont le mur est animé de saillants et de rentrants. La construction est faite de moellons bruts

Rémy Boucharlat

liés par un mortier à la chaux très résistant, mais les parois intérieures étaient couvertes d'un revêtement de stuc, souvent décoré de moulures et feuillures autour des ouvertures et surmontées d'une gorge égyptienne, imitant des motifs de Persépolis.

Ce plan de base est repris dans le palais de la plaine, postérieur de quelques décennies. *Iwan* et coupoles sont de mêmes dimensions que dans le château, mais cette fois, ce sont trois salles à coupole de même diamètre, disposées perpendiculairement à l'*iwan*, qui marquent la partie officielle. En arrière, l'ensemble des salles bordant une grande cour devait également faire partie de l'espace public. Les appartements se trouvaient quant à eux sur deux étages aménagés autour de l'ensemble *iwan*-salles à coupoles.

Ce dispositif se retrouve en partie seulement à Ctésifon, construction du VIe siècle, dont subsiste surtout le célèbre *iwan* couvert d'une immense voûte parabolique large de 25,60 m, élevée sans coffrage. C'est bien le centre du pouvoir royal : le roi se tenait au fond de l'*iwan*, dans une loge très surélevée, ce qu'indiquent les sources médiévales. La cour ou la famille pouvait suivre les événements depuis les ouvertures pratiquées aux étages. Ce dispositif se retrouvera dans les palais et pavillons séfévides d'Isfahan au XVIIe siècle.

La ville de Firuzabad à 7 km du palais s'inscrit dans un cercle de 2 km de diamètre que marque un double rempart de terre. Depuis le centre, où est érigée une énigmatique tour carrée de quelque 40 m de hauteur, dix axes et trois cercles concentriques divisent la ville en quartiers. Ardashir reprend ce plan à Ctésifon-Madain, ville nouvelle juxtaposée à la ville parthe. Le cercle, abandonné ensuite, sera de nouveau en faveur au début de l'époque islamique dans la ville d'al-Mansour près de Bagdad et à Darabgird près de Firuzabad.

Les villes nouvelles de Shapur Ier s'inspirent d'un tout autre modèle, le plan hippodamien de l'Orient romain. Le roi a pu l'observer lors des guerres menées à l'Ouest au milieu du IIIe siècle, mais l'Iran et la Mésopotamie avaient connu le plan hippodamien dès Alexandre, à Séleucie-du-Tigre et – comme on le sait depuis peu –, à Hamadan, l'ancienne Ecbatane.

Bishapur, la nouvelle capitale de Shapur, adopte le plan quadrangulaire. Au centre, l'intersection de deux grands axes perpendiculaires est marquée par un monument à deux colonnes surmontées d'un chapiteau corinthien. Dans le quart nord-est, le seul quartier monumental reconnu par les fouilles est soit royal soit religieux. Le plus vaste bâtiment, construit en moellons, est cruciforme, plan adopté déjà pour le temple de la ville de Firuzabad construit, quant à lui, en pierres appareillées. La partie centrale du bâtiment de Bishapur, de 24 m de côté, était sans doute couverte d'une immense coupole parabolique. Les parois des ailes sont animées de niches décorées de moulures peintes. À côté, un énigmatique monument cubique de 14m de côté est à demi souterrain. Il est entouré d'un étroit couloir voûté sur le sol duquel court un canal relié à la rivière proche. Le monument est construit en grandes pierres appareillées assemblées à joints vifs, comme l'est une construction dite « prison de Valérien », un des empereurs romains vaincus par Shapur. Influence romaine peut-être, qui ne se retrouve pas dans les supports de la toiture, totale ou en auvent, qui sont des chapiteaux en forme de protomé de taureau,

Fig. 1 - Ctésiphon, Irak. Façade de l'*iwan* du palais sassanide, le Taq-i kisra, *in* Flandin et Coste, 1843.

encore un motif persépolitain. Ce monument reste inexpliqué, peut-être un lieu de culte en relation avec l'eau. Dans un autre bâtiment à trois *iwan* juxtaposés ouvrant sur une longue cour, la décoration de mosaïques, danseuses, musiciennes et personnage barbu, est l'œuvre d'artisans de l'Orient romain. Ces mosaïques sont uniques dans le décor architectural iranien.

Dans le palais d'Hajjiabad au sud-est de Shiraz, attribué à Shapur II au IVe siècle, le décor de stuc triomphe, dans le revêtement des murs en moellons et par les bustes princiers placés dans des niches. Comme à Bishapur, le complexe réunit plusieurs fonctions. Au-delà de la partie officielle, le secteur religieux semble être beaucoup plus que la chapelle du prince.

Bandian près de Meshed, récemment découvert, est uniquement un temple princier ; il offre une étonnante illustration de l'art du stuc par de véritables bas-reliefs muraux portant des scènes de cour et de combats. Dans le complexe de Takht-i Solaiman, daté principalement du VIe siècle, la fonction religieuse est dominante puisque ce serait l'un des trois grands « feux » de l'Iran sassanide. À l'intérieur d'une enceinte circulaire en pierres appareillées dont le décor de petites niches évoque l'architecture byzantine, les temples, l'un public l'autre sans doute réservé à la famille royale, sont en briques cuites. On retrouve tantôt le plan cruciforme, tantôt le *chahar taq* (quatre arcs), structure centrale d'un bâtiment, composée d'une coupole reposant sur quatre arcs que portent d'épais piliers. En général, cette partie était fermée par un couloir périphérique ou bien par des ailes qui donnaient un plan cruciforme, comme à Firuzabad. Cette structure devait connaître une grande fortune dans de petits monuments sassanides, souvent interprétés comme des temples du feu, puis à l'époque islamique dans d'innombrables *imamzadeh*, lieux de culte de saints locaux. Si la voûte et la coupole dominent à l'époque sassanide, la colonne et le pilier ne sont pas totalement abandonnés, à Takht-i Solaiman, à Bandian, et surtout dans le péristyle du palais ou temple de Kangavar, de la fin de l'époque sassanide, mais longtemps attribué à l'époque séleucide ou parthe.

L'architecture funéraire est très peu connue, ce qui s'explique par les prescriptions du zoroastrisme dominant de l'époque : pour ne pas souiller la terre et l'eau, les cadavres devaient être décharnés en plein air, puis les ossements étaient rassemblés dans des ostothèques (*astodan*) (fig. 2). Ce sont des boîtes en pierre ou en céramique déposées dans des caveaux, ou bien de petites niches rupestres creusées dans les parois abruptes des montagnes de la région de Persépolis. Cependant certaines d'entre elles ont pu recevoir des corps entiers, ce dont témoignent leurs dimensions et, dans quelques cas, la présence d'une croix chrétienne.

L'activité de constructeurs des Sassanides est également restée célèbre par la réalisation d'innombrables canaux, ponts et ponts-barrages, dont l'Ouest et le Sud-Ouest de l'Iran offrent des exemples bien conservés. Les techniques utilisées, emploi de crampons pour maintenir les pierres appareillées et du mortier résistant à l'eau entre les lits de moellons, trahissent une influence de l'Orient romain, que l'on attribue habituellement aux prisonniers romains de Shapur Ier et Shapur II.

Fig. 2 - Osthothèque zoroastrien de Molla-kourgan, Ouzbékistan, VIIe siècle, musée du Registan, Samarcande.

Firuzabad, Iran. Façade avec *iwan* du palais d'Ardashir Ier, *in* Flandin et Coste 1843.

Jens Kröger

DE L'ART SASSANIDE, on n'a longtemps connu que les célèbres reliefs sur pierre, les précieux plats à décor de chasse, les soieries, les sceaux et les pièces de monnaie. Il a fallu attendre le XXᵉ siècle pour que soit découvert, tantôt par hasard, tantôt à l'occasion de fouilles, un répertoire de sculptures en stuc qui a pu nous fournir un éclairage nouveau sur une autre technique dans laquelle l'art sassanide avait excellé.

Il devint alors évident que les Sassanides avaient perpétué la tradition du stuc et utilisé cette technique en architecture. Même s'il ne nous reste aujourd'hui qu'une faible partie du répertoire originel, les éléments retrouvés dans tout l'Empire sassanide montrent à la fois la richesse et l'originalité de cet art tout comme ses liens étroits avec les autres domaines artistiques.

Dans le domaine du stuc, les Sassanides innovent. Dès que fut adopté le principe de répétition de certains éléments de décoration, les moulages remplacèrent la sculpture réalisée à la main. Les stucs sassanides ne présentaient pas l'apparence d'une surface blanche comme les vestiges pourraient nous le laisser croire. Les traces de peinture sont rarement conservées mais le peu retrouvé montre des teintes aussi bien monochromes que multicolores avec un goût pour une polychromie aux dominantes vives rehaussant des reliefs posés sur un fond bleu.

Dans les édifices mis au jour sur les sites de Hajjiabad ou Bishapur dans le Sud de l'Iran, à Kish près de Babylone, dans la région de Ctésiphon ou de Bandian et Damghan dans le Khorasan et à Takht-i Sulaiman en Azerbaijan pour ne citer que quelques fouilles, on a assez vite compris que dans ces constructions, seules étaient décorées les parties auxquelles était dévolu un rôle important.

Toutefois, compte tenu des bouleversements survenus pendant la période sassanide, la nature précise des différentes salles de ces nombreuses constructions présumées être de grandes demeures, des palais ou des édifices cultuels ne nous est pas toujours

Fig. 1 Kish, palais I, proposition de reconstitution du décor du portail, *in* Pope et Ackermann 1938.

connue. On a compris tardivement que dans les temples du feu, seules les salles ou les accès fréquentés par les Zoroastriens étaient décorés.

Différenciées seulement par la date et le style, les découvertes faites dans tous les types de bâtiments utilisent toutes le même répertoire. Diverses plantes telles des palmettes ou des grenades entrent dans des compositions variées. Cependant les thèmes ornementaux sont dépassés en nombre par les thèmes figuratifs. On y trouve des représentations de femmes en pied, de taille humaine, installées dans des niches, des bustes de rois ou de femmes qui peuvent avoir été des reines ou des personnages sacrés.

Certaines de ces représentations peuvent être considérées comme ayant un rapport avec la déesse Anahita vénérée par les Sassanides. Les souverains faisant l'objet d'un culte rendu aux ancêtres, la datation de leurs représentations est particulièrement difficile.

Le répertoire animal met en scène un bestiaire varié : lions, ours et sangliers, béliers (fig. 2) , chèvres et divers oiseaux étaient les plus fréquents. À côté de ces modèles naturalistes s'ajoutaient des créatures fantastiques tels les chevaux ailés (pégase), les griffons et les *senmurv*, typiquement sassanides. Certains thèmes décoratifs sont caractéristiques de la période et n'apparaissent ni avant ni après la chute de l'Empire ; ainsi ces plaques comportant des inscriptions en pehlevi appelées *nishan* en moyen perse, qui énoncent en courtes formules, par exemple, des messages propitiatoires.

Même si tous les thèmes décoratifs, aussi bien figuratifs qu'ornementaux, faisaient l'objet d'un usage répétitif dans les frises, sur les voûtes ou sur les pans de murs, cet usage ne paraît pas avoir eu d'incidence sur le contenu des messages inscrits sur ces plaques. Une grande partie du répertoire rencontré sur les stucs sassanides était déjà bien connue par les sceaux.

La statue d'un saint, trouvée dans une petite église de la région de Ctésiphon-Coche, prouve que dans l'Empire sassanide, des églises chrétiennes devaient abriter elles aussi des sculptures en stuc.

Après la chute de l'empire les nombreuses constructions entreprises changent de décors architecturaux ; ces ornements recèlent toutefois des réminiscences de la période précédente tout en adoptant des thèmes nouveaux. En particulier, le répertoire lié à la royauté survit dans l'architecture palatiale de la période omeyyade.

Fig. 2 - Kish, Irak. Bélier en stuc, palais I
in Pope et Ackermann 1938, fig 214.

aussi très proche de celle portée par Bahram V (420-438). Cependant ces bustes ne sont pas le portrait d'un souverain précis mais une représentation plus générale du concept de royauté.

F. D.

4
Buste de femme

Stuc
H. : 0,285
Vᵉ siècle
Irak, *iwan* nord du palais I de Kish
Chicago, Field Museum of Natural History, inv. 236322.
Expos. : New York 1978, n° 42.

Ce petit buste figure une femme à la chevelure ordonnée en longues tresses qui reviennent sur ses épaules, elle porte de grandes boucles d'oreilles et un collier à deux pendentifs. Sa haute couronne, composée d'un diadème ouvragé surmonté d'une bande d'éléments verticaux, peut être rapprochée de la couronne portée par la déesse Anahita, déesse de l'Abondance mais aussi divinité qui apparaît dans de nombreuses scènes d'investiture et était donc étroitement liée à la royauté.

F. D.

3
Buste d'un roi

Stuc
H. : 0,515
Vᵉ siècle
Irak, Kish, Palais II
Chicago, Field Museum of Natural History, inv. 236400a..

Expos. : New York 1978, n° 41.

Quatorze bustes de roi de ce type ont été retrouvés dans la cour du palais II de Kish, dont les murs étaient ornés de quatorze colonnes engagées sur lesquelles ils étaient probablement fixés. Ce souverain dont le visage barbu est encadré par deux touffes de cheveux bouclés, porte une couronne crénelée qui devait être surmontée d'un croissant dont les traces sont encore visibles. Cette couronne d'abord identifiée comme celle de Shapur II (309-379) est

Le fauve est figuré accroupi, prêt à bondir, et son attitude menaçante est accentuée par la stylisation vigoureuse des formes. Ce carreau faisait peut-être partie d'une scène plus complexe où le lion était associé à d'autres animaux ou personnages. Le lion avait une image négative dans l'univers zoroastrien, mais on devait lui attribuer une signification symbolique bien plus large, car il est très fréquemment représenté. Animal royal par excellence, symbole de force et de vaillance dans la tradition de l'Orient antique, il était aussi lié à la symbolique solaire et devait être considéré comme un être bénéfique.

F. D.

5
Buste dans un médaillon

Stuc
H. : 0,30 ; l. : 0,325
Vᵉ siècle
Iran ou Irak
Paris, musée du Louvre, département des Antiquités orientales
inv. AO 26173..

Biblio. : Pope 1938, fig. 215a, p. 644.

Il est difficile d'identifier le personnage qui apparaît dans ce médaillon : la tête en haut-relief par rapport au buste montre un visage aux traits menus. Les yeux qui ne sont pas marqués par une pupille, la bouche petite et le menton pointu rappellent la physionomie du buste de femme retrouvé à Kish (cat. 4) . Sur ce site on a retrouvé la partie inférieure d'un carreau de stuc où l'on reconnaît le même vêtement marqué de plis concentriques que celui de notre personnage.

F. D.

6
Lion

Stuc
H. : 0,24 ; l. : 0,321
Vᵉ-VIᵉ siècle
Irak (?)
Paris, musée du Louvre, département des Antiquités orientales
inv. AO 26172.

Biblio. : Kroger 1982, pl. 220, 2b, p. 520 ; Pope 1938, I, fig. 215b, p. 643.
Expos. : New York 1978, n° 44, p. 111 ; Bruxelles, n° 5, p. 146..

7
Bélier

Stuc
H. : 0,26 ; l. : 0,255
VIᵉ siècle
Iran (?)
Paris, musée du Louvre, département des Antiquités orientales
inv. AO 26174.

Biblio. : Kröger 1982, p. 208, pl. 100, 3 ; Pope 1938, p. 643-644, fig. 215b ; Salles 1934, p. 107, pl. 33.
Expos. : Bruxelles 1993, n° 6, p. 147.

Ce bélier est représenté de profil, de manière très réaliste, mais ses cornes sont vues de face selon une convention orientale qui perdure à l'époque sassanide. Il porte autour du cou un collier royal à pendentifs, noué par des rubans dont les pans flottent derrière sa tête. Le bélier est l'un des animaux les plus fréquemment représenté dans l'art sassanide : sur les sceaux, les textiles, les pièces d'argenterie : il incarnait la *khwarnah* la « gloire royale ».

Ce fragment faisait partie d'une scène plus complexe : on voit que le motif de feuillage qui encadre l'animal se prolongeait au-dessus et sur les côtés. Un fragment provenant probablement d'une même scène est conservé au Worcester Art Museum.

F. D.

8

Chèvres affrontées à un arbre de vie

Stuc
H. : 0,37 ; l. : 0,353
VIe siècle
Iran (?)
Paris, musée du Louvre, département des Antiquités orientales
inv. AO26175.

Biblio. : Kröger 1982, p. 207-208, pl. 99.

Les chèvres sauvages affrontées de part et d'autre d'un arbre de vie sont l'un des motifs les plus anciens de l'iconographie du monde oriental. Cet antique symbole de fertilité dont l'origine date du IIIe millénaire av. J.-C. est ici représenté selon les conventions du répertoire iconographique de l'époque sassanide. Les animaux broutent une vigne chargée de grappes qui jaillit d'un motif qui symbolise la terre, au-dessous deux spirales évoquent l'eau : la

réunion harmonieuse de ces différents éléments symbolise l'équilibre de l'univers, promesse de prospérité. On retrouve ce même thème illustré sur une coupe d'argenterie du musée de l'Ermitage (cat. 52).

Des carreaux ou des fragments de carreaux portant le même décor sont conservés dans différents musées [1] aucun n'a été retrouvé au cours de fouilles, mais ils pourraient provenir de la région du Khusistan.

F. D.

1. Berlin, Museum für Islamische Kunst, Cleveland, Cincinnati, Boston.

9
Plaque à décor de pintade

Stuc moulé
H. : 0,30 ; Ép. : 0,33
Fin VIe-début VIIe siècle
Irak, région de Ctésiphon
Berlin, Museum für Islamische Kunst, Staatliche Museen zu Berlin
inv. I.2677.

Biblio. : Kröger 1982, p. 54-55, pl. 14,5.
Expos. : Vienne, 1996, n° 99.

Sur cette plaque la pintade est représentée de profil gauche à l'intérieur d'un cercle (clipeus) marqué d'une bande continue de boucles. Nous ignorons le décor des angles. La pintade pourrait avoir été un symbole solaire à l'époque sassanide ; on la retrouve sur la vaisselle d'argent aussi bien que sur les sceaux.

Il semblerait que cette plaque ait été trouvée en 1917 dans la région de Ctésiphon. Une plaque semblable mais avec une pintade représentée de profil droit a été exhumée en 1931-1932 pendant la campagne de fouilles conduite par des Allemands dans la maison de Umm az-Za'atir dans la région de Ctésiphon. Elle faisait partie d'une série de plaques utilisées pour orner de motifs répétitifs l'intérieur de l'iwan ouest ouvrant sur une cour.

J. K.

10
Plaque. Monogramme en pehlevi

Stuc moulé
H. : 0,395 ; Ép. : 0,395
Fin VIe-début VIIe siècle
Irak, région de Ctésiphon
Berlin, Museum für Islamische Kunst, Staatliche Museen zu Berlin
inv. Kt.O.1084.

Biblio. : Kröger 1982, p. 52-54, pl. 14 ; Bruxelles 1993.
Expo. : Bruxelles 1993, n° 9.

En 1929, cette plaque carrée fut mise au jour à l'occasion de la fouille de la maison de Umm az-Za'atir dans la région de Ctésiphon où des plaques répétitives juxtaposées

ornaient la voûte de l'*iwan* ouest. Une couronne de perles encadre un *nishan* inscrit au-dessus d'une paire d'ailes. Des demi-palmettes placées dans les angles de la plaque ne constituent une forme complète que lorsque les plaques sont juxtaposées. Le terme pehlevi *nishan* associé au croissant de lune signifie « croissant » ; il était perçu comme protecteur pour les habitants de la maison. Ainsi que les fouilles l'attestent, le *nishan* appartenait au répertoire décoratif en usage dans les constructions de toutes les provinces de l'empire à la fin de la période sassanide.

J.K.

11

Plaque. Ours chargeant

Stuc
H. : 0,293 ; l. : 0,381
VIe siècle
Irak, Clésiphon
New York, The Metropolitan Museum of Art, Rogers Fund 1932
inv. 32.150.23.

Biblio. : Wachtsmuth, Kuhnel, Dimand 1933, p. 18, fig. 26 ; Kroger 1982, p. 58-60, 279, fig. 27, pl. 17:2.
Expos. : Bruxelles 1993, p. 196, n° 4.

Au milieu d'un paysage montagneux typique de son habitat naturel, l'ours qui figure sur cette plaque décorait l'autre côté de la voûte de l'*iwan* dans la même demeure de Ctésiphon et faisait pendant à la plaque suivante

délibérée à deux zones géographiques, les basses terres du Sud et les montagnes du Nord qui encadrent la Mésopotamie ou si plus simplement ces animaux étaient un gibier digne d'un noble ou royal chasseur.

P. O. H.

du sanglier courant dans les roseaux. Les allusions à la chasse, passe-temps des courtisans, dignitaires et souverains, étaient fréquentes et constituaient un répertoire iconographique prestigieux pour les différents arts sassanides.

Il est impossible de savoir si le choix des animaux représentés, sanglier et ours, sur cette arche est une allusion

12

Plaque avec un sanglier courant

Stuc
H. : 0,292 ; l. : 0,375
VIe siècle
Irak, Ctésiphon
The Metropolitan Museum of Art, Rogers Fund 1932, acc. 32.150.22.

Biblio. : Wachtsmuth, Kuhnel, Dimand 1933, fig. 27 ; Kröger 1982, p. 58-60, fig. 26, pl.17:1.
Expos. : New York 1978, p. 102-104 ; Bruxelles 1993, p. 145, n° 3 ; Vienne 1996, n° 98.

Courant parmi les épais roseaux d'un paysage de marais caractéristique du Sud de l'Irak, le sanglier qui apparaît sur cette plaque est l'un des nombreux figurant sur les décorations de la voûte de l'*iwan* est de « la maison du tertre » (Umm az Zat'tir), à Ctésiphon. Dans les arts de cour de l'époque sassanide, les animaux sont invariablement représentés dans un paysage correspondant à leur milieu naturel. En particulier, ce thème du sanglier au milieu des roseaux est récurrent sur les plats d'argent sassanides dépeignant la chasse, de même que sur les rochers sculptés et les sceaux en pierre.

Tout comme sur les reliefs du grand *iwan* de Taq-i Bustan, la présente occurrence évoque les chasses dans les parcs royaux.

P. O. H.

13
Élément de décor à rosettes et palmettes

Stuc
H. : 0,635 ; l. : 0,394
VIᵉ siècle
Irak, Ctésiphon
New York, The Metropolitan Museum of Art
Rogers Fund 1932, n° 32.150.32.

Biblio. : Wachtsmuth, Kuhnel, Dimand 1933, p. 4-6, 17-19, 33,34 ; Dimand 1937, p. 315, figs. 30, 31 ; Kroger 1982, p. 51-52, fig. 28a, pl. 14/2.

Cet élément provient de la voûte de l'*iwan* ouest de la même maison de Ctésiphon où furent découverts l'ours et le sanglier en stuc de l'*iwan* situé à l'ouest présentés dans cette exposition.

Deux bandes de motifs de végétaux stylisés difficiles à identifier – palmettes liées en guirlande et fleurs à quatre pétales – sont séparées par une bande perlée. Le motif floral à quatre pétales fut très utilisé pendant une longue période ; il apparaît à l'époque précédente des Parthes dans la décoration en stuc des constructions de Séleucie, ville voisine de Ctésiphon. Les décors très strictement stylisés de la fin de la période sassanide furent largement copiés et leur influence se retrouve dans la décoration architecturale des bâtiments du Proche-Orient au début de la période islamique aussi bien que sur les constructions du début de la période chrétienne à Constantinople, en Arménie et en Géorgie.

P. O. H.

14
Tête de cheval

Stuc taillé, légères traces de couleur rouge
H. : 0,39 ; l. : 0,73
VIIᵉ-VIIIᵉ siècle
Iran, Nizambad (région de Veramin)
Museum für Islamische Kunst, Staatliche Museen zu Berlin
inv. I.4886.

Biblio. : Kröger 1982, p. 168sq, fig. 103, pl. 71.
Expos. : Bruxelles 1993, p. 145, n° 2.

Cette tête de cheval est peut-être un vestige d'une sculpture équestre grandeur nature. La crinière est tressée serrée et les torons pendent en boucles sur l'encolure. Le harnais est décoré de joyaux et de perles. Sur la tête de l'animal, les restes d'un globe et d'un croissant attachés à un porte-lance constituent un indice important. Cet ornement se retrouve sur les monnaies des derniers souverains sassanides de même qu'il orne la tête des chevaux sur les plats à scènes de chasse et celle des chevaux ailés sur les textiles. Pour figurer sur une frise sculptée dans une construction omeyyade de tradition sassanide à Nizamabad, ce devait être le cheval d'un cavalier de haut rang. Des fragments appartenant à des cavaliers sculptés reproduits aux trois-quarts et à moitié de la taille réelle furent aussi retrouvés sur le site.

J. K.

15

Senmurv dans un médaillon

Stuc
H. : 0,169 ; l. : 0,193 ; ép. : 0,045 ; D. du cercle : 0,0155 − 0,0160
Fin VIIe ou début VIIIe siècle
Iran, Chal Tarkhan-Eshqabad ?
Londres, British Museum, ANE 135913 (1973-7-25,1).

Biblio. : Thompson 1976, p.: 29-31; Harper et al. 1978, p. 118, n° 50 ; Curtis 1989, p. 64, fig. 75 ; Curtis 2000, p. 74, fig. 85 ; Sarkhosh Curtis 1993, p. 20.
Expos. : Bruxelles1993, p. 152-53, n° 11.

Plaques moulées, ou sculptures, les compositions peintes en stuc étaient très utilisées en Iran, en Irak et en Asie centrale. À l'époque sassanide, l'usage se répandit de disposer symétriquement des panneaux décorés de motifs géométriques ou floraux, de représentations d'animaux à valeur symbolique ou de scènes composées de plusieurs panneaux. Pour cela on utilisait des moules qui permettaient de standardiser la dimension des plaques. La plupart des plaques découvertes proviennent de demeures ou de petits palais du Ve siècle et des siècles suivants. La pérennité de cette pratique jusque dans la première moitié du VIIIe siècle est attestée par les stucs trouvés dans des constuctions du même ordre à Chal Tarkhan-Eshqabad ainsi que dans d'autres sites du district de Ravy, près de Téhéran. À chaque fois, sans doute pour produire un effet esthétique fort, les stucs décorés ont été groupés sur la façade et l'intérieur de la salle de réception principale qui a d'ordinaire la forme d'un *iwan* ouvert à l'une de ses extrémités, ou d'une salle hypostyle. Il est probable que le décor des plaques se devait d'exprimer la puissance et le rang social du propriétaire. En outre, les scènes de chasses royales, les bustes de personnages royaux et de divinités, les monogrammes et les animaux (sangliers, ours, lions, béliers, oiseaux et comme dans le cas présent, un *senmurv*) étaient destinés à glorifier le *khwarnah* (chance victorieuse) et à l'attacher au destin du propriétaire du lieu comme le faisaient aussi les plats en argent et autres objets porteurs de décors analogues.

St J. S.

Ce fragment provient d'un panneau de stuc moulé ; le motif central représente une chimère à tête de chien, griffes de lion et queue d'oiseau que nous appelons *senmurv* (*cf.* cat. 55) sortant d'un cadre circulaire perlé. Le *senmurv* est montré langue pendante, griffes en avant, oreilles tendues, bouts d'ailes enroulés, la queue en bataille et un collier décoré de pendeloques en volutes. Les bords en relief indiquent que ce fragment faisait partie d'une frise verticale. On distingue des traces de la fine couche d'enduit aujourd'hui disparue.

16

Statuette de femme

Stuc
H. : 0,335 ; L : 0,18 ; P. : 0,21
IVe siècle
Iran, Hajjiabad (Fars)
Téhéran, Musée national, inv. GM 8621.

Biblio. : Azarnoush 1994 ; Florence 1991, n° 38
Expo. Vienne, 2000, n° 153.

17

Tête féminine

Stuc
H. : 0,225 ; L : 0,0,12 ; P. : 0,145
IVe siècle
Iran, Hajjiabad (Fars)
Téhéran, Musée national, inv. GM 8677.

Biblio. : Azarnoush 1994 ; Florence 1991, n° 34
Expo. Vienne, 2000, n° 152.

Ces deux fragments de statues féminines proviennent du secteur religieux d'une grande demeure seigneuriale mise au jour dans le Fars. Elles ont été trouvées dans la même zone de ces bâtiments : une cour sur laquelle s'ouvrait une grande pièce rectangulaire, dont les murs étaient ornés de niches. Cette salle dont les murs avaient été ornés d'un riche décor de stuc, pourrait avoir été un sanctuaire dédié à la déesse Anahita.

Sur le dessus de la tête de femme subsistent les restes de ce qui devait être un petit chignon, et le long de son cou, de longues boucles, éléments qui évoquent la coiffure caractéristique des déesses ou des personnages de rang royal.

La statuette, malheureusement privée de sa tête, porte une longue robe aux manches ajustées. Ces deux sculptures pourraient être des représentations de la déesse Anahita, déesse de l'eau et de la fertilité et étroitement associée à la dynastie sassanide.

F.D.

Cat.19, détail.

Françoise Demange

C'EST PROBABLEMENT VERS 260, que Shapur Ier, au sommet de sa gloire après ses brillantes victoires sur les armées romaines, fit entreprendre la construction de la ville nouvelle de Bishapur, dans le Fars[1].

La zone Nord de la ville était occupée par un vaste complexe architectural que le fouilleur identifia comme un palais mais qui pourrait être un grand Temple du Feu[2]. Cet ensemble était composé d'une grande salle de plan cruciforme, probablement couverte de coupoles, reliée à une petite construction semi-enterrée alimentée en eau par une conduite souterraine ; autour s'agençaient des cours et des salles dont la disposition avait été plusieurs fois remaniée. Le sol primitif de deux de ces bâtiments était pavé de mosaïques, revêtement très en vogue en Occident mais inhabituel en Iran où l'on préférait recouvrir les dallages avec des tapis.

L'une de ces mosaïques était irrémédiablement perdue, mais dans une salle (peut-être un vaste *iwan*) dont les murs étaient à l'origine rythmés de niches profondes, des panneaux de mosaïque composaient le long des parois une large bordure chatoyante encadrant un pavement de calcaire noir. De grands panneaux rectangulaires encadrés de motifs géométriques et montrant de nobles dames, des danseuses et des musiciennes s'inséraient dans les niches et se combinaient avec des panneaux plus étroits simplement ornés de trois ou quatre têtes d'homme ou de femme, semblables à des masques.

Technique et programme iconographique dérivent directement de modèles occidentaux et plus particulièrement des mosaïques qui ornaient les opulentes demeures d'Antioche[3], où prospéraient au IIIe siècle de brillants ateliers de mosaïstes.

Les masques des panneaux sont des masques dionysiaques : ménades, satyres aux longues oreilles pointues, silènes chauves et barbus. Certains reposent sur un *pedum*, ce bâton de berger qui est l'un des attributs caractéristiques des figures du thiase bacchique

Fig. 1 - Bishapur, *iwan*, panneau IV, femme tenant des fleurs et une couronne *in* Girshman 1956.

1. Le site a été partiellement fouillé par une mission archéologique française dirigée par R. Girshman de 1935 à 1941.
2. D. Huff, 1993, p. 52-53.
3. Maison du Ménandre, Maison des Mystères d'Isis, du Bateau des Psychées. Villa Constantinienne; cf. R. Girshman 1956 ; H. Von Gall 1971, p.193-205 ; J. Balty 1993 p. 67-68.

Ce sont aussi des cartons de mosaïstes gréco-romains qui ont servi de modèles aux grands personnages féminins, mais la nudité à peine voilée des danseuses et des musiciennes, les robes aux longues manches ajustées des dames de la cour en font des figures typiquement iraniennes que l'on retrouve illustrées sur la vaisselle d'argent (cat n° xx et xx).

Ce sont vraisemblablement des artisans syriens qui ont réalisé ces mosaïques : Shapur s'était emparé à deux reprises d'Antioche et avait déporté en Iran architectes, maçons et artisans qui ont dû travailler sur le chantier de Bishapur. Les mosaïstes ont apporté leur savoir-faire et leurs cartons, mais ils ont su adapter leurs modèles pour créer une œuvre originale destinée à orner le sol d'une salle où devaient se dérouler cérémonies et fêtes.

Fig. 2 - Bishapur, *iwan*, panneau V, *in* Girshman 1956.

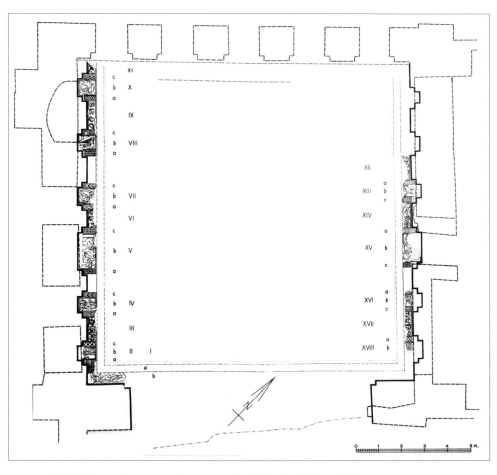

Fig. 3 - Bishapur, *iwan* aux mosaïques, plan de situation, *in* Girshman 1956.

18

Fragment de mosaïque de sol : harpiste

Marbre
H. : 0,85 ; l. : 1,17
Vers 260
Iran, Bishapur
Paris, musée du Louvre, inv. AO 26169.

Biblio. : Girshman 1956, p. 49-51 ; Girshmann 1962, p. 143, fig. 182.
Expo. : New York 1978, p. 169-170 ; Bruxelles 1993, p. 162-163, .n° 21.

Ce grand panneau décorait le sol d'une des niches qui rythmaient les murs de l'*iwan* aux mosaïques. Les motifs géométriques qui encadrent la scène : tresses et solides vus en perspective, trouvent leur parallèle dans les mosaïques contemporaines d'Antioche, mais la représentation de la musicienne, drapée d'un léger voile qui souligne plus qu'il ne dissimule sa nudité, n'appartient pas au répertoire des mosaïstes gréco-romains. Assise à l'orientale une jambe repliée sous l'autre, elle est richement parée : des bracelets d'or enserrent ses chevilles, ses poignets, ses avant-bras, elle porte des boucles d'oreilles ornées de perles et un collier ; ses longues tresses sont retenues par un ruban flottant typiquement sassanide. Le modelé maladroit du corps nu traduit peut-être les hésitations de l'artisan face à un motif nouveau qu'il n'avait pas l'habitude d'exécuter.

F. D

19

Fragment de mosaïque de sol : danseuse

Marbre
H. : 0,60 ; l. : 0,85
Vers 260
Iran, Bishapur
Paris, musée du Louvre, inv. AO 26170.

Biblio. : Girshman 1956, p. 44-46.
Expo. : Bruxelles 1993, p. 164, n° 22,.

Ce fragment faisait partie d'un grand panneau orné de quatre danseuses qui décorait le sol du passage permettant, à l'origine, l'accès vers la grande salle au plan cruciforme. Toute la partie supérieure a été détruite lors des remaniements architecturaux de l'*iwan* aux mosaïques. À côté du classique motif de tresse apparaît la partie inférieure du corps d'une danseuse qui exécute une figure tourbillonnante : ses pieds nus frappent le sol et font tinter les anneaux de ses chevilles, le corps se ploie entraîné par le mouvement de la danse qu'évoque le bouillonnement du bas de la robe. On devine à droite la traîne du long vêtement d'une autre danseuse. Ce panneau bien que très endommagé laisse entrevoir une

scène très dynamique qui contraste fortement avec les autres représentations où les personnages sont figés dans une attitude statique.

F. D.

20

Fragment de mosaïque de sol
Tête de Satyre

Marbre
H. : 0,38 ; l. : 0,36
Vers 260
Iran, Bishapur
Paris, musée du Louvre, inv. AO 26171.

Biblio. : Girshman 1956, p. 40-41
Expos. : New York 1978, p. 169.170 ; Bruxelles 1993, p. 161, n° 20, Vienne 1996, p. 245, n° 405.

Cette tête masculine faisait partie de l'un des panneaux longs et étroits qui entraient dans la composition de la bordure de mosaïque du sol de l'*iwan*.. Les longues oreilles pointues du personnage et sa couronne de laurier permettent de penser qu'il s'agit d'un masque de satyre. Le bâton courbé sur lequel il repose est un *pedum*, un attribut qui appartient aussi à l'univers dionysiaque. Deux masques de ménades et une curieuse tête du dieu Pan (fig. 1) complétaient le décor du panneau. Chacun de ces motifs dérive directement de modèles gréco-romains, mais ils sont ici utilisés de manière inhabituelle, assemblés par groupes de trois ou quatre masques, enfermés dans un cadre. Ils composent avec les grands tableaux aux figures féminines un ensemble original où se mêlent traditions occidentales et locales.

F. D.

Fig. 1 - Bishapur, *iwan*, panneau IX, *in* Girshman 1956.

Cat. 38, détail.

La vaisselle en argent

Au cours des dernières décennies, notre connaissance de la culture sassanide s'est enrichie et les idées soutenues par les premières générations de chercheurs sur la vaisselle en argent et ses techniques de fabrication ont notablement évolué [1]. Il reste encore de nombreuses incertitudes quant aux lieux et dates de fabrication de ces vases ou sur la signification de leur décor, mais il semble admis qu'une production de grande qualité a commencé en Iran à l'avènement de la dynastie sassanide au milieu du IIIe siècle et qu'elle s'est maintenue jusqu'à la fin de la période.

La vaisselle en argent du début de la période – dont certaines pièces portent des inscriptions en moyen perse –, est le fruit de découvertes fortuites faites en Iran et – dans des circonstances mieux identifiées – dans des régions de l'Ouest de l'empire : la Géorgie, l'Abkhazie et l'Azerbaidjan.

Les plats en argent ornés d'une effigie royale

P.O.H

Les récipients décorés des portraits des membres du clan royal, de la grande aristocratie ou des plus hauts dignitaires de la bureaucratie d'État sont parmi les œuvres les plus anciennes. Ces personnages figurés en buste à l'intérieur de médaillons ornent des coupes et des plats (cat. 24 et 25).

Moins répandus et sans doute réservés à la famille royale, d'autres plats sont décorés de scènes de chasse où des cavaliers poursuivent des animaux sauvages. Sur un plat découvert à Sari en Iran (cat. 26), le chasseur est sans doute un prince de la couronne : la coiffure complexe, le diadème et le pectoral étant les insignes de son rang royal [2].

Prudence O. Harper
Boris Marshak

1. Pour une étude plus approfondie, voir Harper et Meyers 1981, Marschak 1986, Trever, Lukonin 1987.
2. Sur un autre plat du début de la période découvert à Krasnoya Polyana (Abkhazie), une inscription cite Bahram, le chasseur a été identifié comme étant peut-être le futur roi sassanide Bahram Ier.

Le portrait en médaillon et la scène de chasse étaient des thèmes décoratifs très employés sur la vaisselle romaine en argent et en verre taillé fabriquée à même époque en Syrie et aux abords de la mer Noire. Ces œuvres prestigieuses ont incontestablement influencé les Sassanides qui ont choisi des images semblables pour exalter la couronne iranienne et son autorité. L'argenterie de cour et le thème du roi chasseur ont en Iran un long passé qui commence aux époques pré-achéménide et achéménide, mais la forme et le style des œuvres sassanides dérivent manifestement de modèles romains contemporains [3].

L'étude de ces premiers vases sassanides met en évidence l'existence de plusieurs styles et de différents ateliers, différences particulièrement nettes dans le traitement du plissé des vêtements : sur certaines pièces ils sont représentés de manière naturaliste, alors que sur d'autres, ils sont traités, comme à la période parthe, par une série de lignes parallèles qui révèlent légèrement les formes du corps.

C'est sur une coupe de forme romaine, découverte à Sargveshi en Géorgie, qu'apparaît la première représentation connue d'un souverain sassanide. Sur ce portrait en médaillon, on reconnaît Bahram II (276-293) à sa couronne. Il est entouré de personnages qui sont probablement des membres de la famille royale, iconographie qui se retrouve sur le monnayage de ce roi.

Au début du IVe siècle, l'effigie royale sous forme de portrait en médaillon cède la place au motif du « roi chasseur » qui devient le thème favori de l'argenterie. Sur un plat profond du British Museum, une scène inhabituelle dont la signification n'est pas établie montre un chasseur portant couronne et chevauchant un cerf (cat. 27). Le manteau du roi, qui porte la couronne de Shapur Ier (241-272), tombe en une série de plis parallèles qui épousent les formes du corps, un style déjà identifié sur les représentations qui figurent sur les coupes à médaillon (cat. 24). Ce plat ne peut, pour des raisons stylistiques, avoir été réalisé avant le début du IVe siècle. La nature héroïque et surhumaine de la scène de chasse ainsi que la présence d'une couronne de style ancien peut s'expliquer par le fait que Shapur II (309-379) accédant au trône alors qu'il était enfant, on utilisa comme effigie dynastique sur la vaisselle d'apparat, l'image de son lointain prédécesseur éponyme, Shapur Ier.

Vers le milieu du IVe siècle, le monarque à la chasse (reconnaissable à sa couronne) devient la seule représentation royale figurant sur la vaisselle d'argent. La production de cette vaisselle, toujours des plats (la coupe, et le décor en médaillon disparaissent du répertoire) était, en Iran, réservée au roi des rois (cat. 28 et 29). Désormais, les membres de la famille royale ou ceux de la haute noblesse ne seront plus représentés.

Cette standardisation de la production de vaisselle officielle à effigie royale, tant du point de vue iconographique que du style, s'étend aussi à la nature du métal utilisé. D'après les analyses effectuées [4], l'argent semble provenir d'une source unique pendant une période extrêmement longue.

L'analyse critique de ces plats permet d'établir un catalogue de caractéristiques iconographiques, stylistiques et techniques. Comme pour la vaisselle en argent plus ancienne, le trait le plus significatif demeure la façon de représenter les drapés. Un nouveau style, utilisant des doubles lignes courtes apparaît sur les plats royaux, à partir du IVe siècle.

3. Gignoux 1988, p. 101-118.
4. Dosage par activation neutronique.

La composition équilibrée de la scène et la disposition des différents éléments du décor qui occupent l'ensemble de la surface disponible sur le fond du plat sont d'autres traits spécifiques. Ces principales caractéristiques ainsi que d'autres détails moins importants, permettent d'identifier clairement cette catégorie de plats royaux sassanides.

D'autres plats aussi décorés de chasseurs, mais qui portent des coiffures différentes de toutes les couronnes sassanides connues, s'éloignent plus ou moins de l'archétype de la vaisselle de cour.

Un groupe de variantes de ce type apparaît très tôt, probablement dès l'époque de la domination sassanide ou kouchano-sassanide sur les territoires kouchanes de la Bactriane à la fin du IIIᵉ et au début du IVᵉ siècle. La parenté stylistique qui unit cette production orientale et provinciale aux œuvres élaborées dans l'Iran central au début de la période est évidente dans le rendu des drapés qui utilise un style attesté sur les coupes à médaillon du début de la période. Des séries de lignes parallèles forment des ondulations sans référence au modelé du corps (cat. 31). À l'instar des plats royaux caractérisés par le style de draperie à doubles lignes, le style de cette production est défini par des détails récurrents : la composition dynamique en triangle et le cadrage audacieux du motif dont certains éléments sont coupés par le bord du plat, donnent à ces scènes de chasse une apparence moins figée et les rapprochent des représentations artistiques du monde hellénistique qui, après la conquête d'Alexandre, s'est étendu, au IVᵉ siècle av. J.-C., jusqu'en Bactriane.

Que des gouverneurs sassanides administrant l'Est kouchane, région qui fut à certaines périodes indépendante du pouvoir central, aient voulu imiter les souverains sassanides en produisant eux aussi de la vaisselle d'apparat en argent n'est pas surprenant. Il est frappant de constater combien le thème de la chasse était populaire hors de la cour sassanide et comment le style du « drapé en lignes parallèles », a perduré à l'Est de l'Iran bien après la période kouchano-sasssanide (cat. 31). Associé aux royaumes de l'Est, ce style est le pendant du style à double incision du centre de l'Iran sassanide. Ces deux traditions d'atelier expriment la remarquable pérennité des formes et des thèmes iconographiques dans le monde iranien.

Il existait également de nombreuses autres productions locales de vaisselle décorée de scènes de chasses aristocratiques (cat. 30, 31 et 32). La plupart de ces objets peuvent être associés à des événements survenus sur les frontières orientales de l'Iran sassanide ; tantôt ils reflètent par leur composition et par leur style les influences venues du cœur de l'empire sur les régions nouvellement conquises par les monarques sassanides tantôt ils sont l'expression d'une identité plus autonome qui se manifeste dès que la puissance du pouvoir sassanide diminue [5].

Un parallèle à ce phénomène peut être trouvé sur les monnaies émises par les divers peuples d'Orient, Kidarites, Kouchano-sassanides, Hephthalites ou par de nombreux chefs de clan dont l'identité n'est pas toujours claire. À un degré plus ou moins important, ces monnaies sont faites sur le modèle des monnaies royales sassanides qui étaient largement diffusées et utilisées.

5. Harper 1991, p. 58-59 ; Harper 1989, p. 847-866.

Le portrait en médaillon et la scène de chasse ne sont pas les seules images royales figurant sur la vaisselle d'apparat attribuée aux ateliers sassanides. Un troisième motif, celui du roi trônant, qui apparaît sur deux reliefs rupestres au début de la période sassanide orne deux précieuses coupes, l'une en argent, l'autre en or (cat. 34 et 35), datées de la fin de cette période. Le roi est représenté de face, assis, tenant une épée entre ses jambes repliées et écartées. Sur les reliefs rupestres, le trône ressemble aux trônes à pattes de lion qui figurent sur les monnaies sassanides et qui sont une forme traditionnelle héritée des anciennes représentations achéménides toujours visibles à Persépolis et Naqsh-i Rustam, mais sur les coupes, le siège royal est une banquette où des coussins sont empilés d'un côté pour soutenir le convive. Le choix de ce lit de banquet répandu et parfaitement identifié par tous dans l'Occident méditerranéen est étrange pour un monarque zoroastrien dont les repas étaient des événements sacrés qui ne se représentaient pas. En outre, sur ces deux pièces, le roi est assis et il n'y a aucune allusion à la nourriture, ni au banquet.

Le plat du musée de l'Ermitage, découvert dans les montagnes de l'Oural (cat. 34) est, par sa technique de fabrication, parfaitement représentatif des œuvres de la fin de la période sassanide. Le fond creusé laisse la scène en relief. La composition du décor ainsi que l'effigie royale sont plus proches des premières représentations chrétiennes figurant sur la vaisselle en argent liturgique produite sous les règnes de Valentinien Ier (364-375) et de Théodose Ier (378-395) que de n'importe quel modèle iranien [6]. L'organisation du décor où une scène principale est placée au-dessus d'une exergue est une convention d'origine occidentale.

Sur les deux plats, les rois portent une couronne souvent représentée sur les monnaies sassanides des VIe et VIIe siècles (Kavad Ier, Khosrow Ier, Hormizd IV, Bahram VI, Khosrow II et Kavad II). La seule différence entre ces couronnes et l'effigie du médaillon central en cristal de roche qui décore le plat en or de la Bibliothèque nationale (cat. 35) est le décor hachuré – et non pas pointillé – du bandeau du souverain. Des comparaisons ont été faites entre ce plat en or à incrustations de verre coloré et cristal de roche et certaines œuvres hunniques ornées du même type d'incrustations et qui expriment ce goût pour l'association de métaux précieux et de pierres aux couleurs vives. De telles réalisations se rencontrent sur une aire géographique étendue qui va de l'Europe de l'Est aux steppes du Nord-Est de l'Iran [7]. Une inscription en moyen perse indique le poids de ce plat qui illustre bien le jeu encore mal connu des interactions culturelles à la fin de la période sassanide.

Ce bref parcours des vases porteurs d'une effigie royale, qu'ils soient d'origine purement sassanide ou d'origine provinciale, éclaire la complexité des courants culturels et le développement des arts dans cette aire géographique. L'Iran sassanide et la Mésopotamie n'ont jamais été culturellement isolés des pays voisins, à l'Est comme à l'Ouest ; la réceptivité aux influences étrangères associée au respect de l'iconographie traditionnelle constitue un trait majeur de l'art de cour sassanide, trait déjà marquant à époque achéménide.

6. Strong 1966, p. 200, pl. 64.
7. Daim 1996, n° 4.18 ; Watt 2004, n° 95, p.188-189.

La vaisselle précieuse de la deuxième moitié de l'époque sassanide

P. O. H.

À PARTIR DE LA FIN DU Vᴱ SIÈCLE, et tout au long des VIᵉ et VIIᵉ siècles, on constate une augmentation de la production de la vaisselle en argent : de nouvelles formes, de nouveaux décors (personnages, plantes et animaux) apparaissent [8]. Les raisons de ce développement doivent être recherchées dans les bouleversements que provoquèrent, au cœur même des structures de la société sassanide, les enseignements de Mazdak, chef d'un mouvement religieux gnostique qui prôna en Iran des réformes sociales et économiques radicales. Défendues sans réserve par le roi Kavad Iᵉʳ pendant la dernière décennie du Vᵉ siècle, les conceptions révolutionnaires de Mazdak provoquèrent de profonds bouleversements dans les classes dirigeantes iraniennes. Khosrow Iᵉʳ (531-579) mit fin à cette subversion, mais le pouvoir des grandes familles aristocratiques (*buzurgan*) en demeura diminué et une petite noblesse (*dekhan*) qui soutenait le roi des rois car elle lui était redevable de son existence apparut sur la scène publique. Il semble probable que l'augmentation du nombre des pièces d'argenterie et leur diversité soient le reflet de ces transformations de la société : désormais un nombre plus important de personnes pouvaient commander et posséder ces objets de luxe.

Comme à la période précédente, le poids, indiqué en drachme [9], et plus rarement le nom du propriétaire sont gravés sous la lèvre ou sous le pied du récipient. Ces vases précieux n'étaient pas seulement des objets prestigieux, ils avaient aussi une valeur d'échange [10].

Quelle que soit l'explication historique donnée à l'augmentation du corpus de la vaisselle en argent, l'ensemble des objets découverts, y compris une grande partie des pièces mises au jour ces dernières années en Iran, montrent que de nouvelles formes et de nouveaux thèmes décoratifs sont apparus dans la seconde moitié de l'époque sassanide. Nombre de ces formes nouvelles sont le résultat des contacts permanents avec les pays situés à l'ouest de l'Iran et de la Mésopotamie : la Syrie, la Géorgie, l'Arménie et tout le monde de l'Orient méditerranéen. Les bouteilles sassanides (cat. 38, 39, 43, 45, 61, 62) les aiguières (cat. 53, 56) et les coupes à pied sont des adaptations de formes romaines et dans de nombreux cas, les nouveaux motifs décoratifs dérivent d'une iconographie très largement répandue dans le monde méditerranéen : décors de pampres de vigne (cat. 40), scènes de vendanges (cat. 38 et 39) ainsi que des motifs plus explicitement dionysiaques (cat. 36). Sur les vases ou les coupes, des danseuses tiennent en main des attributs semblables à ceux que l'art romain associe aux représentations des Heures, des Saisons et des Mois (cat. 43) ; des scènes montrent des jeunes gens aux cheveux bouclés sur le modèle d'Hercule combattant des animaux sauvages (cat. 45) ou aux côtés de chevaux ailés (cat. 37). Les paysages de rivière ou d'océan se conforment le plus souvent aux modèles des scènes nilotiques (cat. 48) représentées sur les vases en argent, les verreries, les tissus et les mosaïques en Égypte et dans l'empire romain.

Même simples, les motifs « de luxe » tels la pintade ont des équivalents très proches dans l'art de l'Antiquité tardive et le premier art chrétien. L'utilisation des incrustations

8. Harper 1983, p. 1113-1129 ; Harper 1993, p. 95-108.
9. Depuis l'époque d'Alexandre le Grand, le poids de la monnaie sassanide avait suivi la norme attique
10. Brunner 1974, p. 109-12 ; Vickers 1995, p. 163-164.

de nielles et le motif en forme de perles sur les plumes de l'oiseau qui orne le fond de la coupe cat. 64 se retrouve fréquemment sur les vases d'apparat en argent romains ou byzantins des premiers siècles de notre ère.

Ces témoignages des échanges avec les régions de l'Ouest ne sont pas étonnants car les artisans occidentaux traversaient fréquemment les frontières pour se rendre sur les marchés d'Orient et parmi les prisonniers de guerre capturés dans l'Est du monde romain figuraient de nombreux artisans que les souverains sassanides déportèrent et réinstallèrent en Mésopotamie ou en Iran. Ces artisans ont dû emporter avec eux leurs outils, leurs manuels iconographiques, mais aussi des modèles et des moules.

D'autres influences venues du monde gréco-romain ont marqué l'art sassanide de l'Iran à la fois au début et à la fin de la période. Elles venaient de l'est, notamment de Bactriane (l'actuel Nord de l'Afghanistan, le Sud de l'Uzbekistan, et le Sud du Tajikistan), où, dans la seconde moitié du IVe siècle av. J.-C., les conquêtes d'Alexandre-le-Grand avaient introduit des colons grecs et leur culture. Les thèmes et les styles hellénistiques, tout comme les formes héritées de l'ancien Iran achéménide se maintinrent à la périphérie dans le Nord-Est de l'Iran jusqu'aux Ve et VIe siècles longtemps après leur disparition de l'Empire sassanide. Ainsi le rhyton à tête d'animal (cat. 59) semble avoir été, à cette époque, plus répandu en Sogdiane que dans le monde sassanide proprement dit où même le rhyton en forme de corne (cat. 58), forme très prisée dans l'ancien Proche-Orient, n'est pratiquement pas représenté.

Les influences venues des régions occidentales de l'Asie centrale et de l'Inde sont moins évidentes. La forme inhabituelle d'une coupe elliptique à lobes séparés - les formes sassanides traditionnelles sont à lobes joints (cat. 42, 52) – peut être rapprochée de celle d'une coupe décorée d'un monstre marin indien, le *makara* attaqué par un félin [11]. Trouvée en Chine et datée du Ve siècle, elle a probablement été fabriquée dans un atelier du Nord-Ouest de l'Inde, où se combinaient des influences indiennes et iraniennes et cette forme a pu ensuite influencer une production de même type en Iran sassanide.

Parmi les découvertes faites en Iran, on trouve des demi-coupes polylobées munies d'une attache (cat. 66). Ces coupes suspendues aux ceintures et aux harnais faisaient partie des ustensiles propres aux cavaliers nomades, Alains, Huns et Avars, qui sillonnaient les frontières nord de l'Iran. À la fin de l'époque sassanide, certains d'entre eux étaient intégrés dans les armées de l'empire en tant qu'alliés ou comme mercenaires.

L'origine précise de ces pièces de vaisselle d'apparat est difficile à identifier avec certitude en raison de l'absence de contexte archéologique établi. Si quelques pièces proviennent de fouilles scientifiquement contrôlées conduites au Proche-Orient [12] et en Asie centrale, le plus grand nombre de ces vases a été découvert par hasard, au cours des siècles passés, en Russie dans les montagnes de l'Oural et ces dernières décennies, dans l'Ouest de la Chine, régions lointaines où ces objets précieux étaient transportés comme produits d'échange et de commerce.

Les différents thèmes iconographiques semblent célébrer la prospérité et la fertilité de ce monde, sujets tout à fait appropriés à des vases destinés à être utilisés à l'occasion des fêtes qui ponctuaient l'année du calendrier zoroastrien [13].

11. Marshak in Watt 2004, p. 151.
12. Cf cat 66 et cat. 70 découverts à Suse dans le Sud iranien au XIXe siècle.
13. Harper 1971, p. 503-515 ; Marshak 1998 p. 84-92.

La recherche d'équilibre et d'ordre, très sensible dans la composition des décors, correspond aux croyances zoroastriennes sur l'ordre et l'équilibre du monde et du cosmos, mais les scènes figurant sur les vases sassanides ne décrivent pas de rites religieux contrairement à l'art du monde gréco-romain et à celui de nombreux royaumes contemporains d'Asie centrale.

En Iran comme en Mésopotamie, certaines personnes extérieures à la communauté zoroastrienne accédaient au pouvoir et aux plus hautes destinées. Des évêques chrétiens étaient diplomates et des chrétiens occupaient des places importantes dans l'appareil de l'État. Quelques vases en argent tardifs décorés d'une croix chrétienne ont été incontestablement commandités par des membres de la communauté chrétienne et peuvent avoir rempli une fonction liturgique. L'iconographie dionysiaque et les simples scènes de vendanges, sujets païens adoptés par les premiers artistes chrétiens du monde méditerranéen, ont pu aussi être utilisés pour décorer les vases en argent de chrétiens vivant dans le monde sassanide. Un bol hémisphérique sassanide d'époque tardive découvert en Géorgie orientale porte une croix au fond mais l'extérieur est décoré de rinceaux de vigne et d'une scène de vendanges dont le style et le traitement sont purement sassanides [14].

Le commerce de luxe était très actif dans le monde de la fin de l'Antiquité : la vaisselle en argent mais aussi des soieries, de la verrerie, des sceaux gravés dans des pierres précieuses ou semi-précieuses, des monnaies en or et en argent circulaient le long des voies terrestres et maritimes qui reliaient l'est de l'Europe, le Proche-Orient, le Sud-Est de l'Asie et la Chine. Dans les centres artistiques qui jalonnaient ces routes, les formes propres à une technique étaient souvent adaptées à d'autres techniques de l'artisanat de luxe. Sur certains vases sassanides tardifs (cat. 56) les motifs décoratifs sont enfermés dans des « médaillons » et pour les personnes familières des arts de cour de cette région, ces vases en argent doré ont dû sembler comme gainés de soie. La décoration à facettes de certaines coupes à portrait en médaillon du début de la période (cat 24) et d'un plat sassanide qui figure dans cette exposition (cat. 54) ressemble aux motifs exécutés au tour sur la précieuse verrerie taillée de l'Antiquité tardive et des Sassanides.

14. Londres, 1994, n° 98, p. 201.

Le décor de la vaisselle en argent à la fin de la période sassanide et au début de l'époque islamique

B. M.

Les images symboliques et allégoriques qui ornent la vaisselle en argent de la fin de l'époque sassanide et du début de l'époque islamique, comme par la suite les inscriptions propiatoires arabes figurant sur l'argenterie, les bronzes, la céramique ou les tissus islamiques promettaient bonheur et succès à leur propriétaire.

Avant les Ve-VIe siècles, la vaisselle en argent sassanide était le plus souvent ornée de scènes montrant le roi chassant. Ces scènes de chasse pouvaient également augurer des succès à venir du propriétaire du plat, qui en possédant ce récipient recevait une parcelle du succès du royal chasseur. Une chasse fructueuse a toujours été pour tous les peuples un signe de chance, mais les exploits à la chasse du roi d'Iran étaient le témoignage de ce qu'il détenait le *farr* (khwarnah), la splendeur divine, la gloire et le succès. Le *farr* était considéré comme une sorte d'être animé qui venait habiter l'homme qui en était digne et abandonnait le pécheur et le malchanceux. Après les brillantes victoires armées sassanides des IIIe et IVe siècles, nombreux furent ceux qui voulurent faire montre de leur participation personnelle au *farr* du souverain en place en possédant une coupe où il était représenté. Le roi y était reconnaissable à sa couronne, que tous pouvaient voir sur les monnaies à son effigie.

Les scènes de chasse royale se firent moins populaires et des images symboliques, qui n'avaient rien à voir avec le succès de tel ou tel souverain, connurent une large diffusion après la profonde crise de la fin du Ve - début du VIe siècle, qui commença sous le règne de Peroz (457, 459-484). Devenu *shâhânshan*, Khosrow Ier (531-579) remit de l'ordre dans l'État, se débarrassa des Hephthalites avec l'aide des Türks des steppes et enleva Antioche aux Byzantins.

On considère le plus souvent que c'est lui qui est représenté sur le camée au centre de la coupe en or (cat. 35) et sur le plat en argent (cat. 34). Mais les avis sont partagés sur l'identité du souverain, ces désaccords s'expliquent par la grande similitude entre les couronnes de plusieurs souverains qui ont régné à partir de la seconde moitié du Ve siècle jusqu'au premier tiers du VIIe. Le plus vraisemblable, selon nous, est qu'on voit sur le plat en argent Kawad trônant tandis que Khosrow, déjà désigné comme son successeur, chasse des mouflons.

Les images d'un monde ordonné et harmonieux et qui appellent apparemment de leurs vœux la paix et la prospérité devinrent prédominantes une fois la crise surmontée, comme par exemple, le motif de la belle dame et d'un monstre qui combine les caractères des carnivores et des herbivores, des oiseaux et des végétaux (cat. 47, 49). Sur le plat de la Bibliothèque nationale (cat 47), probablement exécuté dans les territoires anciennement hephthalites soumis par Khosrow, le groupe formé par la femme et le monstre est entouré des symboles des saisons, alors que sur celui de l'Ermitage, sont figurés, outre le monstre, les eaux et les poissons, la terre et les plantes. La femme y joue de la flûte, soulignant ainsi l'idée de l'harmonie du monde. De telles représentations ne sont en rien les images de culte de quelque déesse iranienne, ce sont des allégories. C'est pourquoi elles ont conservé leur place dans l'art des débuts de l'islam, comme en témoigne une cruche en bronze de cette période où la flûtiste apparaît debout à côté du monstre [15]. Peut-être le thème des saisons convenait-il aux vases offerts à l'occasion de la fête du Now Ruz (Nouvel An). Par exemple, sur l'aiguière (cat. 53) sont figurés des arbres en été et en hiver (sans feuilles), ainsi que des lions solaires au nombre de quatre, comme les saisons.

La forme complexe des coupes sassanides oblongues permettait à l'artiste de représenter de façon plus diversifiée la prospérité de l'univers. Sur la coupe de l'Ermitage (cat. 53) sont représentés les eaux, les montagnes, des arbres, des fleurs, de paisibles capridés, des lions féroces et des oiseaux-griffons dotés en outre de queues touffues en forme de végétal. Rejetés par le zoroastrisme, les fauves apparaissent sur nombre de vases sassanides comme une composante indispensable du monde. C'est que, dans la symbolique profane, leurs images étaient associées à la majesté et à la vaillance des guerriers de l'aristocratie, classe qui affirmait de nouveau sa supériorité après l'écrasement des mazdakites. Les sujets de la coupe oblongue du Louvre (cat. 42) proposent des motifs empruntés à la nature : canards sur l'eau, vigne avec des oiseaux et des fleurs sont associées à des images de superbes créatures féminines et à un grand nombre d'enfants, qui apparaissent aussi bien sous forme de têtes de profil dans des médaillons qu'en train de se baigner. Le souhait d'un mariage (ou de mariages) heureux et d'une nombreuse descendance accompagnait, apparemment, le don de cette coupe. De manière générale, les images de belles femmes, parfois avec leurs enfants, tenant des grappes de raisin, des grenades ou des coupes de vin ou de fruits font partie du répertoire favori de l'art sassanide tardif (cat. 43-44). Tout aussi apprécié était le motif de la « vigne habitée » (cat. 38-40), également populaire dans l'art de Byzance, la rivale de l'Iran.

Aux jeunes garçons, on offrait, en leur souhaitant de devenir des héros et de vaincre, de petites cruches où figurait un enfant triomphant de redoutables bêtes féroces (cat. 45-46). Sur l'une d'entre elles (cat. 46) on trouve encore quelques symboles dont l'un, un monstre, représenté dans la frise supérieure, retient l'attention. Cette créature dotée d'une queue et d'ailes de paon, de pattes de lion et d'une tête de chien, constituait l'un des motifs les plus populaires de l'art sassanide tardif et des débuts de l'art islamique (cat. 2, 55, 56, 71) Camilla Trever y a vu l'image d'un oiseau mythique, le *sênmurw*, et cette appellation s'est imposée dans la littérature sur le sujet [16]. Pourtant il est plus vraisemblable qu'il s'agisse du *farr* (khwarnah) de la dynastie semi-légendaire des Kayanides à laquelle les souverains de l'époque sassanide tardive rattachaient leur lignée. Ce n'est pas sans raison que le *farr* des Kayanides a aussi été représenté sur les vêtements du roi des rois d'Iran (cat. 2). Celui qui possédait un vase avec de telles figures participait non seulement au *farr* du souverain régnant mais aussi à celui de tous les souverains légitimes de l'Iran [17]. La signification universelle de l'image est clairement exprimée sur le plat du British Museum (cat. 55) où l'image de la bête oiseau est enrichie de motifs végétaux

15. Trever, Lukonin 1987, p. 98, pl. 124.
16. Trever 1938 ; *eadem*, Tête de Sênmurw.
17. Il faut dire qu'en Sogdiane, on donnait une image autre du Sênmurv-Simurgh, protecteur du père du héros Roustam et du héros lui-même. Marshak 2002, p. 37, 40, pl. 24, figs. 10, 27; pl. 5.

luxuriants tandis que le plumage de son corps ressemble davantage à des écailles de poisson. La chaîne de montagnes qui entoure cet être fantastique symbolise apparemment la frontière de cette partie privilégiée de la Terre dévolue à l'Iran. L'image du griffon, lui aussi enrichi de détails végétaux, venait vraisemblablement se substituer à celle de Mithra, dieu du pacte, de l'accord et de la bonne entente mutuelle entre les hommes (cat. 50) [18]. Pourtant, de façon générale, le langage allégorique de l'argenterie sassanide tardive, compte tenu de l'absence presque totale de représentations des dieux, n'était que très faiblement associé à la religion officielle de l'Iran, le zoroastrisme, ce qui lui permit de survivre à la conquête arabe et à l'islamisation de l'Iran.

Au VIIe siècle, l'empire sassanide fut conquis par les Arabes musulmans qui s'installèrent dans quelques grandes villes et dans toute une série de places fortes, mais le Tabaristan, au nord, resta quasiment indépendant tandis que dans de nombreuses régions l'aristocratie locale dirigeait, tout en reconnaissant le pouvoir de l'administration califale. À la différence de la population des anciennes provinces byzantines qui, petit à petit, s'était arabisée, les Iraniens, qui avec le temps avaient fini par embrasser la religion des conquérants, conservèrent leur culture et leur langue. La nostalgie de la gloire passée de l'Iran était générale. Là où les conquérants étaient peu nombreux, on gardait en souvenir la grandeur passée, mais là où les Arabes prédominaient, les Perses ayant reconnu l'islam commencèrent, dans cette langue arabe qu'ils avaient assimilée, à montrer aux conquérants leur supériorité culturelle. Cette glorification de la nation vaincue ne choquait pas les vainqueurs, puisque sa grandeur ne faisait qu'accroître leur propre mérite. En outre, l'élite arabe empruntait volontiers le mode de vie aristocratique et les pratiques administratives des vaincus ; les califes se considéraient dans une certaine mesure comme les héritiers des Sassanides. Dans l'islam, représenter les hommes et les animaux, boire du vin et utiliser dans la vie courante de l'argenterie était considéré comme un péché, mais les vases en argent pour le vin ornés d'images demeurèrent les attributs incontournables de la vie de cour. Les figures et les scènes entières représentées sur la vaisselle des banquets perdirent toute signification officielle, mais continuèrent comme par le passé de symboliser les souhaits propitiatoires formulés pour le propriétaire de l'objet, et de rappeler le passé glorieux de l'Iran. Le plat conservé au musée National de Téhéran (fig. 1) est l'une de ces évocations des merveilles du passé. On y voit un pavillon dans lequel le roi est soulevé à l'aide d'un quelconque mécanisme au-dessus des dos de deux tigres. De nombreux détails sont sassanides mais la composition se rattache au début de l'Islam par son décor, celui des palais des califes de la première moitié du VIIIe siècle.

Un plat orné d'une scène de chasse (cat. 68), daté de la fin du VIIe ou du début du VIIIe siècle est proche des modèles sassanides. Mais on a ajouté à la scène traditionnelle un ours qui semble la regarder, et les extrémités des rubans qui partent du dos du roi se transforment en ornement. D'un point de vue artistique, les imitations provinciales des débuts de l'Islam sont bien souvent de moindre qualité que leurs modèles sassanides (cat. 32, 44).

La situation n'était différente que dans le nord-est de l'Iran, dans le Khorassan, où la synthèse des traditions sassanides, sogdiennes et du Tokharistan aboutit à l'apparition d'une école qui créa son propre style d'expression. En 651, les Arabes s'emparèrent de

Fig. 1 - Plat en argent orné d'un roi trônant, Iran, (Qazvin), musée National, Téhéran.

18. Sur l'un des plats d'argent du British Museum le trône de ce dieu s'appuie sur deux griffons qui semblent prendre leur envol. Harper, Meyers, *Silver vessels*, p. 108-110, fig. 35.

Merv, centre du Khorassan, d'où s'ouvrait l'itinéraire vers Boukhara et Samarcande, villes de la prospère Sogdiane dont les marchands régnaient en maîtres sur la Route de la Soie. Dans la seconde moitié du VIIᵉ siècle, tant que la Sogdiane resta plus ou moins indépendante, ces marchands achetaient aux conquérants et aux émigrants de la vaisselle sassanide, qui a souvent conservé les inscriptions sogdiennes de ses nouveaux propriétaires (*cf*. cat. 26). Rapidement, les artistes sogdiens s'approprièrent les compositions sassanides. De leur travail relève le plat sur lequel figurent un animal fantastique, les eaux, les montagnes et des plantes (cat. 74). Ce schéma de composition appartient à l'époque sassanide tardive, mais les proportions élancées et la souplesse de la bête et des plantes, le dynamisme des formes et des lignes ainsi que de nombreux détails sont typiquement sogdiens. Par la suite le style sassanido-sogdien se développa à Merv, ville principale du territoire qui dépendait du gouverneur et la base des incursions en Sogdiane et au Tokharistan, où affluaient butin de guerre, contributions et tribut venant d'un immense territoire occupé aujourd'hui par l'Ouzbékistan, le Tadjikistan et l'Afghanistan. Dans les années 740, on y fabriquait des vases en argent en forme d'animaux pour les envoyer au calife. Au milieu du VIIIᵉ siècle l'importance de la ville était telle que, lorsque les partisans des Abbassides y furent vainqueurs, leur triomphe s'ensuivit rapidement dans l'ensemble du califat. Dans la seconde moitié du VIIIᵉ siècle et au début du IXᵉ les princes abbassides commencèrent plusieurs fois leur ascension vers le trône à partir du poste de gouverneur de Merv.

On peut rattacher à Merv et à d'autres centres qui en dépendaient quelques séries de vases dont la thématique décorative sassanide est associée aux caractéristiques du style sogdien et plus rarement à celles du style du Tokharistan (cat. 71, 72, 73, 75). Dans les toutes premières étapes du développement de l'école, l'artiste s'efforçait, comme dans l'art sogdien, de traduire la puissance de l'être représenté et le dynamisme de l'ensemble comme de chacun des détails. Plus tard, le dynamisme fut conservé uniquement dans les détails, mais la composition dans son ensemble devint de plus en plus décorative et la végétation ornementale. On a un exemple de la première étape avec le plat portant l'image du *farr* des Kayanides, appelé *senmurw* (cat. 71), plus féroce et plus animé que ne sont les images sassanides, plutôt statiques, de la même créature. On rattache à une étape plus tardive la composition déjà presque exclusivement ornementale d'un autre plat sur lequel on voit un lion terrasser un cerf (cat. 72). Encore plus tardif est le plat avec une scène de chasse qui s'inscrit presque à égalité dans un fond constitué de plantes fantastiques surmontées de grenades (cat. 73). Les artistes du Khorassan, répondant aux souhaits de leurs commanditaires, déclinaient des thèmes sassanides, mais leur style était dépourvu de la solennité officielle sassanide.

Avec le temps, l'aspect purement décoratif des images intéressa de plus en plus aussi bien les artistes que leurs commanditaires. Comme épilogue à l'ensemble de l'exposition, on peut mentionner le plateau octogonal du Xᵉ siècle qui démontre la presque totale « dissolution » dans l'ornement de l'image du *farr* des Kayanides (cat. 76).

L'argenterie sassanide

P. O. H.

Un certain nombre de particularités caractérise la vaisselle en argent fabriquée au Proche-Orient pendant l'époque sassanide [1].

Tous les récipients étaient obtenus par martelage à partir d'un lingot fondu pour parvenir à la forme définitive. Le pied et les poignées étaient fixés par soudure. Le décor était travaillé au repoussé ou gravé (les deux techniques sont souvent utilisées sur le même plat). Pour réaliser les reliefs, le fond était creusé puis des pièces de métal mises en forme par martelage ou moulage étaient insérées dans des emplacements ménagés par creusement dans le fond du plat. Cette dernière technique toujours utilisée sur des plats et non sur des vases ou des aiguières était employée dans l'Occident romain et à une période plus ancienne en Orient, à l'époque achéménide.

En dépit des assertions autrefois répandues, aucun vase sassanide n'est composé de deux pièces de métal, le motif en relief d'une face étant obtenu par martelage de la face opposée, cachée par l'adjonction d'une seconde feuille de métal sans décor. Cette technique de la double coque était utilisée dans l'Occident romain et en Chine mais on ne la trouve pas comme on a pu le croire dans le corpus des œuvres sassanides en argent.

La plupart des vases en argent sont dorés et parfois certains décors sont incrustés de nielle, type de décor plus répandu à Rome et à Byzance. Sur quelques vases parmi les plus anciens [2], une dorure à la feuille a été employée mais après le IIIe ou le tout début du IVe siècle, la dorure au mercure est adoptée. Comme l'amalgame utilisé est très liquide et se diffuse facilement, il n'est pas étonnant de constater que dans la seconde moitié de la période, la dorure était plutôt appliquée sur le fond que sur les reliefs du décor.

Certains détails stylistiques et iconographiques permettent d'identifier des traditions d'atelier. Sur les plats où figurent des souverains portant des couronnes sassanides connues et sur d'autres plats de style sassanide, une ligne suit le pourtour du plat juste sous la lèvre. Cette trace d'outil n'existe pas sur la plupart des plats à scènes de chasse où le chasseur ne porte pas une couronne sassanide. Trait distinctif, les décors de ces derniers vases ont reçu une dorure par zones dont le choix semble relever du hasard. En revanche, sur les plats à scènes de chasse royales provenant du cœur de l'empire, la scène est soit entièrement dorée, à l'exception du visage et des mains, et le fond laissé nu ou au contraire, le fond est doré et la scène ne l'est pas.

Les formes des vases en argent sassanides sont en nombre limité ; de surcroît, les poids et les dimensions de ces différentes formes constituent des gammes cohérentes. Ce qui suggère l'existence d'une tutelle de l'État ou de la cour sassanide sur les ateliers producteurs.

L'argent utilisé pour la production des plats sur lesquels figure un chasseur royal identifiable et avec un style de drapé en paires de lignes, provenait d'un gisement particulier de cérusite argentifère (minerai d'argent contenant du carbonate de plomb) ainsi que l'a démontré le dosage par activation neutronique [3]. Cette source n'était pas utilisée pour la fabrication des plats où on retrouve le style de drapé à lignes parallèles. Un plus grand nombre de gisements de minerai fut exploité à la fin de la période pour répondre à l'accroissement de la production de vaisselle en argent dans le monde sassanide. La plupart des vases sassanides en argent contiennent aussi de 4 à 8 % de cuivre.

1. Pour un commentaire technique et des références bibliographiques, voir P. Meyers 1998, p. 239-241.
2. En particulier la magnifique verseuse en forme de cheval du musée de Cleveland.
3. Note communiquée par M. Philippe Colomban : Bombardé par des neutrons, la plupart des isotopes des atomes subissent une réaction nucléaire et deviennent « radio-actifs » ; ils réémettent des rayonnements de type gamma ou des particules alpha. Cette technique permet de doser dans un matériau certains éléments présents en très faibles quantités.

1

21

Coupe hémisphérique décorée de cannelures

Argent partiellement doré
H. : 0,154 ; D. : 0,082
Fin du IIᵉ siècle av. J.-C.
Iran, Suse –. fouilles de Mecquenem, ville royale, 1935
Paris, musée du Louvre, département des Antiquités orientales
inv. Sb2757.

Biblio. : Bivanck et Van Ufford 1973, p. 122, fig. 2 ; Amiet 1988, p. 140, fig. 88.

Les coupes de ce type, décorées à l'extérieur de fines cannelures et parfois de rinceaux, étaient largement répandues dans tout le monde méditerranéen à la fin de l'époque hellénistique. Cet exemplaire découvert à Suse a probablement été importé de l'une des grandes villes de la côte orientale de la Méditerranée, et témoigne de l'hellénisation et de la prospérité de la cité.

F. D.

22

Bol en argent. Couple au banquet

Argent, pied annulaire rapporté, décor martelé, serti et gravé
déformé
H. : 0,095 (0,065 sans le pied) ; D. : 0,21 ; Pds : 562
Fin du IIᵉ-début IIIᵉ siècle (?)
Iran, Dailaman (?)
Londres, British Museum, ANE 134963 (1968-2-10,1).

Biblio. : Ghirshman 1961, p. 125, pl. LXXIX, nº 733 ; Pinder-Wilson 1971, nº 69 ; Barnett et Curtis 1973, p. 127, pl. LVIIa ; Harper 1987, p. 333-354, fig. 101 ; Gunter et Jett 1992, p. 80-82 ; Sarkosh Curtis 1993, p. 27 ; Collon 1995, p. 197, fig. 163 ; Curtis 2000, p. 71, fig. 80 ; Sarkosh Curtis 2001, p. 306, pl. XIVb ; Dirven 2005, p. 62-63.

Une scène de banquet constitue le décor de ce bol ; le maître de maison tient en ses mains un bol et partage le lit de banquet (*kliné*) avec son épouse tandis qu'un serviteur se tient à ses ordres. Les dimensions limitées et la forme de l'espace disponible peuvent expliquer pourquoi les bras de la femme sont à peine représentés ; l'objet que le serviteur tient à la main est probablement un rhyton. Les pieds du lit sont très grossièrement figurés : à époque parthe, ils sont d'ordinaire tournés tandis que la forme en patte d'animal (pattes de lion) est plus répandue à époque sassanide. L'identité du personnage central est incertaine mais comme il ne porte pas de couronne, ce n'est probablement pas un personnage royal. Sa coiffure et sa tunique ceinturée évoquent les sculptures funéraires de l'oasis de Palmyre (Syrie - fin du IIᵉ-début du IIIᵉ siècle). Des scènes analogues se retrouvent dans un contexte cultuel à Hatra (Irak). On peut penser que ce bol appartenait à un membre de la noblesse locale ou à quelque bourgeois fortuné de l'époque.

St J. S.

23

Plat décoré d'une figurine de bélier

Argent partiellement doré
D. : 0,265 ; H. : 0,035
Seconde moitié du IIIᵉ siècle
Caucase du Nord, acquis en 1996 par le musée de l'Ermitage
Saint-Pétersbourg, musée de l'Ermitage, inv. Z-597.

Le décor du plat s'ordonne, autour d'une petite figurine de capridé, en trois zones concentriques ornées de sept, huit, puis seize cupules en forme de champignon dorées à la feuille. Chaque zone est délimitée par des filets doubles rehaussés de dorure. Ce décor apparaît en relief à l'extérieur du plat. Une inscription est gravée sur le bord à l'extérieur en écriture parthe tardive (IIᵉ-IIIᵉ siècle d'après les caractéristiques paléographiques).

On ne connaît pas de parallèle à ce décor dans le répertoire de la toreutique orientale, mais ce style évoque celui des coupes achéménides. L'art parthe du métal reste encore très mal connu mais on peut penser que ce plat a été fabriqué à cette époque; par la suite, on a ajouté la figurine de capridé et gravé l'inscription qui donne le nom du propriétaire « Narseh, le *bidahsh* (vice-roi), fils d'Ardashir, le *bidahsh* ». Ardashir, connu par d'autres sources, était le gouverneur sassanide de la région du Caucase au IIIᵉ siècle. Cette inscription, datable des années 240-260, permet de préciser l'histoire des gouverneurs sassanides en Trans-Caucasie.

A. N.

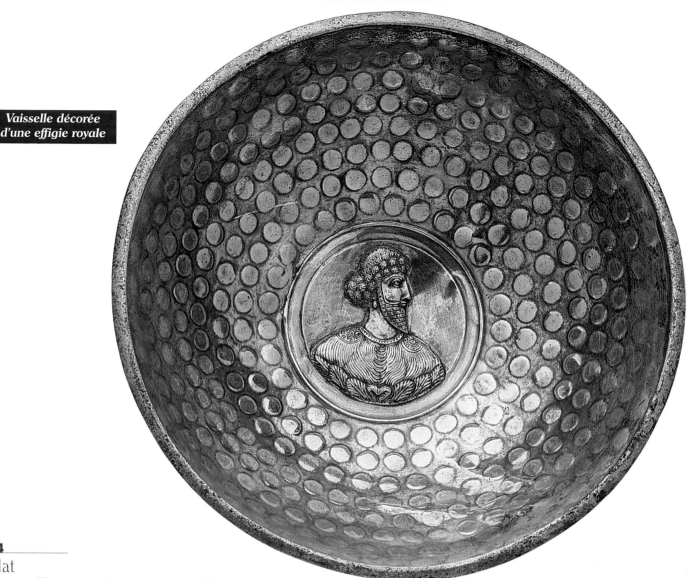

24

Plat
Buste d'homme dans un médaillon

Argent doré
D. : 0,237 ; H. : 0,076 ; Pds : 775
Fin du IIIe-début du IVe siècle
Iran (?)
Cincinnati, Cincinnati Art Museum
Don de M. et Mme. Warner L. Atkins ; n° 1955.71.

Biblio. : Dimand 1959, p. 11-14 ; Harper et Meyers, 1981, p. 25-26, pl. 3.
Expos. : Michigan 1967, p. 99, fig. 11 ; New York 1978, p. 31-32, n° 2.

Les représentations les plus anciennes de personnages de la haute noblesse ou de la famille royale sur la vaisselle d'apparat sont des bustes reposant sur une base foliée cernés d'un médaillon. Le motif s'inspire de modèles romains, mais le traitement du décor et la manière de représenter les personnages et les végétaux sont typiquement sassanides. Ce plat appartient à un groupe de quatre, probablement trouvés ensemble en Iran ; les autres sont conservés dans les musées de Téhéran, New York et Washington.

Le rang élevé du personnage est indiqué par ses bijoux (collier, boucles d'oreilles) et des épaulettes rondes, aucun autre attribut ne permet de préciser sa position. La base formée de feuillages et le drapé sont traités dans un style linéaire et abstrait mais le modelé du torse demeure bien dessiné sous le drapé.

Les motifs circulaires décorant l'intérieur du plat apparaissent aussi sur un plat en argent du début de la période sassanide découvert à Mtskheta en Géorgie de même que sur la verrerie romaine et sassanide tardive. L'extérieur du plat est sans décor. Sur le dessous, on note la présence d'un point de centrage entouré de deux cercles concentriques.

P. O. H.

25

Plat. Buste de femme dans un médaillon central

Argent doré
D. : 0,183 ; H. : 0,52 ; Pds : 353
IVᵉ siècle
Iran (?)
Téhéran, Musée national, inv. 1385.

Biblio. Harper et Meyers 1981, p. 208, pl.7.

Ce plat décoré d'un buste de femme respirant une fleur aurait été découvert à Hamadan avec une série de trois autres plats de même type dont le cat. 24. Cet exemplaire est le seul orné d'un portait de femme. L'arrangement de sa coiffure, en particulier le chignon qu'elle porte au sommet de la tête indique qu'il s'agit d'une princesse de rang royal. L'organisation du décor composé d'une large bordure de cercles concentriques entourant le médaillon central pourrait dériver de modèles parthes.

F. D.

26

Plat Chasse au lion

Argent partiellement doré
D. : 0,28,5 ; D. : 0,6 ; Pds : 1302
IVᵉ siècle
Iran, Sari (province du Gilan)
Téhéran, Musée national, inv. 1275.

Biblio. : Harper et Meyers 1981, p. 211, pl. 10
Expo. New York 1978, n° 3.

Différents indices montrent que ce grand plat, d'une exceptionnelle qualité, est l'un des plus anciens exemplaires de vaisselle en argent décoré d'une scène de chasse. Le naturalisme qui marque l'ensemble du motif, en particulier la manière dont est traité le drapé du vêtement qui souligne les formes du buste du personnage, évoque le style du grand relief rupestre montrant l'investiture d'Ardashir II à Taq-i Bustan [1]. La coiffure du chasseur ne correspond à aucune couronne royale connue mais le cimier en éventail qui la surmonte évoque plutôt le couvre-chef des princes royaux.

F. D.

1. Harper 1978, p. 34.

cat. 26, de

27

Plat en argent
Shapur tuant un cerf

Argent doré
H. : 0,045 (0,037 sans le pied) ; D. : 0,179 – 0,18 ; Pds : 393,5
IVe siècle
Anatolie (?)
Londres, British Museum, ANE 124091 (1908-11-18,1).

Biblio. : Dalton 1909 ; Bachhofer 1933, p. 65 ; Erdmann 1936, p. 199-200, pl. 59 ; Seyrig 1937, p. 28 ; Herzfeld 1938, p. 125-26 ; Trever 1937 ; Orbeli 1938, vol. I, p. 725, vol. IV, pl. 206 ; Erdmann 1943, p. 90, pl. 59 ; Haskins 1952, p. 328 ; Dalton 1964, p. 60-61, pl. XXXVI, no 206 ; Barnett et Wiseman 1960, p. 76-77, no 36 ; Francovich 1964 ; Lukonin 1967, p. 22 ; Marshak et Krikis 1969, p. 63 ; Pinder-Wilson 1971, no. 104 ; Nickell 1973/74, p. 72 ; Kent et Painter eds 1977, p. 144, no 305 ; Harper et al. 1978, p. 34-35, no 4 ; Hughes et Hall 1979, p. 328, table 2.5 ; Harper et Meyers 1981, p. 57-60, 160-61, 170, pl. 13 ; Philby 1981, p. 111 ; Marshak 1986, p. 25, fig. 5 ; Overlaet ed. 1993, p. 203, no 59 ; Bivar 1995, p. 34, fig. 4 ; Collon 1995, p. 208, fig. 174 ; Nicolle et McBride 1996, p. 18, fig. 11B ; Curtis 2000, p. 81, fig. 94 ; Harper 2000, p. 51, col. pl. X ; Masia 2000, p. 215, 274, fig. 1 b.

Ce plat est considéré comme l'un des plus anciens plats sassanides et malgré une controverse considérable, personne n'a pu indentifier de manière certaine le personnage royal. La couronne, d'ordinaire rapprochée de celle de Shapur II (309-379), diffère de celles qui figurent sur le monnayage de ce roi par l'absence d'une frise perlée au-dessous des indentations ou une rangée de boucles ou de volutes surmontant un bandeau lisse. Elle semble plus proche de la couronne portée par Shapur Ier (240-272) sur les reliefs rupestres de Nash-i Rustam et Bishapur. Cependant, le plat a été, pour des raisons stylistiques, daté du IVe plutôt que du IIIe siècle : soit l'artisan ignorait – ou a négligé – les différences de détail entre les couronnes royales, soit l'œuvre a été réalisée sous le règne de Shapur II en mémoire du règne de son ancêtre.

Le décor appartient au registre sassanide des scènes de chasses royales mais diffère des plats plus tardifs qui montrent le roi, tantôt à cheval, tantôt à pied, achevant le gibier. Ces plats sont aussi plus larges, moins profonds, et la dorure au mercure aposée sur le fond tend à souligner le relief du décor ; par contraste, l'usage de la dorure par places met en relief les attributs royaux et le cerf. La scène célèbre le courage royal non seulement par le fait improbable que le monarque chevauche un cerf mais aussi par la représentation ostensible de son habileté à l'épée ; en même temps elle nous donne une des plus anciennes illustrations d'un type particulier de poignée d'épée : la

position des premiers doigts au-dessus de la garde permet une frappe et un balancement mieux contrôlés. Ce détail qui se retrouve sur des plats sassanides en argent ultérieurs fut adopté par les Arabes puis connu en Europe sous le nom de poignée italienne. La façon de représenter le roi sacrifiant le cerf a aussi été rapprochée de Mithra tauroctone qui montre le dieu tirant vers l'arrière la tête du taureau pour lui trancher la gorge.

St J. S.

28

Plat
Yazdgard Ier (399-421) tuant un cerf

Argent doré
D. : 23,4 ; H. avec le pied : 4,4 ; Pds : 713
Ve siècle
Iran (?)
New York, The Metropolitan Museum of Art
inv. Harris Brisbane Dick Fund no 1970.6.

Biblio. : C. J. Brunner 1974, p. 116, fig. 4 ; F. Grenet 1983, p. 202, no 7 ; P. O. Harper, P. Meyers 1981, planche couleur XI, p. 63-64, pl. 16.
Expos. : Ann Harbor 1967, p. 98, no 10 ; Vienne, 1996, no 83, p. 236, 400-401.

Le souverain est représenté debout transperçant un cerf de sa lance : la composition est équilibrée et tous les éléments de la scène s'inscrivent à l'intérieur de la circonférence du plat. À l'extérieur, sous le rebord, la ligne qui marque le pourtour est une trace d'outil non décorative. Sous le pied, l'inscription qui donne un nom, et le poids de l'objet est trop altérée pour être déchiffrée.

La couronne du chasseur royal est identique à celle figurant sur les monnaies de Yazdgard Ier (399-421) à l'exception du globe strié, détail qui se retrouve d'ordinaire sur des productions artistiques du début de la période sassanide et sur des pièces de monnaie kushano-sassanide du IVe siècle [1]. La lance tenue par le chasseur se termine par une lame en croissant, et à l'autre extrémité par un contrepoids en forme de poing serré. Cette lance à ergots ou empennage se rencontre aussi dans les scènes de chasse de l'art romain.

Le cerf est mort ou mourant : sa langue pend hors de sa bouche à angle droit. Les détails du dessin et la dorure

appliquée sur toute la surface du décor, excepté sur le visage et les mains, sont caractéristiques des plats royaux fabriqués dans les ateliers du cœur de l'empire dans ce style où le drapé est rendu par des paires de lignes. Quelques pièces de métal sont assez maladroitement rapportées pour former les parties en haut-relief, mais par ailleurs l'œuvre est de bonne facture.

P. O. H.

1. Harper, 1966, p. 136-146.

29
Plat
Hormizd II (ou III) à la chasse au lion

Argent partiellement doré
D. : 0,208 ; H. : 0,044
Ve-VIe siècle
Iran (?)
Cleveland, Cleveland Museum of Art, inv. 1962.150.

Biblio. : Shepherd 1964, fig. A, p. 80 ; Lukonin 1967, fig. 151 ; Lechtman 1971, p. 2-18 ; Harper et Meyers 1981, p. 171, 215, pl. 14.
Expos. : New York 1978, n° 6, p. 38-39.

Sur ce plat, qui porte sous le pied une inscription en pehlevi, donnant son poids et le nom de son propriétaire [1], le roi est représenté en cavalier. Adoptant la tactique dite « de la flèche du Parthe » il se retourne pour viser le lion qui bondit à sa poursuite. Le fauve est figuré une deuxième fois, mort, sous les sabots du cheval.

La couronne que porte le souverain est celle de Hormizd II qui régna très brièvement au début du IVe siècle, cependant de nombreux détails iconographiques montrent que le plat a été exécuté bien plus tard. En effet, l'armement du roi, en particulier la forme de son arc, mais aussi la position de la main du souverain avec le petit doigt replié ou encore la manière dont le drapé du costume est traité, indiquent plutôt le Ve-VIe siècle.

P. O. Harper [2] propose de reconnaître dans ce souverain soit un ancêtre royal mort depuis longtemps, soit le roi Hormizd III qui régna pendant deux ans (457-459.). Durant ce règne si bref, il n'eut pas le temps de frapper monnaie et on ne connaît donc pas de représentation de sa couronne, mais la coutume était parfois de reprendre la couronne d'un ancêtre dont on portait le nom. Hormizd III qui eut à défendre la légitimité de son trône face à Peroz, aurait pu faire exécuter des pièces d'argenterie de ce type, cadeaux destinés à s'assurer de la fidélité de ses partisans et de ses alliés.

F. D.

1. Gugay, 32 [ster] et 1 drahm, cf. C.J. Brunner, 1974, p. 115.
2. Harper 1981, p. 61.

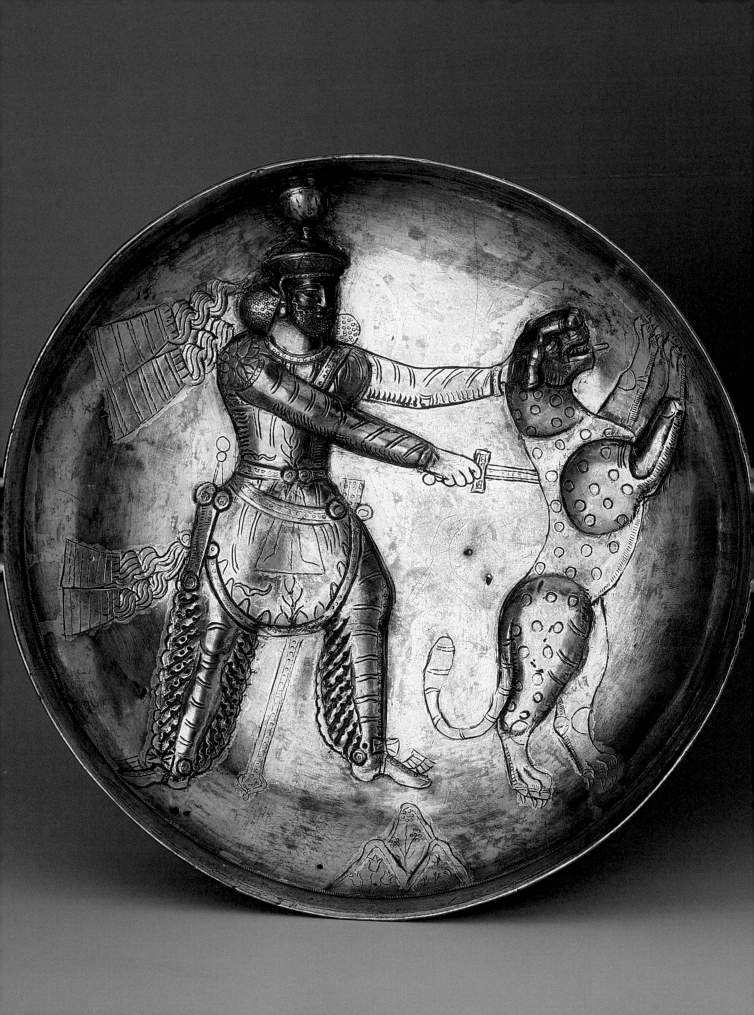

30

Plat
Shapur III tuant un léopard

Argent doré
D. : 0,217
Fin du IVe siècle
Klimova (province de Perm)
Saint-Pétersbourg, musée de l'Ermitage, inv. S-42.

Biblio. : Smirnov 1909, ill. 308 ; Harper et Meyers 1981, p. 74-76, pl. 24 ; Trever et Lukonin 1987, n° 4, p. 66, 61, 121, 125, 139, pl. 10, 11.

Le plat a été trouvé en 1907 dans le village de Klimova (gouvernement de Perm). Il faisait partie d'un trésor, avec d'autres vases en argent sassanides, byzantins et centrasiatiques.

La technique de fabrication est caractéristique des meilleurs plats sassanides : le haut relief est réalisé à partir d'appliques rapportées et le bas-relief par creusement du fond. L'inscription sur le fond du plat est sogdienne : 37 *stêr* (statères) indiquant le poids du récipient.

Le roi, Shapur III (383-388), couronné et en tenue de parade, plonge, de la main droite, son épée dans le dos d'un léopard, tandis que, de la gauche, il tient la bête par l'oreille. Dans la réalité, cette scène n'est pas vraisemblable, c'est une image symbolique du roi-vainqueur auquel rien ne résiste qui est représentée. Les montagnes figurées en bas illustrent la portée universelle de la scène. Parmi les particularités stylistiques, il faut signaler les incisions doubles figurant les plis du vêtement et le corps de l'animal. C'est là l'un des critères qui permet d'identifier l'école majeure, peut-être liée à la cour, des IVe-Ve siècles. Le plat de Shapur III est l'un des meilleurs exemples de l'art officiel de l'Iran sassanide.

B. M.

31

Plat
Chasse royale au lion

Argent partiellement doré
H. : 0,045 - 0,050 (sans le pied annulaire)
V^e-VIIe siècle
Peut-être acheté en Inde ou en Afghanistan
Londres, British Museum, inv. ANE 124092 (1897-12-31,187).

Biblio. : Sarre 1922, pl. 104 ; Erdmann 1936, p. 223, pl. 66 ; Orbeli 1938, vol. I, p. 728-29, vol. IV, pl. 231A ; Haskins 1952, p. 333-34 ; Dalton 1964, p. 61-62, pl. XXXVII, n° 207 ; Pinder-Wilson 1971, n° 107 ; Kent et Painter eds 1977, p. 146, n° 307 ; Harper et Meyers 1981, p. 76-77, 156, 162-63, 176, pl. 25 ; Marshak 1986, p. 26, fig. 6 ; Sarkhosh Curtis 1993, p. 23 ; Wilcox et McBride 1986 , p. 40 ; Collon 1995, p. 206 ; Harper 2000 , p. 51, 54, pl. 23 ; Masia 2000, p. 216, 274, fig. 1d.

Expos. : New York 1978, p. 58-59, fig. 17b ; Bruxelles 1993, p. 194-95, n° 53.

Sur la face intérieure de ce bol, un roi à cheval brandit un lionceau. Les parents du lionceau sont montrés bondissant vers le haut, l'un déjà blessé, le second frappé d'une longue épée droite à deux tranchants et dépourvue de pommeau que le roi tient en main droite. Le cavalier s'est déjà débarrassé de son arc mais il a conservé le carquois décoré qui pend le long de sa cuisse droite ; on ne voit pas le fourreau sans doute fixé à gauche. Les autres détails sont conformes à l'équipement sassanide : l'épée, la bride décorée, les pompons et l'absence d'étriers. Le motif stylisé en bas de l'image représente la montagne.

La tradition veut que le cavalier soit la représentation du roi sassanide Bahram (Varahran) V (412-439) dont les exploits cynégétiques étaient célèbres comme l'atteste la description d'une scène analogue dans le *Shah-Nameh*. Toutefois, la couronne du roi ne correspond pas vraiment à la couronne de Bahram V ni à celle d'aucun roi sassanide ; ces rois en accédant au trône choisissaient chacun une couronne particulière qui est minutieusement représentée sur leur monnayage.

Certains souverains sont connus pour avoir porté plusieurs couronnes différentes, mais il est plus probable que ce plat soit une tentative tardive de célébrer les exploits de la monarchie sassanide en général et non pas le portrait d'un roi particulier : la chasse fructueuse devint l'image métaphorique du *khwarnah* royal dont la puissance se transmettait au propriétaire du plat. Cette pièce est considérée comme une production sassanide provinciale des Ve, VIe ou VIIe siècles. L'exécution relativement sommaire du décor conforte cette hypothèse, décor qui présente des ressemblances stylistiques avec un plat de la collection Blumka daté entre le Ve et le milieu du VIIe siècle, et un autre découvert à Chilek, près de Samarcande. La composition métallique de ces plats indique que l'argent provient d'autres gisements que ceux utilisés pour la fabrication des plats dits « *central sasanian* » car le métal de ces derniers contient de l'irridium en quantité un peu plus importante et sont présumés provenir du cœur de l'empire.

St J. S.

32
Plat
Chasse aux sangliers

Argent doré
D. : 0,23,4 ; H. : 0,05 ; Pds : 638
IVe siècle
Afghanistan (?)
Collection privée, New York.

Biblio. : Grenet 1983, p. 195-205 ; Harper 1990, p. 51-60, fig. 5.
Expo. : New York 1991, n° 43, p. 58-59.

Le décor de ce plat est exécuté dans un style et une technique purement sassanides mais son sujet lui donne une place à part dans la catégorie des plats en argent orné du roi à la chasse. Un personnage de haut rang portant une coiffe surmontée d'un globe est figuré dans une situation extraordinaire où il pare l'attaque de deux sangliers. La nature singulière de la scène contraste avec les représentations statiques et équilibrées décorant les vases de la production sassanide centrale. De plus, sur cette pièce le chasseur porte une couronne qui n'est pas un modèle sassanide connu. Un paysage d'eau et de roseaux stylisés est placé devant le personnage et sous l'un des sangliers.

Alors que ce plat apparaissait sur le marché de Kaboul, un autre plat décoré du même thème insolite fut découvert en Chine dans un tombeau. Pour des raisons stylistiques, il peut être daté de la fin du IIIe siècle. Le chasseur n'est pas un roi sassanide mais plus probablement un prince gouvernant un territoire situé dans l'Est de l'Iran ou l'Afghanistan. Le plat de la collection S. White-L. Levy réalisé presque un siècle plus

tard mais illustré pourtant de la même scène de chasse provient probablement lui aussi des ateliers de Bactriane, dans l'Est de l'Iran, à l'époque où les gouverneurs sassanides contrôlaient la région. L'absence de ligne marquant le rebord extérieur indique aussi une provenance provinciale. Au-dessous du plat deux inscriptions, l'une en greco-bactrien indique le nom de Tudak, et l'autre en pehlevi (moyen perse) indique le poids 39 *ster*, 1 *drahm*, 4 *dang*.

P. O. H.

33

Plat
Roi sassanide à la chasse

Argent partiellement doré
D. : 0,306 ; H. 0,035 ; Pds : 2070
Fin du VIe siècle, début du VIIe siècle (591-632)
Iran (?)
Quatre poinçons dans le champ, dont l'un a été effacé ; deux, en caractères cyrilliques, portent la date de 1830 ; chiffres dans le champ : 5, 4, 87.
Provenant de Russie ; trouvé avant 1830 ; collection du duc de Luynes
Paris, BnF, département des Monnaies, médailles et antiques, inv. 56.364.

Biblio. : Chabouillet 1858, n° 2881 ; Erdmann 1936, p. 212 ; Harper, 2000, p. 49-50, n° 2, pl. 17 ; Harper et Meyers 1981, p. 71-72 avec bibliographie complète et p. 175 ; Smirnov 1909, pl. 31 ; Wachtsmuth 1945, p. 213 sq.
Expos. : Vienne 1996, n° 85, p. 237, 401 ; Paris 2002, n° 11.

La scène présente un souverain sassanide à la chasse, lancé sur un cheval au galop, de profil à droite, bandant son arc. Devant le roi s'enfuient différents animaux sauvages : un buffle à cornes annelées, un cerf à grande ramure, une gazelle, deux sangliers et leur marcassin, tandis qu'à ses pieds les mêmes animaux, morts, gisent à terre. Le paysage est évoqué par quatre roseaux pointant au-dessus des sangliers. Les pattes arrière du cheval sont coupées par la bordure du plat. Le costume du roi, d'une grande richesse, est minutieusement détaillé, le harnachement du cheval est aussi luxueux. Le souverain porte une couronne complexe, à ailes déployées, mais qui n'est pas identifiable par comparaison avec les monnaies. Elle est proche de celle de Khosrow II, sur un des reliefs dynastiques de Taq-i Bustan.

Les analyses du métal font état d'une composition assez proche de celle de la série des plats au roi chasseur attribués à un atelier dit de la métropole, issus d'un gisement unique, mais présente néanmoins de petits écarts suggérant une source différente.

Aucune provenance n'est mentionnée dans les lettres du duc de Luynes qui accompagnaient le don. A. de Longpérier, le premier à l'avoir publiée, dit simplement : « cette coupe vient de Russie », ce que semblent confirmer les deux poinçons.

M. A.-B.

34
Plat. Roi trônant entouré de dignitaires et scène de chasse

Argent doré.
D. : 0,26
VIᵉ siècle.
Strelka (province de Perm)
Saint-Pétersbourg, musée de l'Ermitage, inv. S-250.

Biblio. : Harper et Meyers, 1981, p. 67, 68, 99-123, 173, pl. 19 ; Trever et Lukonin, 1987, n° 9, p. 77, 78, 109, 125, 141, pl. 18, 19 ; Trever et Orbeli 1935, pl. 13.
Expos. : Vienne 1996, n° 84, p. 237, 401.

Le fond de ce plat trouvé en 1908 près du bourg de Strelka (gouvernement de Perm) a été travaillé par l'évidement du métal qui laisse les personnages en relief.

Partiellement doré, il porte au revers, une inscription bactrienne (hephtalite) qui donne le nom et le titre du propriétaire. La scène du haut trouve un parallèle avec le camée qui se trouve au centre d'un plat en or de la Bibliothèque nationale (cat. 35). La couronne du roi trônant appartient à un type connu dans la période qui va de Peroz à Khosrow II, c'est-à-dire de la seconde moitié du Vᵉ au début du VIIᵉ siècle. Une date tardive est peu vraisemblable car le roi porte un torque massif, et non pas le collier à pendentifs caractéristique de la tenue royale à l'époque sassanide tardive. On a établi un lien entre les quatre dignitaires et les commandants des quatre régions militaires en lesquelles Khosrow I (ou Khosrow II) avait divisé l'Iran. Mais les dignitaires ne sont pas armés, à la différence des chefs militaires représentés sur le relief de Bahram. Il s'agit ici non pas des chefs d'armée du roi, mais de ses adversaires vaincus. Plutarque a rapporté que, lorsque le roi arménien Tigrane « siégeait et était occupé aux affaires, quatre des rois vaincus se tenaient à ses côtés, les bras croisés sur la poitrine » (Luc. XXI). Il faut noter que la cour arménienne avait gardé les vieilles traditions perses. Le vêtement des personnages debout, et tout particulièrement la manière conventionnelle dont sont traitées leurs chaussures - l'une des tiges de leurs bottes vue de face et l'autre de profil alors même que les chaussants sont symétriquement opposés par les talons - sont proches de la façon dont sont figurés le vêtement et les chaussures de Peroz sur l'un des plats conservés au musée de l'Ermitage [1] ainsi que ceux des nobles hephtalites des peintures murales du Tokharistan à Dilberdjin, sur le territoire de l'Afghanistan moderne [2]. La couronne du chasseur, au registre inférieur, est dépourvue de croissant de lune, alors que, à partir du début du Vᵉ siècle, la

coiffure du *shâhânshân* [roi des rois] comporte un ou même deux croissants. Peut-être voyons-nous ici Kawad trônant tandis que chasse son fils et héritier Khosrow, qui, à la fin du règne de son père, était en fait à la tête de l'État. Sur les monnaies de Jamasp, le frère de Kawad, on voit un petit personnage que l'on considère comme l'héritier du trône ou encore le dieu Ahura Mazda. La couronne de ce personnage est analogue à la couronne royale, mais ne comporte pas de croissant.

B. M.

1. Harper et Meyers 1981, pl. 27.
2. Silvi Antonini 2003, pl. IX b.

35

Coupe dite « tasse de Salomon »

Or, cristal de roche, grenat et verre
D. : 0,28
VIe-VIIe siècle
Paris, BnF, département des Monnaies, médailles et antiques,. inv. 379.

Biblio. : Babelon 1897, n°379 ; Brunner 1974, p. 121; Conway 1915, p. 121, 133 ; Cottevielle-Giraudet 1938, p. 52 ssq; ; Ghirshman 1962 (a), p. 204-205, fig. 244, 401; Harper et Meyers 1981, p. 114-115, pl. 234 ; Harper 2000, p. 49, n° 1, p. 36 ; Lamm 1929, p. 62, n° 1 et p. 499, n° 96 ; Level 1967, n° 11 ; de Linas 1864, p. 38-39, n° 2 ; Molinier 1901, p. 16; Schramm et Mütherich 1962, p. 18.

Expos. : New York 1978, p. 49-64 ; Paris 1973, n° 226 ; Paris 1979, p. 6, n° 145 ; Paris 1989, n° 77 ; Paris 1991, p. 80-82, n° 10.

Les matériaux précieux, le mode de fabrication et l'histoire de cette coupe en font un objet exceptionnel. Formée d'une résille d'or dans laquelle sont sertis des camées de pierre dure et de verre coloré, elle est posée sur un pied annulaire à l'intérieur duquel une inscription en moyen perse indique son poids. Un grand médaillon de cristal de roche gravé de l'image d'un roi trônant occupe le centre ; il est entouré par trois séries de médaillons alternativement en grenat et cristal, gravés d'une rosace, les espaces restés libres sont garnis d'éléments en verre vert sombre. La scène centrale est à rapprocher de celle qui orne le plat de Strelka (cat. 34). La technique de fabrication, la richesse des matériaux comme le chatoiement des couleurs rappellent certaines œuvres huniques [1].

Si l'origine de cet objet demeure difficile à préciser, on connaît mieux son histoire plus récente : elle appartint au Trésor de Saint Denis auquel elle aurait été donnée par Charles le Chauve au IXe siècle. Plusieurs hypothèses ont été formulées pour expliquer son arrivée en Occident, est-ce une prise de guerre des troupes carolingiennes après leur victoire sur les Avars en 796, un objet rapporté des Croisades ou un présent offert par le calife Harun al Rachid à Charlemagne, en 801 ? Bien des incertitudes planent sur la provenance de cette prestigieuse « tasse de Salomon » ainsi nommée car on crut y reconnaître le portrait du roi Salomon.

F. D.

1. Cf Harper, *supra*.

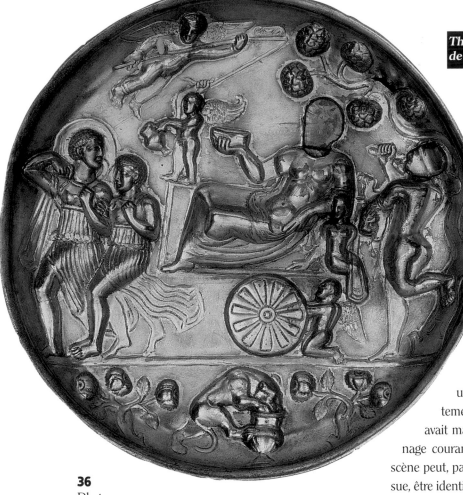

36
Plat
Triomphe de Dionysos

Argent, pied annulaire rapporté, dorure au mercure, décor au repoussé et serti
H. : 0,035 (0,026 sans le pied annulaire) ; D. : 0,225 ; pds : 906,2
IIe-IIIe siècle
Acheté en Afghanistan
Londres, British Museum
inv. ANE 124086 (1900-2-9,2).

Biblio. : Burnes 1842, p. 203-205, pl. 18, p. gauche ; Birdwood 1880, p. 147, pl. 2 ; Smirnov 1909, p. pl. XIII, n° 35 ; Dalton 1964, p. 49-51, pl. XXVII, n° 196 ; Ettinghausen 1972, p. 4-5, pl. IV, n° 13 ; Talbot Rice 1965, p. 86, fig. 72 ; Lins et Oddy 1975, p. 366, tableau 1 ; Colledge 1977, p. 224, pl. 12 ; Boardman 1993, p. 16-27, fig. 17 ; Ward 1993, p. 44, fig. 29 ; Boardman 1994, p. 94-97, fig. 4.27 ; Harper 2000, p. 53 ; Eastmond et Stewart éds. 2006, p. 161, n° 92.

Expos. : Tokyo 2003, p. 113, n° 107.

Cette représentation inspirée de l'art hellénistique tardif du Ier siècle av. J.-C. reprend la scène du triomphe de Dionysos qui décore le célèbre camée du musée de Naples. Toutefois, l'artiste n'a sans doute pas convenablement interprété les détails de l'original miniature et il en a peut-être aussi délibérément adapté d'autres pour associer esprit dionysiaque et scènes de banquet dans une composition particulière destinée à ce plat : le personnage central est étendu dans une posture souvent adoptée par Héraklès dans l'art d'Occident et même si le personnage féminin assis est d'ordinaire considéré comme étant Ariane, il est représenté dans des proportions et dans une position qui évoque plutôt le banquet. Les *psychai*, filles aux ailes de papillon, placées à gauche, ont perdu leurs ailes et le char est devenu une litière portée par une fragile paire de roues. Tout en haut, le petit amour ressemble à un Éros volant mais ses bras sont maladroitement rendus sur le fond comme si l'artiste avait mal interprété son modèle. Enfin, le personnage courant ou dansant qui se tient à droite de la scène peut, par son vêtement en peau de lion et sa massue, être identifié comme étant Héraklès bien que sa posture soit celle d'un satyre dont il possède la queue terminée par une touffe.

Les avis divergent quant à la date et l'origine de ce plat. La plupart des spécialistes s'accordent pour dire que la technique du métal suggère une date antérieure à la fin du IIe-début du IIIe siècle, bien que Dalton propose le IVe siècle et que P. O. Harper considère ce plat comme du début de la période sassanide mais de facture est-iranienne hellénisante. Par ailleurs on connaît deux occurences de style sassanide de cette iconographie qui sont datées entre le Ve et le VIIe siècle.

Ce plat serait donc à la fois une manifestation tardive de l'influence de l'art grec dans le monde iranien et une manifestation précoce des plats orientaux à décor figuratif. Il est plus vraisemblablement l'œuvre d'un atelier parthe ou kouchane, bien que Eastmond et Stewart (2006) aient récemment proposé Antioche pour origine. La découverte à Beitan, dans la province du Gansu (Chine), en 1988, d'un second plat en argent de la même période représentant Dionysos allongé sur le dos d'une panthère et portant une inscription en bactrien au dos, montre bien comment de tels objets pouvaient circuler dans tout l'Orient [1].

St J. S.

1. Baratte 1996.

37

Plat
Deux jeunes hommes
aux chevaux ailés

Argent doré
D. : 0,21 ; H. : 0,052 ; Pds : 572
Vᵉ-VIᵉ siècle
Iran ?
New York, The Metropolitan Museum of Art
Fletcher Fund, inv. 63.1.152.

Biblio : Duchesne-Guillemin 1993, p. 61-62, fig. 13 ; Ettinghausen 1972, p. 11-16 ; Ghirshman 1974, p. 163-167 ; Harper, 1965, p. 188-195 ; Kent et Painter, 1977, n° 311.
Expos. : Ann Arbor 1967, p.1 12, fig. 25.

Ce plat d'argent doré illustre une scène inhabituelle : deux jeunes gens aux cheveux bouclés, seulement vêtus d'un manteau court, sont représentés tenant dans la main droite une lance trifoliée et dans la gauche les rênes de leurs montures ailées. Les deux chevaux tendent l'encolure pour boire dans une immense jarre portée par un personnage féminin représenté de face et en buste, émergeant d'une frise de demi-palmettes. Entre les ailes des chevaux figure un petit joueur de luth. La scène est composée de plusieurs pièces de métal, habilement insérées dans la feuille d'argent de la coque du plat pour former un décor en haut-relief. D'autres détails sont obtenus par la technique du repoussé. Toute la scène à l'exception des visages et des mains est dorée au mercure de même que le bord intérieur. Tous les éléments de la composition s'ordonnent à l'intérieur du cadre circulaire du plat. Une marque d'outil souligne le rebord à l'extérieur.

La quasi-nudité des deux jeunes gens n'est pas sassanide, mais apparaît sur des œuvres marquées par l'influence du monde gréco-romain, influences venues soit de l'Orient méditerranéen, soit de la Bactriane hellénisée. Des personnages reprenant le modèle d'Héraclès ou des membres de la suite de Dionysos sont souvent représentés dans l'art sassanide, nus ou vêtus d'un court manteau. Quels furent le ou les modèles occidentaux qui ont servi de prototype à cette composition ?

Est-ce une représentation de Pégase et Bélérophon s'abreuvant à la Source Pierenne ou bien ces deux jumeaux sont-ils les Dioscures, constellation appelée Do-paktar dans le monde perse ? Des arguments ont été avancés pour soutenir les deux thèses, et ces deux thèmes venus d'Occident étaient certainement familiers aux artisans qui travaillaient dans l'empire. La présence du petit musicien, personnage familier de la cour, suggère qu'une légende, racontée en des occasions particulières, se cache derrière cette image complexe.

La présence d'éléments évoquant la terre, l'eau et le ciel (si les personnages représentent la constellation Do-paktar) situe la scène dans un contexte cosmique.

P. O. H.

Fig. 1 – Décor de rinceaux et d'amours : Linteau
Syrie, Kanawat - IIᵉ siècle - basalte - H. : 0,325 ; L. : 1,69
Paris, musée du Louvre, département des Antiquités orientales,
inv. AO 11078

Pampres et vendanges

Les rinceaux de vignes peuplés d'Amours vendangeurs ou de petits animaux sont l'un des thèmes favoris du répertoire iconographique issu de l'univers dionysiaque. À partir des IIᵉ - IIIᵉ siècles, ce motif, symbole de fertilité et de vie éternelle, va se répandre très largement, bien au-delà du monde hellénistique et romain, tant à l'Ouest qu'à l'Est jusqu'aux confins indo-iraniens, et jusqu'en Chine où on le retrouve à l'époque des Tang décorant des miroirs ou des coupes précieuses (fig. 2).

Il apparaît ici (fig. 1), sculpté dans le basalte, au IIᵉ siècle, sur un linteau provenant d'un temple de Kanawat en Syrie méridionale. Mosaïstes, orfèvres, potiers ou tisserands vont le reproduire et l'adapter à leurs différentes créations. Au cours de la deuxième moitié de la période sassanide, les orfèvres l'intègrent à leur répertoire et l'utilisent pour décorer de nombreuses pièces de vaisselle de luxe, destinées à boire ou servir le vin.

F. D.

Fig. 2 - Miroir
Dos avec décor de grappes de raisins, d'oiseaux et de loirs
Bronze
D. : 0,125 ; H. : 0,016
Chine
VIIIᵉ siècle, dynastie des Tang (618-907)
Musée Cernuschi, don Léonce Rosenberg, 1924 (M.C. 6785).

38

Vase.
Scènes de vendanges

Argent martelé, poinçonné, décor en repoussé et dorure au mercure
H. : 0,185 ; D. : 0,107 ; contenance : 750 ml ; Pds : 591
V^e-VIIe siècle
Iran, Mazanderan (?)
Londres, British Museum, inv. ANE 124094 (1897-12-31,189)

Biblio. : Smirnov 1909, pl. LII, n° 86 ; Orbeli 1938, vol. I, 742 ; Dalton 1964, p. 64-66, pl. XXXIX, n° 209 ; Ettinghausen 1972, 5, pl. V, n° 17 ; Kent et Painter éds 1977, p. 154, n° 323 ;Hughes et Hall 1979, p. 328, table 2.5 ; Curtis 1989, p. 66-67, fig. 79; Collon 1995, p. 207, fig. 173 ; Poblome 1996 ; Harper 2000 p. 51, pl. 21;

Expos. : New York 1978, p. 72-73, fig. 24a ; Bruxelles 1993, p. 240, n° 89 ; Tokyo 2003, p. 114, n° 108.

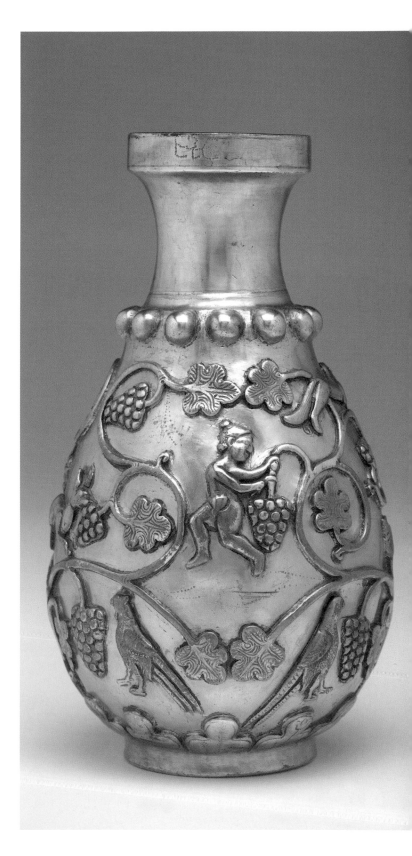

Le décor de vendanges était largement utilisé dans les productions artistiques de l'Antiquité tardive (fig. 1 ci-contre), particulièrement sur les mosaïques de Rome et d'Antioche. Ces scènes inspirées par un fond de culture dionysiaque symbolisaient la vie éternelle et la fécondité, concepts qu'il n'était pas difficile d'intégrer à des contextes judéo-chrétien, zoroastrien voire bouddhique. En Iran même, les renards et les oiseaux étaient considérés comme des créatures sacrées, le cep de vigne pouvait se confondre avec « l'arbre de vie » zoroastrien et la composition dans son entier pouvait exprimer la plénitude et l'ordre. Toutefois, même si ce thème est communément répandu sur la vaisselle sassanide tardive ainsi que sur la céramique et la verrerie, les trous réguliers qui traversent la base sont totalement inhabituels. Bien qu'ils puissent être d'une importance secondaire, Dalton, inspiré par le thème décoratif du vase, a proposé qu'ils servaient « probablement » à filtrer le jus de raisin. Une seconde explication, produite par le Dr Levan Chilashvili [1], suggère que ce vase aurait servi à filtrer le *haoma*, décoction d'éphédra utilisée en libations dans les cérémonies ou comme boisson réputée faciliter la résurrection. En tout état de cause, il faut préciser que les vases en forme d'amphore sont attestées en Iran avant même l'époque sassanide et par ailleurs qu'un groupe de vases en forme de poire en verre taillé à facettes datant de la fin de la période étaient aussi perforées à leur base et remplissaient sans doute la même fonction.

St J. S.

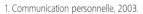

1. Communication personnelle, 2003.

du vase d'autres petits personnages s'activent, occupés aux différentes tâches nécessaires à la préparation du vin. Si le thème décoratif développé ici est strictement le même que celui qui décore le vase du British Museum, la manière dont il est traité est totalement différente : au style raide et contraint du vase du British museum, s'oppose l'exubérance des formes et le foisonnement des détails. M. L. Carter rapproche le feuillage fantastique de la vigne, des représentations des feuilles d'acanthe qui encadrent l'entrée du grand *iwan* à Taq-i Bustan et des végétaux stylisés qui apparaissent dans les décors en stuc. Elle suggère aussi une influence de motifs indiens qui transparaît dans les éléments lotiformes garnissant les rinceaux.

Une inscription sur l'embouchure du vase indique son poids.

F.D.

40
Coupe en forme de nacelle
Décor de pampres de vigne

Argent doré
D. : 0,234 ; d. : 0,111 ; H. : 0,067 ; Pds : 335
VIe-VIIe siècle
Iran (?)
New York, The Metropolitan Museum of Art
Fletcher Fund, inv. 59.130.1.

Biblio. : Harper 1979, p. 108, fig. 57 ; Harper 1988 (a), p. 333-334 ; Melikian Chirvani 1990, p. 14-15, 61 ; Wilkinson 1960, p. 267, fig. 32.
Expos. : Bruxelles 1993, p. 229, n° 80.

Dans la seconde moitié de la période sassanide, de nouvelles formes de vases apparaissent. La plupart de ces objets sont décorés d'images propitiatoires ou bénéfiques et non plus de motifs royaux. Les décors organisés de manière symétrique et équilibrée comme les pampres de la vigne habitée qui furent l'un des motifs favoris de l'art sassanide, se retrouvent sur différentes pièces. Le petit personnage qui apparaît au centre, presque nu, la chevelure bouclée et le visage barbu, semble surgir comme une pousse de la vigne. La nudité dans les œuvres sassanides, est le plus souvent l'indice d'une adaptation d'un thème gréco-romain. Ici, l'association avec l'univers dionisiaque

39
Vase. Scènes de vendanges

Argent partiellement doré
H. : 0,173 ; D. : 0,105
Fin VIe-VIIe siècle
Iran
Téhéran, Musée national, inv. 2552

Expo. : New York, 1978, n° 24.

Les rinceaux d'une vigne luxuriante, enrichie de fleurons et de fruits fantastiques, envahissent la surface de la panse de ce vase. Des renards, des oiseaux, de petits vendangeurs nus s'ébattent au milieu des pampres. À la base

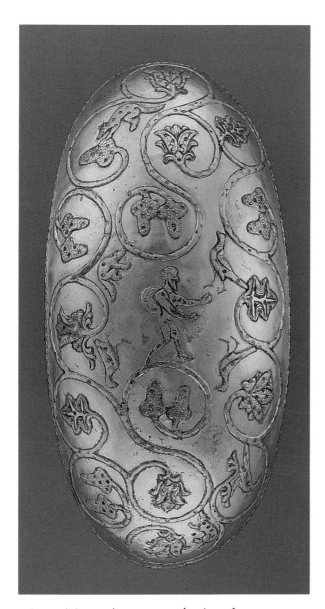

central. Les autres marques ont disparu là où le fond a été recreusé pour laisser le dessin en relief. Ce fond a été ensuite doré. Cette coupe remarquable quoique sans caractère prestigieux particulier, témoigne du talent et de l'ingéniosité des artisans sassanides.

P. O. H.

41

Coupe hémisphérique
Pampres de vigne, musiciens et lutteurs

Argent partiellement doré
H. : 0,051 ; D. : 0,133
VIIe siècle
Iran (?)
Cleveland, Cleveland Museum of Art, inv.1966.369.

Biblio.: Bulletin of the Cleveland Museum of Art 1967, p. 177-178 ; Duchesne-Guillemin 1993, p. 76-77, fig. 21a et 21b.
Expos.: New York 1978, n° 14, p. 53-54.

est suggérée par les pampres de vigne. Le personnage central est peut-être le dieu du vin lui-même, ou plus probablement étant donnée sa posture dansante, Silène, le roi des Satyres.

Une série de bossettes couvre la paroi intérieure à l'exception du centre où un médaillon cerne un oiseau. On pourrait croire que cette coupe a été fabriquée à partir de deux feuilles de métal, mais un examen plus minutieux révèle que les bossettes à l'intérieur de l'objet ont été obtenues en repoussant le métal de l'extérieur. Quelques traces de ces marques de repoussé restent visibles à l'extérieur de la coupe, excepté sur le personnage

Les rinceaux animés de personnages qui ornent l'extérieur de cette petite coupe ont perdu le caractère luxuriant de leurs modèles occidentaux. Les pampres de vigne, chargés de grappes, sont ordonnés en enroulements réguliers qui forment cinq médaillons où s'inscrivent des scènes qui évoquent les divertissements offerts au cours des fêtes.

Lutteurs, combat d'un homme (protégé par un filet) et d'un ours, musiciens évoquent des scènes de la vie de cour que l'on peut rapprocher du décor de la coupe cat. 70.

Un médaillon perlé entourant un aigle déchirant de ses serres une antilope, motif qui avait une valeur bénéfique, orne le centre de la coupe.

L'iconographie comme le style du décor de cette coupe à boire indiquent une provenance à l'Est de l'Iran.

F. D.

42

Coupe ovale polylobée
Portraits, danseuses, nageurs et pampres

Argent partiellement doré au mercure
H. : 0,046 ; l. : 0,142 ; L. : 0,288
Deuxième moitié VIe-VIIe siècle
Iran de l'Est (?)
Paris, musée du Louvre, département des Antiquités orientales
inv. AO 32234.

Biblio. : Demange, 2004, p. 87, fig. 5 a et b.

Cette coupe repose sur un petit pied cannelé soudé sous le fond où une inscription en pehlevi donne le nom du propriétaire et le poids du récipient [1].

Le décor en relief, cantonné à l'extérieur est exécuté en champlevé, puis repris par gravure et ciselure. Il se détache sur le fond doré au mercure, quelques détails sont aussi rehaussés de dorure. À l'intérieur, seuls les deux grands lobes latéraux sont dorés, le jeu des couleurs ainsi obtenu accentue la forme allongée, particulièrement élégante, du récipient.

L'artisan a utilisé la forme lobée pour répartir son décor. Chaque extrémité du lobe central est occupée par un grand médaillon perlé où apparaît un buste féminin, encadré de deux médaillons plus petits abritant le visage de profil d'un jeune homme, glabre aux cheveux bouclés. Au-dessous, sous une arcade, deux danseuses se drapent dans une longue étole. L'une d'elles est nimbée et toutes deux tiennent une coupe dans la main gauche. Elles sont debout sur un motif en écailles qui évoque la montagne. Sur chacun des lobes latéraux, un couple de petits personnages nus s'ébat dans une pièce d'eau au milieu des poissons. Une vigne habitée d'oiseaux court sur le reste de la surface du récipient. Les danseuses comme les pampres de vigne sont des motifs dérivés de l'imagerie dionysiaque. Ils ornent fréquemment les pièces d'argenterie sassanide mais restent difficiles à interpréter. S'agit-il de représentations faisant allusion à des fêtes purement profanes ou de l'évocation de cérémonies peut-être liées au culte de la déesse Anahita, déesse de la fertilité et des eaux vives ? Ces coupes ovales godronnées, qui apparaissent au Ve siècle [2] étaient des coupes à boire, probablement du vin [3], On les reconnaît dans les mains des convives d'un banquet, peint sur les murs d'une riche demeure du VIIe siècle à Piandjikent, en Sogdiane.

Les bustes princiers dans les médaillons, comme la forme de la coupe et son décor, suggèrent que cet objet précieux a probablement été façonné pour un puissant seigneur des provinces orientales de l'empire ou un dynaste d'Asie centrale soucieux d'imiter le faste de la cour royale. Elle était sans doute destinée à célébrer un événement particulier peut-être un mariage dont la fertilité à venir était évoquée par son décor.

F. D.

1. Communication de P. Gignoux.
2. Harper 1988, p. 163-162
3. Melikian-Shirvani 1995, p. 187-203.

43

Vase. Quatre danseuses

Argent partiellement doré
H. : 0,18
Ve-VIe siècle
Iran (Dailaman, Reshy ?)
Paris, musée du Louvre, département des Antiquités orientales
inv. MAO426.

Biblio. : Amiet 1967, fig. 18-19, p. 279-282 ; Amiet 1970, p. 58-64, pl. VI, fig. 1-4 ; Amiet 1978, p. 68 ; Wu Zhuo 1989, p. 61-69.

Expos. : Bruxelles 1993, n° 88, p. 239 ; Vienne 1990, n° 87, p. 238, 402.

Ce vase au petit col droit souligné d'une rangée perlée, à la panse piriforme ornée de figures féminines, appartient à une catégorie de récipients parmi les plus typiques de la vaisselle précieuse de la seconde moitié de l'époque sassanide.

Quatre jeunes femmes sont représentées. Vêtues d'une tunique à manches faite d'une mousseline transparente et brodée qui dévoile leur nudité, les jambes drapées d'une étoffe plissée dont elles retiennent les extrémités sur leurs bras repliés, elles esquissent un pas de danse qui fait bouillonner leurs voiles. Chacune tient deux attributs : l'une porte un oiseau, probablement un faisan, et une plante fantastique, sa voisine verse un liquide dans la gueule d'un petit animal qui semble être une panthère, la troisième tient un miroir et un pampre de vigne que vient picorer un faisan, enfin un petit personnage ailé offre un oiseau à la quatrième danseuse qui tient un anneau et une situle.

La signification de ce type de décor a fait l'objet de nombreuses hypothèses : ces danseuses, dont certains des attributs évoquent l'univers dionysiaque, étaient-elles des prêtresses célébrant le culte d'Anahita, déesse de la fertilité qui avait assimilé les prérogatives du dieu Dionysos, ou participaient-elles simplement à quelque cérémonie profane ?

On les a rapprochées des personnifications des Mois et des Saisons qui existaient dans le monde gréco-romain, ce sont vraisemblablement des figures allégoriques qui évoquent différents aspects du bonheur et de la prospérité. Les vases ainsi décorés étaient utilisés pour contenir le vin que l'on consommait lors des fêtes parmi lesquelles les cérémonies marquant le passage des saisons et dont la fête de Nowruz, fête du Nouvel An, était la plus importante.

F. D.

44

Vase
Danseuses et pampres de vigne

Argent doré
H. : 0,255
VIIe siècle
Téhéran, Musée national, inv. n° 2500.

Biblio. : Godard 1938 ; Harper 2000, p. 51, n° 14, pl. 24 ; L Vanden Berghe 1959, p. 6-7.

Ce vase est très proche du précédent tant par sa forme que par son décor. Le fond, décoré d'un *senmurv* dans un médaillon, est percé de quatre petits goulots dont deux sont ornés d'une tête de lion. Ce récipient devait servir à filtrer le vin, les deux trous percés à l'embouchure montrent qu'il devait être muni d'une anse.

F. D.

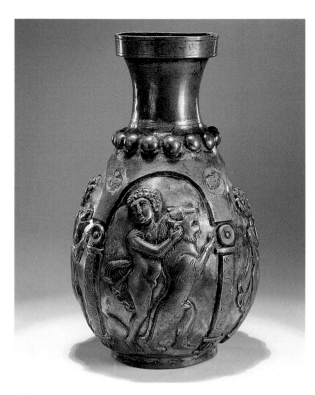

45
Vase. Quatre jeunes gens maîtrisant des animaux

Argent partiellement doré
H. : 0,178 ; D. : 0,105
VIᵉ-VIIᵉ siècle
Iran
Téhéran, Musée national, inv. 2554.

Biblio. Girshman1975, p. 229-239.
Expo. New-York, 1978, n° 13.

Quatre jeunes hommes à la chevelure bouclée, nus excepté un manteau jeté sur leurs épaules maîtrisent respectivement, un bélier, un sanglier, un ours et un lion. Ce thème montrant de jeunes héros victorieux d'un gibier sauvage, dérive probablement de l'imagerie associée à Héraclès qui fut particulièrement populaire à l'époque parthe.

Cependant les figures dansantes qui ornent la panse de ce vase n'ont plus grand chose en commun avec les représentations du héros dans l'art occidental. P. O. Harper rapproche le style de ces petits personnages du motif décorant un textile copte datant du VIᵉ ou VIIᵉ siècle où Héraclès apparaît transformé en une sorte de petit *putto*, iconographie qui aurait pu influencer les orfèvres sassanides. Sur le vase de l'Ermitage (cat. 46) ce

motif a encore évolué et le thème iconographique représentant Héraclès n'est plus qu'une très lointaine réminiscence.

F.D.

46
Petite cruche
Visage de femme et deux scènes

Argent partiellement doré
H. : 0,145
VIᵉ-VIIᵉ siècle
Saint-Pétersbourg, musée de l'Ermitage, inv. S 60.

Biblio. : Marschak 1998, p. 88-89 ; Trever et Lukonin 1987, n° 28, p. 93, 94, 115, 116, 127, pl. 84-87 ; Trever et Orbeli 1935, pl. 42-43.

Le lieu de trouvaille est inconnu (ancienne collection du prince V. N. Orlov). La technique est celle, habituelle pour les récipients sassanides de formes fermées, du repoussé. L'anse n'est pas conservée. Les particularités de style permettent de rattacher cette petite cruche à la même école que la coupe oblongue (cat n° 52). Sur le côté opposé à celui de l'anse est figuré un visage féminin, encadré par un rinceau stylisé. Le même rinceau forme l'encadrement des deux scènes qui figurent sur les côtés de la petite

cruche. Ce motif est lié à la symbolique de l'abondance et de la fertilité. Des scènes avec de jeunes garçons qui triomphent de divers animaux apparaissent sur un récipient analogue appartenant à la collection du Cleveland Museum of Art [1] ainsi que sur une petite cruche d'une forme différente provenant du Musée national de Téhéran (cat. 46). Les images du *farr* des Kayanides – le « *senmurv* », symbole du bonheur de l'Iran et réputé hérité par les Sassanides de cette ancienne dynastie –, les chaînes de montagne en bas, et aussi les oiseaux et les étoiles intègrent à la composition le monde entier. Et pourtant cette envergure cosmique se combine avec le caractère presque grotesque du jeune garçon représenté dans la posture héroïque du vainqueur de fauves. On peut supposer que les petites cruches avec des scènes de ce genre étaient offertes aux jeunes garçons ou à l'occasion de la naissance d'un garçon.

B. M.

1. D. G. Shepherd, 1964, p. 66-95, figs. 30-32.

47
Plat dit « d'Anaïtis »

Argent, le fond et les reliefs étaient dorés
D. : 0, 258 ; Pds : 1212
VIIe-VIIIe siècle
Provenance inconnue /ancienne collection Soltikov selon le registre d'entrée.
Paris, BnF, département des Monnaies, médailles et antiques, inv. 56.366.

Biblio. : Chabouillet 1858, n° 2883 ; Harper 1971 ; Harper 1972, p. 160 ; Pope 1938 (a), p. 735 et 1938 (c), pl. 233A ; Sarre 1922, pl. 117 ; Smirnov 1909, pl. 17, n° 40.

48

Plat. Décor de pêcheurs

Argent doré
D. : 0,205 ; H. : 0,041
VIᵉ-VIIᵉ siècle
Iran, Rashi (Gilan)
Téhéran, Musée national, inv. 4115.
Expo. : Vienne 2000, n° 157

Ce plat repose sur un petit pied annulaire; l'intérieur porte un décor de scènes de pêche. Les personnages sont répartis par groupes de deux sur quatre embarcations qui voguent sur le fond doré de la coupe peuplé de poissons et de canards. Cette iconographie évoque les scènes nilotiques.

F.D.

Au centre est représentée une femme nue, parée de bijoux appuyée à un animal fantastique qu'elle enlace du bras gauche. Tout autour, des personnages aux longues robes, aux écharpes flottantes et aux coiffures variées, se font face deux à deux, portant des offrandes. De nombreux détails, tels les boucles des cheveux, les bijoux, les broderies des vêtements, sont rendus par de petits ronds soit simplement incisés, soit formés de points ronds en creux entourés d'un cercle gravé, les plissés des robes et des écharpes par de longues incisions.

Le décor de cette coupe est à rapprocher de celui du plat cat. 49.

Dans le champ, empiétant sur les bas-reliefs, ainsi qu'au revers, des figures grossières et malhabiles ont été postérieurement gravées à la pointe : personnages à grosses têtes, ou têtes seules, parfois coiffées d'un petit bonnet ou casque pointu. Des graffiti semblables se retrouvent sur de l'argenterie trouvée en Russie dans la région de Perm.

M. A-B.

49

Plat
Joueuse
de flûte
chevauchant un
animal fantastique

Argent doré, fond évidé
D. : 0,222
VIᵉ-VIIᵉ siècle
Saint-Pétersbourg, musée de l'Ermitage, inv. S-26.

Biblio. : Darkevich 1976, p. 36-38, nᵒ 61, pl. 1 ; Duchesne-Guillemin 1993, p. 66-68, fig. 15 ; Smirnov, 1909, p. 6-7 ; Trever et Lukonin 1987, p. 83-89, nᵒ 36, pl. 106.

Découvert dans un trésor en 1893 au lieu-dit Tomyz (gouvernement de Viatka), en même temps qu'un groupe de récipients byzantins et centrasiatiques des VIIᵉ-IXᵉ siècles. Sur la face externe, une inscription en moyen perse sur deux lignes : « Propriété de Dâdburzmihr fils de Farrokhân /ou Farrbay/, de la famille de Gelsar, spâh-bed d'Orient ». Le propriétaire de l'objet était gouverneur du Tabaristan dans la première moitié du VIIIᵉ siècle. L'inscription ne fournit pourtant qu'un *terminus ante quem*, car si l'on y mentionne le propriétaire, on ne précise pas si c'est bien lui qui avait commandé le plat à l'artiste. Le

style des images est sassanide tardif sans posséder les caractéristiques propres à la fin des VIIᵉ-VIIIᵉ siècles.

Le fond est évidé par creusement du métal entre les figures dont le relief est peu marqué, les détails sont dorés. Le décor symbolise l'Univers : les eaux avec des poissons et la terre avec des plantes. L'unité du monde est suggérée par l'image de la créature fantastique qui associe les caractères d'un carnivore et d'un herbivore, mais aussi ceux d'un oiseau, d'un poisson, d'un fauve, et même d'une plante. À cette incarnation de tout ce qui est vivant sur la terre vient s'ajouter la figure allégorique de la flûtiste assise sur le dos de ce monstre pacifique. Sur le plat de la Bibliothèque nationale (cat. 47) la déesse et le monstre sont entourés de quatre paires de personnages qui illustrent les fêtes des Quatre-Saisons. Si, sur le plat à la flûtiste, il y a les symboles de tout ce qui relève du monde terrestre, sur le plat de Paris le temps cyclique n'est pas représenté de façon moins universelle. Notons que le plat de la Bibliothèque nationale a été fabriqué, certes sous une forte influence iranienne, mais à l'Est de l'Iran. La flûtiste n'est pas Anahita ou une autre déesse iranienne, car sa place dans la composition est trop modeste pour une divinité. C'est une figure allégorique qui exprime l'harmonie du monde.

B. M.

50

Plat au griffon

Argent partiellement doré, sculpté et gravé
D. : 0,177 ; Ép. : 0,04
Fin VIᵉ-VIIᵉ siècle
Iran
Museum für Islamische Kunst
Staatliche Museen zu Berlin, inv. I.5384

Biblio. : Wiesbaden 1967, pl. 12a.
Expos. : Wiesbaden 1967, pl. 12a.

Ce plat peu profond est décoré d'un griffon majestueux, assis, une patte levée, de profil à gauche. Les ailes entièrement déployées encadrent la tête de l'animal qui évoque celle d'un aigle. Une couronne de laurier souligne son aspect héraldique. À l'époque sassanide, le griffon était considéré comme une créature bénéfique associée à la fertilité de la nature. Cet aspect est souligné par les motifs de palmettes s'ouvrant sur un fruit qui ornent la queue et les organes génitaux des griffons. Le faible relief du modelé du corps et du plumage sont les indices d'une fabrication sassanide tardive.

La pièce a été trouvée dans le même trésor de Novo Bajazet en Arménie que le plat à scène de chasse cat. 68. D'abord entré dans la collection Botkin de Saint-Pétersbourg, il fut acquis à Paris en 1925.

J. K.

51

Pied de meuble, protomé de griffon

Bronze
H. : 0,32
Vᵉ-VIIᵉ siècle
Paris, musée du Louvre, département des Antiquités orientales
inv. AO 22138.

Biblio. : Amiet 1967, fig. 16, p. 279 ; Moussavi 1990, pl. 7, p. 132.
Expos. : New York 1978, p. 91-92 ; Bruxelles 1993, n° 29, p. 171.

Ce pied de meuble en bronze est composé d'une large patte de lion surmontée d'un montant de section carrée orné sur sa face antérieure d'un protomé de griffon.

Des trônes royaux ou divins reposant sur des pieds de ce type sont représentés sur des pièces d'argenterie et sur une peinture murale de Pianjikent en Sogdiane (fin Vᵉ-VIᵉ siècle). Le griffon qui était considéré comme une créature protectrice orne aussi des sceaux ou des coupes d'argent (cat. 50, 52).

Les oreilles du monstre pointées en avant, son poitrail bombé, son bec menaçant, les tendons et les veines gonflées de la patte de lion sont autant de traits qui confèrent à cet objet une force et une puissance remarquable. Ce réalisme expressionniste, plus proche de l'esthétique gréco-romaine que de l'univers oriental, indique que cet objet a probablement été façonné dans un atelier marqué par des influences venues de l'Ouest.

F. D.

52

Coupe oblongue polylobée. Chèvres affrontées de part et d'autre d'un arbre et griffons

Argent partiellement doré
gravure
L : 0,229
VIᵉ - première moitié du VIIᵉ siècle
Saint-Pétersbourg, musée de l'Ermitage, inv. S.285.

Biblio. : Smirnov 1909, ill. 376 ; Trever et Lukonin 1987, n° 33, p. 117, 122, pl. 99-101.

Trouvée en 1815 ou 1823 près du village de Khomiakovo (gouvernement de Volhynie) en même temps que deux rhytons en argent en forme de tête d'antilope (cat. 59), la coupe oblongue sur un pied ovale ornementé se divise en cinq cupules qui forment huit saillies sur le bord du récipient. Cette forme spécifiquement sassanide existait dès le Vᵉ siècle, si l'on en juge par une réplique hephtalite [1]. Le relief est obtenu par creusement du métal, le fond est doré. Tous les reliefs sont sur la face externe. Sur chacun des lobes latéraux de la partie médiane, on a deux caprins symétriquement dressés sur leurs pattes de derrière de part et d'autre d'un arbre dont ils broutent le feuillage. L'arbre surgit au-dessus de trois montagnes, dessous sont figurées les eaux. Sur les bandeaux situés entre la partie médiane et les lobes latéraux sont représentés des griffons dont les queues en leur extrémité se transforment en rinceaux. Entre les rinceaux stylisés qui partent de chacun des griffons reste une bande non figurée du fond. Sur les petits lobes latéraux sont représentés les eaux, les plantes qui en surgissent ainsi que des lions couchés. Ainsi, sur un seul et même vase, est figuré le monde entier avec ses eaux, ses montagnes, ses plantes, ses animaux herbivores et carnivores. En outre les propriétés de l'ensemble du vivant sont attribuées aux

griffons dans lesquelles, dans ce cas précis, viennent se combiner non seulement les caractères des oiseaux et des fauves, mais également des végétaux.

B. M.

1. New York 2004, n° 61, p. 151-152.

53

Aiguière aux lions

Argent partiellement doré au mercure (champ) ; décor au repoussé
H. : 0,35 ; Pds : 1 102
Atelier iranien oriental, vers 700
Provenance inconnue
Paris, BnF, département des Monnaies, médailles et antiques, inv. 56.363.

Biblio. : Cahier et Martin, 1843-1853, t. III, article de Lenormant ; Chabouillet 1858, n° 2880.
Expos. : Bruxelles 1993, p. 103 ; Vienne 1996, n° 89, p. 239, 402. (ancienne collection Stroganov).

Aiguière à panse ovoïde, petit pied évasé à moulure centrale en saillie, col cylindrique étroit, embouchure ovale. L'anse a disparu, seules subsistent les deux traces d'attache, la plus haute sous l'anneau séparant le col de la panse, la plus basse au milieu de la panse. Le décor en bas-relief est constitué de chaque côté par deux lions aux longues crinières bouclées, l'épaule ornée d'une étoile à huit branches, dressés sur leurs pattes arrière, leurs corps entrecroisés, et retournant la tête pour se faire face. Ces deux paires de félins sont séparées d'un côté par un arbre de vie épanoui et feuillu, de l'autre par deux branches desséchées surgissant d'une double volute finement striée.

M. A.-B.

54

Plat. Décor de nid d'abeilles et bélier couché

Argent partiellement doré
D. : 0,205
VIIe siècle
Iran
Washington, Sackler Gallery, inv. S1987.1.

Biblio. : Gunter 1992, p. 142-144, n° 21.

Ce plat, qui repose sur un petit pied annulaire est décoré à l'intérieur d'un médaillon entourant un bélier couché, le reste de la surface intérieure est couverte d'un motif de nid d'abeilles qui évoque les décors des récipients en verre taillé (cat. 96).
Une inscription en pehlevi [1] est gravée sous le pied et donne le nom du propriétaire et le poids de l'objet : « Zurwan, 30 s[ter] 2 drahm ».

F. D.

1. Gunter 1992, p. 145 et n° 1.

55

Plat en argent doré à décor de *senmurv*

Argent partiellement doré
H. : 0,038 ; D. : 0,188 – 0,191 ; contenance : 450 ml ; Pds 540
VIIe-début IXe siècle
Acheté en Inde
Londres, British Museum, inv. ANE 124095 (1922-3-8,1).

Biblio. : Dalton 1922 ; National Art Collections Fund 1923, p. 40, n° 402 ; 1928, p. 43, 194, 199, n° 402 ; Orbeli 1938, vol. I, 737-38, vol. IV, pl. 227 ; Barrett 1949, pl. 1; Dalton 1964, p. 66, pl. XL, n° 210 ; Ghirshman 1962, p. 219, fig. 260 ; Thompson 1976: 30, 102, n°s 42, 46 ; Kent et Painter eds 1977, p. 151, n° 317 ; Curtis 1989, p. 67, fig. 80 ; Gray 1991, p. 62 ; Sarkhosh Curtis 1993, p. 22 ; Cherry éd. 1995, p. 180 ; Collon 1995, p. 209, fig. 175 ; Curtis 2000, p. 82, fig. 95 ; Harper 2000, p. 51, col. pl. IX ; Kröger 1999, p. 201-202, pl. XXVIII ; Kröger 2002, p. 153 ; Verdi éd. 2003, p. 101, n° 23.

Expos. : Bruxelles 1993, p. 221-222, n° 71.

Ce plat est décoré d'un animal imaginaire à tête de chien ; la courte crinière est dressée, les oreilles droites se terminent par une touffe de poils ; il a des griffes de lion et une sorte de branche foliée lui tient lieu de langue pendante ; une collerette de fourrure encadre sa tête ; le cou, l'avant-train musculeux et les plumes de la queue portent sur toute leur surface un dessin complexe réalisé au poinçon et qui ressemble à des plumes ou à des écailles imbriquées. Le poitrail est décoré de feuilles ; une paire d'ailes terminées

par des volutes s'élève verticalement des flancs de l'animal ; à l'arrière, la queue, semblable à celle d'un paon faisant la roue, est décorée par un grand rinceau poinçonné. Dessous, une autre branche de feuillages sert de fond. Le rinceau qui encadre est composé de feuilles qui se chevauchent sur lequel ont été poinçonnées trois branches divergentes qui se terminent par des baies en groupes de trois.

Ce plat aurait été acquis en Inde. Il est d'ordinaire daté des VIIe, VIIIe, voire IXe siècles, donc post-sassanide, omeyyade, ou du début de l'époque abbasside. La plupart des spécialistes s'accordent avec Trever pour voir dans le décor un *senmurv* (nouveau persan *simurgh*) ou l'oiseau Saena de l'*Avesta* [1]. Les caractéristiques iconographiques de ce dernier comprennent aussi la tête de chien hargneux, les griffes de lion, et la queue de paon ; les motifs végétaux renvoient à son rôle dans la renaissance de la nature. Cet oiseau est décrit dans la littérature en pehlevi comme nichant « sur l'arbre où n'est pas le Mal mais de nombreuses graines » (*menog-i Xrad* 61.37-42) qu'il sème à la saison des pluies pour aider à la future germination (*Bundahi* n xvi.4). C'est pourquoi on le considérait comme le dépositaire du *khwarnah* (la chance et la gloire), en particulier de celui des Kayanides, ces ancêtres légendaires des Sassanides. La plus ancienne occurrence de ce motif iconographique est attestée dans la grotte rupestre de Koshrow II (591-628) à Taq-i Bustan où il apparaît sur les médaillons brodés qui décorent la robe du roi. On retrouve ce même motif sur les textiles, la verrerie, les objets en métal et la décoration des bâtiments. Il esiste cependant de notables différences entre toutes ces représentations et il faut être prudent avant d'énoncer des certitudes iconographiques, des datations ou des provenances.

St J. S.

1. Voir aussi Schmidt 1980.

56

Aiguière

Argent, fond doré. Travail au repoussé
H. : 0,33 (0,315 sans le couvercle)
VIe siècle.
Saint-Pétersbourg, musée de l'Ermitage, inv. S61.

Biblio. : Smirnov 1909, ill. 83 ; Trever et Orbeli 1935, pl. 48 ; Trever 1938 ; Trever et Lukonin 1987, n° 21, p. 87-88, 113, 122, pl. 54-56.

Trouvée en 1823 dans le village de Pavlovka (gouvernement de Kharkov) en même temps qu'une selle en bois et deux bols en argent. Il s'agit vraisemblablement d'une partie du contenu d'une riche sépulture nomade du VIIe siècle. En Ukraine on a découvert, dans plusieurs sépultures semblables, des pièces d'argenterie sassanide.

Relief travaillé au repoussé, fond doré. Les cruches de ce type se distinguent par une forme d'une élégance remarquable, et très classique par l'équilibre de ses proportions. L'anse forme une haute boucle dont l'extrémité supérieure retombe sur l'épaule du récipient. Elle est simple, sans têtes animales sculptées toujours présentes par la suite, ce qui plaide en faveur d'une date assez haute. Une cruche de cette forme a été apportée en Chine au milieu du VIe siècle. Mais les extrémités de ses anses sont en forme de têtes de chameau [1]. Les motifs végétaux de la cruche au « senmurv » sont eux aussi, beaucoup plus simples et plus statiques qu'ils ne le deviennent vers la fin du VIe-début du VIIe siècle [2]. Les images les plus remarquables sont celles des créatures fantastiques qui apparaissent dans les médaillons ovales, auxquelles la littérature scientifique a donné le nom, désormais bien établi, de « senmurv ». Il s'agit d'un animal composite qui procède à la fois du chien et du paon. Il est doté de rinceaux sur la poitrine. La signification de ce symbole n'est autre que le *farr* des Kayanides, dont dépendait l'heureux gouvernement de cette dynastie qu'on considérait comme les ancêtres des Sassanides. Dans la « Chronologie » d'Al Biruni, cette créature est dénommée « renard volant » (Bausani. *Un auspicio*, p. 317-319). Al Biruni lui-même (ou ses sources) a assimilé l'animal bien réel qu'est le renard volant (ou roussette), qui appartient à la famille des grosses chauve-souris à l'image mythologique de ce monstre favorable, mais l'art ne fait rien de pareil.

À Taq-i Bustan, des *senmurv* sont tissés et brodés sur les vêtements du *shâhânshân* (roi des rois), ce qui confirme leur signification de symbole du *farr* du souverain.

B. M.

1. New York 2004, n° 157, p. 256, 257)
2. cf l'ornement de Taq-i Bustan : Harper, Meyers, n° 21.

57

Coupe
Scènes de combats d'animaux

Argent doré
D. : 0,113 ; H. : 0,054 ; Pds : 270,5
IIIe ou début du IVe siècle
Iran ou Afghanistan (?)
Collection privée, New York.

Expos. : New York 1991, p. 57, n° 42.

Singulier tant par la forme que par le style, ce petit récipient est décoré de trois scènes de combats d'animaux : un lion attaquant un taureau, un lion attaquant un capridé et un lion attaquant un cerf. Deux arbres à trois feuilles et un simple motif polylobé évoquant des montagnes brossent un paysage minimal.

Deux frises abstraites composées de pampres ou de corde disposés en lacets soulignent l'une, la lèvre et l'autre, la base de la coupe. Elles sont trop schématiques pour être interprétées ou même rapprochées des frises décoratives hellénistiques ou iraniennes. Le thème du combat d'animaux se retrouve sur la vaisselle romaine en argent aussi bien que sur celle du Proche-Orient ; mais, la stylisation des formes, le minimalisme des paysages, de même que le sujet des scènes, sont à rapprocher des réalisations des steppes du Nord et de l'Est de l'Iran. Sur des phalères d'origine parthe, saka et sarmate, les décors

La dorure par zones des motifs décoratifs est caractéristique des œuvres sassanides de l'Est de l'Iran et il est probable que ce récipient et le rhyton au décor similaire (cat. 58) furent tous les deux réalisés par des ateliers situés à l'est et au nord des centres sassanides de Mésopotamie et d'Iran.

P. O. H.

1. M. Pfrommer, 1993, p. 5-13, nᵒˢ 30-33.

représentent souvent un combat d'animaux mettant en scène lions, béliers et cerfs [1]. Invariablement, les éléments de paysage sont absents. La signification de ces thèmes emblématiques exécutés au tournant du millénaire est incertaine, mais le succès du répertoire iconographique des combats d'animaux dans les régions de steppes, depuis la Sibérie jusqu'à la mer Noire, du premier millénaire av. J.-C. aux premiers siècles apr. j.-c., est attesté par de nombreuses œuvres d'art de diverses techniques.

58

Rhyton. Tête d'antilope

Argent partiellement doré
H. : 0,155 ; L : 0,254
IVᵉ–Vᵉ siècle
Iran (?)
Washington, M. Sackler Gallery, inv. S.1987.33

Biblio. : Shepherd 1966, p. 300, fig. 11 ; Gunter, 1987, p. 43-44, fig. 10 ; Gunter, 1988, p. 47, fig. 28 ; Gunter, 1992, p. 205-210, nᵒ 38 ; Harper, 1988 (b), p. 157-158, pl. I, fig. 2 ; Harper 2000, pl. 38 ; Lawton 1987, p. 48, nᵒ 20 ; Melikian-Chirvani, 1996, p. 115, fig. 17.

Expos. : New York 1978, p. 36-38, fig 5 ; Vienne 1996, nᵒ 81, p. 234, 400.

Les cornes à boire, terminées par un avant-train ou une tête d'animal étaient des récipients de luxe particulièrement appréciés au Proche-Orient dès le premier millénaire av. J.-C., plus tard, les orfèvres de l'époque parthe créèrent des rhytons d'une extraordinaire audace, mais l'engouement pour ces récipients semble avoir disparu à l'époque sassanide qui n'en a livré que de rares exemplaires. Celui-ci terminé par une tête d'antilope traitée de manière naturaliste, est décoré sur la corne d'une frise d'animaux : une antilope, un bœuf à bosse et un lion se rejoignent de part et d'autre d'un végétal terminé par trois grandes feuilles.

Ce décor est très proche de celui de la coupe de la collection Shelby White et Leon Levy (cat. 57)

Les études détaillées de la forme et du style de ce rhyton mais aussi les analyses de la composition de l'argent suggèrent une datation autour du IVe siècle et une origine à l'Est de l'Iran.

Cependant les restes d'un rhyton de même type [1] ont été retrouvés, à l'ouest de l'Oural, dans un contexte du VIIe siècle, et on connaît plusieurs représentations de récipients de cette forme au VIIe-VIIIe siècle sur des pièces d'argenterie (cat. 45bis) et sur des peintures murales en Sogdiane où l'usage de ces rhytons semble avoir perduré.

F. D.

1. Harper 1991 ; Gunter 1992, p. 260 et note 4.

59

Rhyton. Tête d'antilope saïga

Argent doré
H. : (jusqu'au sommet des cornes : 0,282 ; L : 0,18 ;
D. de l'assiette : 0,111 ; Pds : 788
VIe-VIIe siècle
Pologne, Khomiakov, Dnestr supérieur.
New-York, The Metropolitan Museum of Art
inv. Rogers Fund, 47.100.82

Biblio. : Balint 1989, p. 106 ; Kent et Painter 1977, n° 319 ; Pope 1938 (a), p. 355, pl. 109 a, b ; Smirnov, 1909, pl. 43.
Expos. : Ann Arbor 1967, n° 48, p. 131.

Dans l'art sassanide, les rhytons en forme de tête d'animal apparaissent parfois sur des scènes de banquet, mais à cette époque ils sont beaucoup plus courants dans l'art sogdien. De tels récipients sont représentés sur des peintures montrant des cérémonies ou des banquets

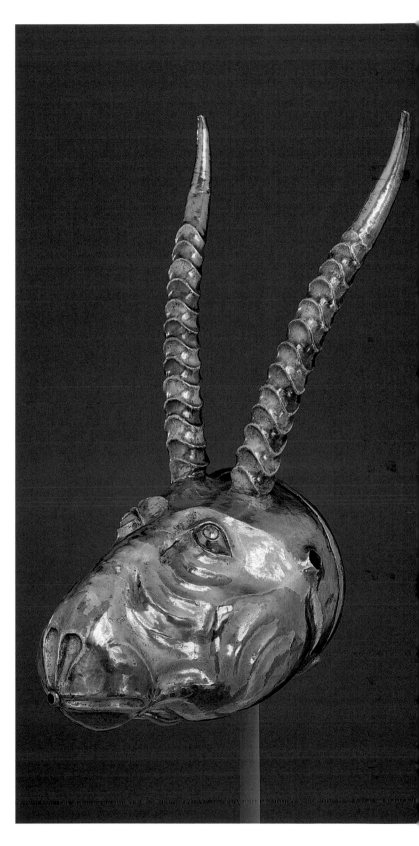

découvertes dans des demeures à Panjikent (Sogdiane).
Ce rhyton en argent doré qui fait partie d'une paire, a été
découvert avec un groupe de vases d'argent sassanides de
type provincial en Europe de l'Est en 1815 (ou en 1823).
Sur les deux têtes, les oreilles de l'animal ont disparu. La
tête de l'antilope saïga (*Saiga tatarica*) du Metropolitan
Museum n'est pas de style typiquement sassanide. Elle a
quelque chose de naïf dans le modelé si on la compare à
des pièces plus sophistiquées telles que la tête d'antilope
du Miho Museum [1] qui porte une inscription en moyen
perse et est ornée d'une rosette à quatre pétales en forme
de cœur typiquement sassanide. Les yeux et le nez de
l'antilope du Miho sont stylisés d'une manière qui évoque
les animaux figurant sur les vases sogdiens du VIIIe siècle,
ce rhyton provient probablement d'un atelier de l'Est de
l'Iran plutôt qu'en Iran ou en Mésopotamie.

Il est difficile de situer le rhyton du Metropolitan
Museum, mais la comparaison entre les œuvres d'art sogdien et sassanide, et le rendu plutôt maladroit et peu raffiné suggère qu'il a été réalisé loin des principaux centres
urbains d'Iran et d'Asie centrale, peut-être aux frontières
des territoires occupés par les Hephtalites, les Turks et les
Avars.

P. O. H.

1. Rubin 1975, p. 107-112.

Argenterie mineure

60
Coupe fragmentaire en forme de nacelle. Décor de grue

Argent partiellement doré
L : 0,194 ; l. : 0,112
Iran, Suse
Paris, musée du Louvre, département des Antiquités orientales
inv. Sb 6728

Biblio. : Amiet 1967, p. 277, fig. 8 ; Amiet 1970, p. 52-53, fig. 1 ; Harper (a) 1988, p.
332, pl. I ab.
Expos. : New York 1978, n° 10, p. 46; Bruxelles n° 79, p. 228.

Cette coupe ovale, dont l'une des extrémités est brisée,
est décorée à l'intérieur d'un semis de bossettes et, au
centre, d'un médaillon gravé de l'image d'une grue
tenant dans son bec un rameau stylisé. Le bord interne
du récipient, la grue et la bordure du médaillon sont
dorés au mercure. Ce décor est du même type que celui
de la coupe du Metropolitan Museum (cat. 40) , mais ici
l'extérieur est dépourvu de toute ornementation et a été
lissé après le travail d'emboutissage qui a permis d'obtenir les bossettes. La forme en nacelle, très courante à la
fin de l'époque sassanide, est étrangère au répertoire de
la vaisselle métallique du Proche-Orient et pourrait dériver de prototypes chinois [1].

Cet exemplaire retrouvé lors des fouilles de Suse appartient à la catégorie des pièces d'argenterie de qualité
moyenne dont l'usage se répand à partir des Ve-VIe siècles.
Ces coupes en nacelle étaient des coupes à boire et faisaient partie de la vaisselle utilisée au cours des banquets.

F. D.

1. Harper 1988(b), p. 156, note 22.

61
Vase à décor géométrique

Argent partiellement doré
H. : 0,173
VIᵉ-VIIᵉ siècle
Iran (?)
The Metropolitan Museum
of Art, Rogers Fund
inv. 62.78.2

Biblio. : Harper 1979, p. 106-107, fig. 56 ; Gunter et Jett, 1992, p. 185-187, n° 32 (même vase à la Freer Gallery)
Expos. : Bruxelles 1993, n° 94, p. 245.

Les vases de cette forme deviennent courants pendant la seconde moitié de la période sassanide. Celui-ci est simplement décoré d'un motif stylisé inspiré par une feuille de végétal.

À Washington, la A. M. Sackler Gallery et Freer Gallery of Art (n° 64.3) abritent un vase identique. Richard Ettinghausen voyait dans l'ambiguïté visuelle du dessin délimité par la dorure en creux quelque ressemblance avec les creux en biseau caractéristiques du style qui se développa au début de la période islamique à Samarra (Irak).

P. O. H.

62
Vase décoré de pastilles en relief

Argent doré
H. : 0,183 ; D. : 0,11 ; Pds : 501
VIIᵉ-VIIIᵉ siècle
Origine présumée : Iran
New York, The Metropolitan Museum of Arts, Pfeiffer Fund
inv. 69.224.

Biblio. : Bulletin of the Metropolitan Museum of Arts 1970, p. 85.
Expos. : Mexico 1994, p. 190-191.

Proche de la forme traditionnelle de la « bouteille » sassanide, ce vase présente de légères variantes : le col plus étroit et plus prononcé, le profil piriforme de la panse. La signification du motif stylisé qui orne la panse et qui évoque pour certains les ailes et le globe des couronnes sassanides, demeure toutefois obscure ; un goût semblable pour les motifs stylisés probablement inspirés de formes naturelles est manifeste sur une aiguière en bronze du début de la période islamique conservée au Metropolitan Museum (inv. 47.100.90) ainsi que sur des céramiques et des décors en stuc des constructions du début de la période islamique.

P. O. H.

réalisés en bronze (cat. 77), dans un alliage de plomb et zinc [1] ou même en verre (cat. 99).

Ces coupes, qui servaient à présenter des aliments solides, comme le montre le décor du bol orné de scènes de banquet (cat. 70), faisaient partie d'une vaisselle de table, certes luxueuse, mais de moindre valeur que les récipients à décor historiés, et aucune n'a pour le moment été découverte en dehors de l'Iran.

Cet exemplaire découvert à Suse est une des rares pièces d'argenterie sassanide retrouvées lors de fouilles régulières, mais le contexte archéologique mal défini ne permet pas de dater plus précisément cet objet.

F. D.

1. P. O. Harper, 1978, p. 86, fig. D.

63
Coupe sur pied

Argent
D. : 0,153 ; H. : 0,082
V[e]-VIIe siècle
Iran (Suse)
Paris, musée du Louvre, inv. Sb 6794.

Biblio. : Amiet 1967, p. 278, fig. 9, n° 4-5.
Expos. : Bruxelles 1993, n° 77, p. 227.

Cette coupe est composée d'un bol hémisphérique orné à l'extérieur de fines cannelures, posé sur un pied cylindrique légèrement évasé. Cette forme courante dans l'argenterie de la deuxième moitié de la période sassanide, dérive de modèles occidentaux (cat. 65) et a été déclinée en de nombreuses variantes de plus ou moins bonne qualité. L'intérieur de certains de ces récipients est parfois orné d'un motif décoratif (cat. 64), d'autres ont été

64
Coupe sur pied. Décor de pintade

Argent niellé
D. : 0,179 ; H. : 0,101
V[e]-VIIe siècle
Washington, M. Sackler Gallery, inv. S.1987.10.

Biblio. : Gunter 1992, n° 26, p. 166-169.
Expos. : New York 1978, n° 9, p. 44-45.

L'intérieur du bol de cette coupe à pied de même type que la précédente, est orné d'un médaillon, composé

d'une bordure d'arcs entrelacés entourant l'image d'une pintade. Ce décor profondément gravé est rehaussé de nielles ; cette technique fréquente dans l'argenterie romaine et byzantine était rarement utilisée sur les pièces sassanides ; elle indique, outre une influence occidentale, une date relativement tardive.

Dans l'univers zoroastrien, la pintade, comme tous les autres oiseaux, était considérée comme un être bénéfique, et était fréquemment représentée (cat 9 et 139-140).

F. D.

de celle des récipients sassanides, même bol hémisphérique décoré de cannelures et même pied évasé, mais elles sont munies d'un couvercle.

Ce type de récipient qui devait circuler dans toute la Méditerranée orientale a pu influencer les artisans sassanides, en effet cette forme est étrangère au répertoire traditionnel oriental, et on ne connaît, en Iran ou en Mésopotamie, aucun prototype tant en céramique qu'en métal.

F. D.

Fig. 1 - Centre de la coupe à pied, dessin de C. Florimont.

65
Coupe à couvercle
pièce de comparaison

Argent
H. : 0,095 ; D. : 0,15
Tunisie, Carthage (Trésor de la colline Saint-Louis)
Paris, Musée du Louvre, Département des Antiquités grecques étrusques et romaines inv. Bj 1921 bis.

Biblio. : Heron de Villefosse 1898, p. 424-425.

Des coupes faisant partie d'un trésor découvert sur la colline Saint-Louis à Carthage ont une forme très proche

66

Coupe polylobée à anneau de suspension

Argent
L : 0,2 ; H. : 0,052 ; Pds : 13,2
VIe-VIIe siècle
Probablement Afghanistan
New York, The Metropolitan Museum of Art, fonds Rogers, inv. 1991.73.

La coupe elliptique polylobée est une forme répandue et prestigieuse à la fin de la période sassanide (cat. 42). Les coupes polylobées semi-elliptiques sont plus rares, aucun récipient de ce type ne provient de fouilles contrôlées, une coupe semblable du musée de Téhéran (cat. 67) est

dite avoir été découverte en Iran. Cette coupe dotée d'une lanière de suspension, était probablement un modèle emprunté, à la fin de la période sassanide, aux alliés des steppes, Huns et Avars qui transportaient leurs objets précieux, tout comme leurs prédécesseurs Scythes, accrochés à leur ceinture ou au harnais de leurs chevaux. La forme la plus courante de récipient doté d'une attache pour passer une lanière est le simple bol hémisphérique. Un objet de la collection Dumbarton Oaks (n° 59.2) considéré comme provenant d'Anatolie est décoré d'un visage oriental de type hunnique et porte des sceaux byzantins [1]. La coupe du Metropolitan Museum est le fruit d'un travail plus sophistiqué et plus complexe. En dépit de l'origine étrangère du modèle, la forme lobée évoque le travail d'un atelier sassanide. Les peuples nomades qui vivaient aux confins septentrionaux de l'Iran sassanide et de Byzance influencèrent les coutumes artistiques des pays dont ils côtoyaient les frontières et cette coupe est une parfaite illustration des interactions culturelles et des échanges.

P. O. H.

1. M. C. Ross, 1961, n° 18, p. 23, pl. 21; E. Cruikshank Dodd, 1961.

67

Coupe semi-elliptique polylobée

Argent
L : 0, 225 ; l. 18,2 ; H. : 0,55
VIe-VIIe siècle (ou IIIe IVe siècle?)
Iran, Sari (Mazandaran)
Téhéran, Musée national, inv. 7702.

Biblio. Girshman, 1955 ; Hakemi, 1956; Vanden Berghe, 1959, 7
Expo. Vienne, 2000, n°155.

Cette coupe s'apparente par sa forme à la coupe précédente, l'arrachement sur le bord rectiligne pourrait indiquer l'emplacement de l'attache. Elle est cependant beaucoup plus massive et façonnée d'une manière beaucoup plus soignée : les lobes à l'extérieur sont décorés de cannelures. On retrouve ce décor cannelé à l'extérieur d'une coupe polylobée conservée à la Sackler Gallery à Washington. La disposition des lobes de cette coupe

glier qui l'attaque. Il a déjà abattu un lion et, derrière un arbre, un ours observe la scène. Volant vers le roi, un personnage ailé et nu porteur d'un collier de joyaux est là pour glorifier le souverain toujours victorieux. La composition très dense et les détails de la scène indiquent que ce plat a été réalisé après la chute de l'Empire sassanide par un artiste d'un atelier de province peu informé des usages relatifs aux décors de scènes de chasse royale.

Ce plat a été trouvé dans un trésor à Novo Bajazet près d'Erivan en Arménie avant 1907. Le trésor contenait aussi le plat au griffon du musée de Berlin et des objets byzantins en argent que l'on a datés entre 641 et 668. Il est entré dans la collection Botkin à Saint-Pétersbourg puis fut acheté à Paris en 1925.

J. K.

formant des cupules séparées et le motif niellé qui orne l'intérieur, permet de la dater du VIᵉ siècle. La coupe de Téhéran a été découverte fortuitement dans le Nord de l'Iran, à Sari, en même temps que le plat décoré d'une scène de chasse (cat. 26) aussi l'a-t-on datée, comme ce plat de la fin du IIIᵉ début du IVᵉ siècle, mais aucun autre argument ne vient appuyer cette datation.

F. D.

68

Plat.
Scène de chasse

Argent partiellement doré
D. : 0,19 ; Ép. : 0,04
VIIᵉ-VIIIᵉ siècle
Iran
Berlin, Museum für Islamische Kunst, Staatliche Museen zu Berlin, inv. Nr I. 49251.

Biblio. : Erdmann 1936, p. 217, fig. 12 ; Pope 1938 (c), pl. 229 B; Harper et Meyers, 1981, p. 68-70, 174, pl. 20.
Expos. : Bruxelles 1993, p. 199, nº 56.

Ce plat montre l'image traditionnelle du souverain sassanide à la chasse, brandissant son épée pour tuer le san-

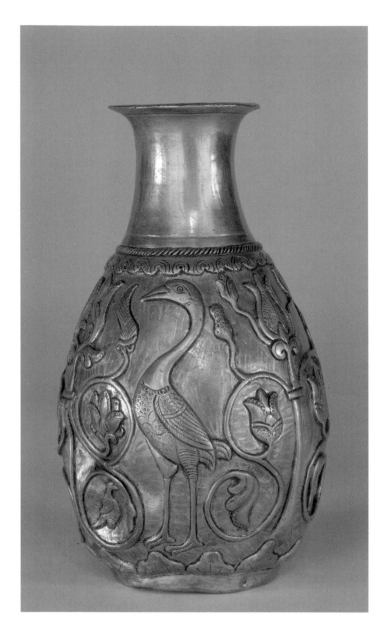

se que celle des archétypes sassanides. Les détails comme la bande continue de feuilles sous un décor de fine cordelette de même que le motif de la plante ou celui des oiseaux sont autant d'indices de l'inspiration sassanide de ce vase fabriqué pour un commanditaire anonyme au début de la période islamique.

Les artisans qui travaillaient l'argent perpétuèrent la tradition sassanide, et les oiseaux dans un paysage appartiennent à ce registre de pleine nature qui continua à demeurer significatif aussi pendant la période omeyyade. Ce petit vase trouvé en Russie du Sud avant 1868, fut acquis à Paris en 1925 après avoir appartenu à la collection Botkin à Saint-Pétersbourg.

J. K.

69

Vase. Grues et arbres

Argent, fond originellement doré
H. : 0,16 ; D. : 0,09
VIIᵉ-VIIIᵉ siècle
Iran
Berlin, Museum für Islamische Kunst, Staatliche Museen zu Berlin, Département des Arts islamiques, inv. I.4968.

Biblio. : Berlin 1971, p. 38, n° 94 ; Harper 2000, p. 50, n° 7, pl. 20 ; Smirnov, 1909, pl. 55, n° 89.
Expos. : Bruxelles 1993, n° 93, p. 244.

Trois grues sont posées parmi des arbres à grandes fleurs. La forme de ce précieux vase est moins vigoureu-

70

Coupe. Scènes de la vie de cour

Argent partiellement doré
H. : 0,057 ; D. : 0,143
VIIᵉ s. - VIIIᵉ siècle
Iran de l'Est (?)
Washington, Arthur M. Sackler Gallery, inv. S 1987.105

Biblio. : Duchesne-Guillemin 1993, p. 79-81, fig. 23 ; Gunter 1987, fig. 11, p. 45. Gunter 1988, fig. 27 et détails, p. 44-45 ; Gunter 1991, fig. 4 et détails, p. 13-14 ; Gunter 1992, n° 25, p. 161-165 ; Lawton 1987, n° 25, p. 55 ; Melikian-Chirvani 1996, p. 115-124.
Expos. : New York 1978, n° 25, p. 74-76.

L'exceptionnel décor de cette petite coupe hémisphérique illustre différents épisodes de la vie de cour. Seul l'extérieur est décoré : un motif architectural formé de colonnes surmontées d'arches perlées délimite cinq panneaux où se déroulent cinq scènes différentes. Le tableau principal montre un couple princier installé sur un divan, l'homme tient dans la main gauche une coupe et tend de la main droite un anneau à sa compagne. Ce motif qui apparaît sur les sceaux évoque vraisemblablement une cérémonie de mariage. Au pied du divan, une coupe à pied remplie de fruits est représentée. Le panneau suivant, à droite, évoque les préparatifs du banquet : sous un trépied, le vin filtré est contenu dans une grande jarre ;

on reconnaît différents ustensiles : deux coupes à pied (cat. 63, 64), deux aiguières (cat. 56), une louche pour servir le vin, un rhyton en forme d'avant-train de capridé (cat. 58). Un serviteur, tenant un plateau et une aiguière, se dirige vers les convives, sa bouche est protégée par un linge afin que son haleine ne souille pas l'air que respirent ses maîtres. Au cours des banquets, musiciens et saltimbanques divertissaient les convives : une harpiste et un joueur de double tambour sont figurés dans le panneau suivant. Ce tambour, typiquement iranien, rythmait l'affrontement des deux lutteurs qui apparaissent sous l'arcature voisine. Au pied des deux hommes, un troisième personnage est soit un acrobate, soit le vaincu de la lutte [1]. Le dernier tableau montre deux hommes jouant à un jeu de plateau probablement apparenté au jeu d'échecs, type de jeu qui apparaît sous le règne de Khosrow Ier [2], une épée dans son fourreau est posée devant eux. Le centre de la coupe est occupé par un médaillon perlé entourant le portrait d'une femme respirant une fleur, probablement la noble dame en l'honneur de laquelle cette coupe à boire a été réalisée, peut-être à l'occasion de son mariage [3].

La composition du décor, le style proche de celui de la coupe de la B.n.F (cat. 47), de nombreux détails iconographiques (costumes et coiffures des personnage, ustensiles représentés...) indiquent pour cette coupe une date tardive vers la fin du VIIe ou même le VIIIe siècle , et un lieu de fabrication dans les régions au nord-est de l'Iran où les seigneurs locaux perpétuaient les traditions d'une vie de cour inspirée des fastes des souverains sassanides.

F. D.

1. Harper 1978, p. 74-75.
2. Gunter 1992, p. 163, note 8.
3. A. S. Melikian-Chirvani, s'appuyant sur des textes littéraires postérieurs, propose de voir dans ce décor la représentation du banquet donné à l'occasion de la fête de Nowruz (A. S. Melikian-Chirvani, 1996, p. 115-124).

71

Plat

Argent partiellement doré.
D. : 0,23
Première moitié du VIIIe siècle
Iran, Khorassan
Saint-Petersbourg, Musée de l'Ermitage, inv. S-9

Biblio. : Marschak 1986, p. 46, 58, 66, 68, 83, 85, p. 17, pl. 22, 23 ; Smirnov, 1909, ill. 109 ; Trever et Orbeli, 1935, pl. 23.

Trouvé en 1873 dans le village de Kytmanovo (gouvernement de Viatka). Travail au repoussé. Le plat ne relève pas à proprement parler de l'argenterie sassanide, mais on y voit une image du *farr* des Kayanides (le « *senmurv* ») qui, elle, est d'origine incontestablement sassanide (voir cat. 1, 15, 16, 46, 55, 56). L'objet entre dans la série des plats à images en relief sur un médaillon central (comme, par exemple, cat. 72), stylistiquement très proches des productions de l'art de la Sogdiane, mais avec quelques traits purement sassanides et d'autres qui relèvent du Tokharistan (bactriens). Aux motifs relevant du Tokharistan appartiennent les boutons de lotus de l'encadrement, que l'on connaît bien par les peintures murales bouddhiques d'Adjina-tepa et de Bamiyan. Sur le plat, les lotus sont devenus de simples ornements dépourvus de signification religieuse. Nombre de détails sont purement sogdiens, ou connus aussi bien dans l'art sogdien que plus tard, dans l'art islamique. Parmi ces derniers, on notera l'aile, dont chaque rémige s'achève en une boucle distincte. À l'inverse, sous les Sassanides, le dessin des ailes était simple et massif. Le dynamisme et le caractère féroce du monstre ailé sont caractéristiques du style sogdien, mais l'image dynastique proprement dite du *farr* des Kayanides ne se rencontre en Sogdiane qu'avec sa figuration sur le précieux tissu de soie dont est fait le costume de l'un des personnages d'une peinture murale du VIIe siècle à Samarcande où, apparemment, est figurée une soierie iranienne (*cf.* cat. 129).

Le plat est l'exemple le plus ancien que l'on connaisse des productions qui, géographiquement, relèvent du Khorassan, et stylistiquement de l'école sogdiano-sassanide, florissante au VIIIe et au début du IXe siècle. L'apparition, dans la première moitié du VIIIe siècle, d'un style syncrétique s'explique par le fait qu'à cette époque, et malgré ses multiples tentatives pour se libérer des Arabes, la Sogdiane

était déjà entrée dans le vaste ressort du gouverneur du Khorassan dépendant du calife. Le centre de ce territoire était Merv qui avait été auparavant le rempart oriental de l'État des Sassanides.

B. M.

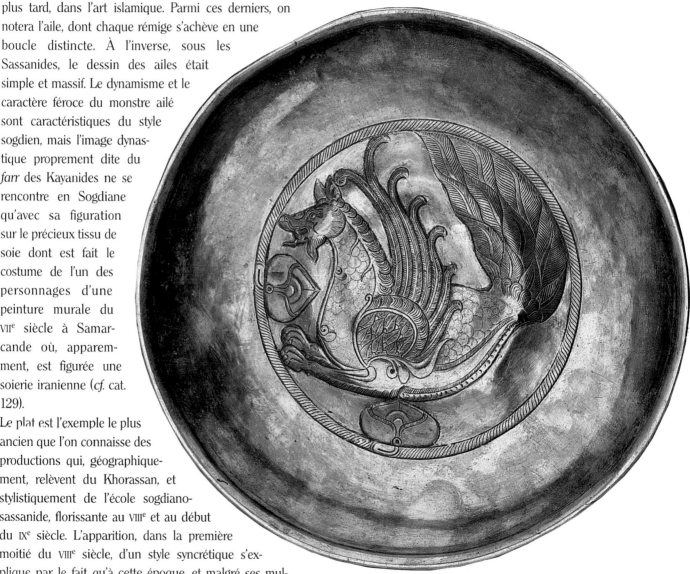

bois. Il s'agit là de l'œuvre d'un artiste de la même école du Khorassan que le plat au « senmurv » (cat. 71), mais elle illustre une étape plus tardive, que caractérisent les images de lion (par exemple cat. 73). Les motifs végétaux sont devenus partiels et schématiques, on voit apparaître l'*horror vacui*. Typiques de l'ensemble des productions de cette école, les volutes avec des points qui y apparaissent se font si fréquentes et si répétitives qu'elles rendent le dessin monotone. Les formes ont perdu de leur force et de leur plasticité tandis que l'élégance des lignes acquiert une sorte de gratuité. L'ensemble de la composition est devenu plus complexe, mais a perdu en dynamisme pour se faire plus décorative.

B. M.

72

Plat
Cerf terrassé par un lion

Argent partiellement doré.
D. : 0,275
VIIIe siècle
Iran, Khorassan
Saint-Pétersbourg, musée de l'Ermitage, inv. S-23.

Biblio. : Darkevich 1976, n° 37, p. 25, pl. 5, 2 ; Marschak 1986, p. 49, 50, p. 29, pl. 24 ; Smirnov 1909, ill. 106, pl. LXII, n° 10 ; Trever et Orbeli 1935, pl. 26.

Trouvé dans le village de Polovodovo (gouvernement de Perm) dans les années 1870 ou 1880. La technique est celle du repoussé. Le décor montre un lion qui terrasse un cerf, un mâle dépourvu de ramure. Le récipient a sans doute été fabriqué à l'occasion d'une fête de printemps, puisque c'est au printemps que les cerfs perdent leurs

73

Plat. Scène de chasse au lion

Argent, fond doré.
D. : 0,208 - 0,21
Fin du VIIIe ou début du IXe siècle.
Iran, Khorassan
Saint-Pétersbourg,
musée de l'Ermitage, inv. S-503.

Le plat a été trouvé dans le bassin de la Kama (Région de Perm). La technique d'évidement du fond par creusement du métal est héritée de l'Iran sassanide. La scène de chasse à cheval conserve le dédoublement sassanide de l'image de la bête, montrée luttant pour sa vie, mais aussi tuée ou mourante. L'unique animal est montré deux fois alors que le cheval et son cavalier ne sont représentés qu'à un seul moment de l'affrontement : le chasseur lève son épée contre le lion. À la différence des scènes de chasse sassanides faisant intervenir le roi ou un prince, nous voyons ici un homme qui ne possède aucun des attributs du monarque, ce qui est caractéristique de l'art de la Sogdiane, tout comme la présence d'étriers au lieu de l'élégante légèreté du personnage sassanide.

L'ensemble de la scène est éminemment conventionnel : on ne chassait pas le lion sous le couvert, et les plantes elles-mêmes, avec des grenades qui pendent de branches sinueuses et non pas régulières ou presque droites, ne ressemblent en rien à l'arbuste réel. Ce motif végétal a été élaboré à la fin du VIIIe siècle par des artistes sogdiens [1]. Dans la Merv d'époque encore plus tardive, du début du IXe siècle, on trouve un parallèle au bras gauche, court et faible, du cavalier [2].

Si réelles que soient ces particularités sassanides et sogdiennes, l'ensemble du décor de ce plat est dépourvu tant de la solennité officielle sassanide que de la théâtralité sogdienne. La rythmique complexe du fond végétal, annonciatrice de la victoire proche du goût islamique pour le seul ornement, prend déjà le dessus.

B. M

1. Marshak 1986, p. 61-64.
2. Marshak 1986, p. 29.

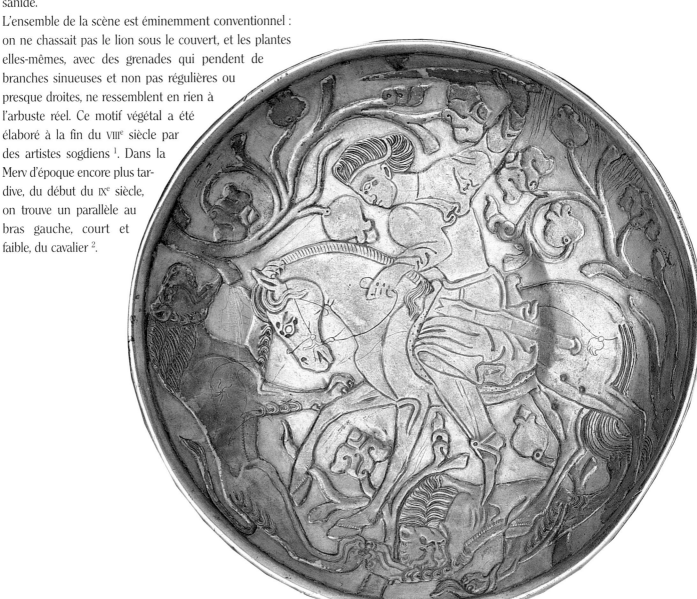

75
Plat
Aigle terrassant
une antilope-djeiran

Argent partiellement doré
D. : 0,205 ; H. : de 0,02 à 0,028
VIIIe–début du IXe siècle
Sogdiane ou Iran de l'Est
Saint-Pétersbourg, musée de l'Ermitage - inv. S 501.

Le plat a été trouvé dans la région de Perm. Il n'a plus son pied, dont la trace est encore visible. En haut a été percée après coup une ouverture transversale qui permettait d'accrocher l'objet. Au centre du fond un médaillon est entouré d'un bandeau gravé doré. Sur l'intérieur du médaillon, le fond est entièrement couvert de petits cercles gravés au poinçon. Sur ce fond apparaît, gravée, une scène de lutte : un aigle aux ailes déployées s'est posé sur le dos d'une antilope-djeiran. Les figures de l'aigle et de l'antilope sont dorées à l'amalgame.

74
Plat à la tigresse

Argent rehaussé de dorure et de nielles
D. : 0,25 ; pds : 920 gr.
Fin VIIe-VIIIe siècle
Sogdiane (?) ancienne collection Soltikov
Paris, BnF, département des Monnaies, Médailles et Antiques
inv. 56.365

Biblio. : Chabouillet, n° 2882 ; Smirnov 1909, pl. LVII, n° 91.

Plat à petit pied annulaire, orné en bas-relief d'un tigre passant parmi des fleurs de lotus, au bord d'un fleuve.
Les rayures du pelage sont indiquées par des inclusions de nielle.

M. A-B.

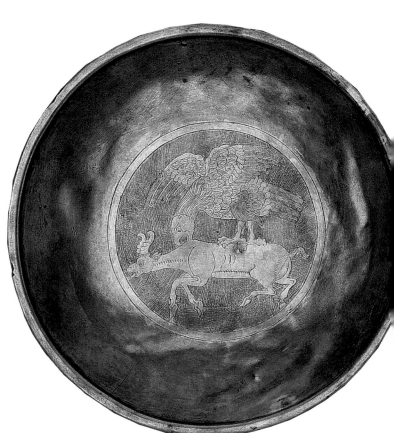

L'image d'un aigle qui s'est emparé d'un *djeiran*, une antilope d'Asie centrale, était un motif propitiatoire symbolisant la chance du propriétaire de l'objet.

Le plat est l'admirable chef d'œuvre d'un artiste appartenant à une école que l'on connaît par quelques pièces d'argenterie de la seconde moitié du VIIIe et du début du IXe siècle [1]. La scène du médaillon central montrant une antilope terrassée par un aigle est empruntée à l'art de l'Iran sassanide, pourtant le dynamisme de la composition et la façon dont sont traités les détails de l'oiseau et de l'animal sont propres à la tradition artisanale et artistique sogdienne. La typologie de l'argenterie de l'Iran de l'Est et d'Asie centrale permet de dater assez précisément le plat, mais ne fournit aucune base pour en donner l'origine exacte, dans la mesure où à cette époque, précisément, on observe des échanges très actifs et des interinfluences entre plusieurs centres de fabrication du Khorassan et du Maverannahr. La technique du pointillé à plat suivi d'une reprise au burin et de remplissage du fond par une série de petits ronds gravés au poinçon est plutôt typique des centres orientaux, mais la façon d'isoler le médaillon central en l'entourant d'un bandeau lisse n'est connue jusqu'à présent que dans les productions occidentales, surtout celles des artistes du Khorassan.

B. M.

1. Marschak 1986, pl. 65, 82-85 ; Darkevich 1976, pl. 12, 14.

76
Plat octogonal

Argent, partiellement doré
D. : 0,358 ; Ép. : 0,03
Xe siècle
Nord-Est de l'Iran,
Berlin, Museum für Islamische Kunst, Staatliche Museen zu Berlin
inv. I.4926.

Biblio. : Smirnov 1909, pl. LXX, n° 12.
Expos. : Mayence 2003, p. 44-45.

Ce plat octogonal tout à fait singulier montre un *senmurv* sous trois aspects différents. Cette créature fantastique, caractéristique de l'art sassanide, perdure dans le premier art islamique. Le *senmurv* qui figure au centre arbore une tête de dragon et une queue stylisée : il est entouré de quatre autres *senmurv* que sépare un motif de grands végétaux. Encadrés d'un motif de bandes entrelacées, ils sont tous traités de manière décorative. Une frise de vingt-quatre autres *senmurv* décore le marli. Ce plat était probablement utilisé comme vaisselle d'apparat d'une cour. D'abord dans la collection Botkin de Saint-Pétersbourg, il fut acquis en 1925 à Paris.

J. K.

Le bronze blanc

Certaines pièces d'argenterie datant de la fin de la période sassanide ont été reproduites dans d'autres matériaux notamment le bronze blanc et l'étain [1]. Ces récipients sont évidemment moins coûteux et moins précieux bien qu'ils soient parfois décorés de motifs significatifs (chasse, *senmurv*). Certains vases en bronze blanc (alliage de cuivre et d'au moins 20 % d'étain) peuvent dater de la fin de la période sassanide mais les témoignages archéologiques d'une production de bronze blanc au début de l'ère musulmane (cat. 73, 74) sont plus nombreux.

Les spécialistes ont signalé les interdictions de l'usage de la vaisselle d'or et d'argent dans les provinces d'Irak et du Fars (Iran) omeyyade à la fin du VIIe et au VIIIe siècles, et cette interdiction peut avoir favorisé l'expansion d'une production de récipients en bronze blanc qui existait déjà à la fin des Sassanides. Un vase et une coupe elliptique comparables aux objets de cette exposition ont été découverts sur un site daté du début du VIIIe siècle à Panjikent en Sogdiane [2]. Oxydée, la vaisselle en bronze blanc se couvre d'une belle patine noire ou d'une patine comparable à celle du vieil argent et ces vases dont la fabrication nécessite un savoir-faire particulier furent certainement des œuvres d'art recherchées.

1. Melikian-Chirvani 1974, p. 123-151 ; Harper 1978, p. 92-95.
2. Raspopova 1980, p. 123, 124, fig. 80, 89.

77

Coupe sur pied

Bronze blanc
D. : 0,152 ; H. : 0,099
V[e]-VIIe siècle
Iran, Qazvin (?)
Bruxelles, musées royaux d'Art et d'Histoire, inv. IS.57.

Expos. : Bruxelles 1993, p. 253, n° 101.

Dans la deuxième moitié de la période sassanide de même qu'au début de la période islamique, les coupes à pied étaient très répandues. Ces récipients étaient fabriqués dans ce qu'il est convenu d'appeler du « bronze blanc », auquel sa teneur importante en étain donnait un éclat argenté qui tendait à imiter l'argent. La coupe décorée de cannelures et le pied conique ont été réalisés séparément par martelage et soudés ensuite. Une coupe en argent de forme identique a été découverte à Suse (*cf.* cat. 63).

B.O.

79

Vase

Bronze blanc
H. : 0,145
Vᵉ-VIIᵉ siècle
Iran, Amlash (?)
Bruxelles, musées royaux d'Art et d'Histoire, inv. IR.1040.

Expos. : Bruxelles 1993, p. 255, n° 103.

Ce petit vase réalisé par martelage présente une épaisse lèvre triangulaire ; le col est cannelé. Le décor de facettes qui orne sur la partie supérieure de la panse en forme de bulbe peut être comparé au décor de facettes taillées de la verrerie sassanide.

B. O.

78

Vase

Bronze blanc
H. : 0,142
Vᵉ-VIIᵉ siècle
Iran (?)
Bruxelles, musées royaux d'Art et d'Histoire, inv. IR.1756.

Expos. : Bruxelles, 1993, p. 254, n° 102.

Ce petit vase, a été façonné par martelage. Il présente une épaisse lèvre triangulaire, un col à facettes et une panse à double renflement.

B. O.

L'intérieur de cette coupe, façonnée par martelage, est décoré d'un cercle martelé et de trois cercles concentriques incisés. Autour d'une rosette centrale martelée des groupes de lignes – certaines en léger relief et d'autres formant de motifs en V –, s'ordonnent en croix.

B. O.

80
Coupe en forme de nacelle

Bronze blanc façonné par martelage
H. : 0,04 ; D. : 0,172 x 0,122
Vᵉ-VIIᵉ siècle
Iran, Amlash (?)
Bruxelles, musées royaux d'Art et d'Histoire, inv. IR.1339.

Expos. : Bruxelles 1993, p. 252, n° 99.

82
Plat avec *senmurv*

Bronze blanc
H. : 0,43 ; D. : 0,27
VIIᵉ-VIIIᵉ siècle
Iran
Paris, musée du Louvre, inv. AO 27625

Biblio. : Harper 1961.
Expos. : Berlin 1989, p. 586-587 ; Paris 2001, n° 83, p. 118.

Le motif du *senmurv*, étroitement associé à la royauté, n'apparaît sur des objets mineurs qu'à partir de l'extrême fin de l'époque sassanide et continua à être utilisé au début de la période islamique. À cette époque l'usage de la vaisselle précieuse fut frappé d'interdit et on la remplaça parfois par des récipients façonnés, comme celui-ci, en bronze blanc dont l'éclat grisé donnait l'illusion de l'argent.

Le *senmurv*, figuré dans un médaillon qui occupe le centre du plat, est représenté de profil, sa gueule ouverte et menaçante laisse échapper une longue langue bifide. Les plumes de l'aile comme celles de la queue sont détaillées avec soin. Un plat dont le décor est quasi identique est conservé au Metropolitan Museum [1] et pourrait provenir comme celui du Louvre des régions situées à l'Est de l'Iran.

F. D.

81
Coupe

Bronze blanc
D. : 0,157 ; H. 0,42
VIᵉ-VIIᵉ siècle
Iran, Qazvin ?
Bruxelles, musées royaux d'Art et d'Histoire, inv. IR1165.

Expos. : Bruxelles 1993, p. 252, n° 100.

1. Metropolitan Museum Fletcher Fund 60 141 ; *cf.* Harper 1978, n° 34.

Cat. 85, détail.

La verrerie sassanide

David Whitehouse

L'ÉTUDE DE LA VERRERIE SASSANIDE est encore récente et les scientifiques ont autant de difficultés à établir une chronologie dans ce domaine que dans celui de l'art du métal ou de l'architecture [1]. Nous examinerons quatre points : l'historique des travaux, les caractéristiques générales du verre sassanide, les preuves archéologiques fournies par les découvertes au Proche-Orient et l'apport des trouvailles datables ou apparemment datables effectuées en Chine et au Japon.

Les recherches

Les recherches ont commencé bien après celles sur les monnaies ou les objets en argent [2]. La verrerie est absente des chapitres consacrés aux arts et à l'architecture sassanides du premier volume de *A Survey of Persian Art* [3] publié en 1938 ; elle est simplement évoquée dans le panorama du verre des époques pré-islamique et islamique et traitée en moins d'une page. L'auteur [4] ne pouvait alors mentionner qu'un seul objet de premier plan, le célèbre plat de Khosrow, dont certains éléments sont en verre, et quelques fragments provenant des trois fouilles archéologiques de Suse [5], Ctésiphon [6] et Kish [7].

Dix-huit ans plus tard, dans le catalogue de l'exposition *Glass of the Ancient World* [8] R. W. Smith consacrait seulement dix lignes au verre sassanide et seuls cinq vases étaient identifiés avec certitude comme sassanides. Or Smith, collectionneur infatigable, connaissait parfaitement le verre ancien ; on peut en déduire qu'en 1957, il n'existait aucune connaissance sérieuse du verre sassanide.

Au début des années soixante, des cimetières parthes et sassanides furent mis au jour dans la province de Gilan dans le Nord de l'Iran : de la vaisselle de verre fit son apparition sur le marché des antiquités de Téhéran [9] et un engouement soudain pour

1. Confronter les conclusions de Reuther 1938, p. 493 et de Bier 1966, p. 48-53 au sujet de la même construction au Sarvistan.
2. Vanden Berghe 1993.
3. Pope 1938.
4. Lamm 1939, p. 2595.
5. Lamm 1931.
6. Puttrich-Reignard 1934.
7. Langdon et Harden 1934.
8. *Glass of the Ancient Word* 1957, p. 189-225.
9. Fukai 1973 ; 1977, p. 23.

la verrerie sassanide s'empara des spécialistes et des collectionneurs. L'université de Tokyo organisa alors plusieurs missions archéologiques au Gilan au cours desquelles des tombes parthes et sassanides renfermant des perles de verre et de la vaisselle furent fouillées méthodiquement à Hassani-mahale près de Dailaman [10].

Les trouvailles faites en Iran comprenaient des coupes et des bols dont le décor taillé au tour consiste le plus souvent en un motif de nid d'abeilles à facettes hexagonales concaves. Ces découvertes conduisirent à un réexamen d'un célèbre objet du trésor du Shoso-in à Nara au Japon : un bol orné de facettes qui est censé avoir été offert au temple par l'empereur Shomu en 752. Lamm [11] avait daté ce bol du VIIIe siècle et Shinji Fukai [12] était désormais en mesure de démontrer qu'il était d'origine sassanide, comme de nombreux autres bols semblables apparus sur le marché.

Peu de temps après, en 1963, A. von Saldern publia un article fondamental sur le verre taillé achéménide et sassanide dans lequel il définissait les caractéristiques des objets sassanides taillés à froid. Puis dans un autre article, il défendait la thèse selon laquelle certaines pièces de verre taillé, particulièrement raffinées appartenant au Trésor de Saint-Marc de Venise et attribuées le plus souvent aux Byzantins, relevaient de la période sassanide ou du début de l'époque islamique [13].

Cet intérêt nouveau pour le verre sassanide apparaît très nettement si l'on consulte la rubrique « acquisitions » de la revue annuelle *Journal of Glass Studies*. Pendant cette décennie, trente objets sassanides ou supposés tels ont été publiés : soit un nombre quatre fois supérieur à celui de tous les verres sassanides figurant dans les livraisons de la revue entre 1959 et 2005.

À la fin de cette première période, l'état des connaissances fut synthétisé par Fukai qui publia en 1973 *Perushia no Garasu* (Persian Glass), ouvrage dans lequel il récapitule l'histoire complète du verre en Iran, en accordant toutefois une importance particulière aux périodes parthes et sassanides. La monographie de Fukai, publiée en anglais en 1977, contient une typologie des verres à facettes taillées et de nombreuses illustrations de verrerie sassanide.

Mais en dépit des contributions pionnières de Fukai et de von Saldern, le verre sassanide ne fait pas encore partie du courant principal des études sur la verrerie. Les 16 volumes des *Annales de l'Association internationale pour l'histoire du verre*, (qui contiennent toutes les communications délivrées dans les congrès de l'association entre 1959 et 2003) ne comprennent que deux contributions relatives aux Sassanides [14] et les quarante-sept volumes du *Journal of Glass Studies* publiés entre 1959 et 2005 ne contiennent pas le moindre article sur le verre sassanide.

Toutefois, pendant cette même période, plusieurs compte rendus de fouilles archéologiques en Iran et en Irak, fournirent des informations sur des objets en verre, le plus remarquable concernant la verrerie découverte sur une fouille ancienne à Tell Mahuz [15] dans le Nord de l'Irak. Dans le même temps, les résultats des analyses chimiques effectuées sur des verres sassanides et supposés tels étaient publiés par Robert H. Brill [16], livrant de précieux renseignements sur les matières premières utilisées par les verriers.

10. Sono et Fukai 1968.
11. Lamm1929-1930, v.1, p. 149, n° 5 et v. , pl. 53.5.
12. Shinji Fukai 1960.
13. L'origine de ces objets fait toujours débat et l'auteur de cet article n'est pas convaincu de leur origine sassanide.
14. Celle fort complète de Meyer en 1996 et celle, très courte de Price et Worrell en 2003.
15. Negro Ponzi 1968-1969.
16. Brill 2005

Les caractéristiques du verre sassanide

La plupart des objets en verre connus comme sassanides ou considérés comme ayant été fabriqués dans l'Empire sassanide sont transparents, soit de couleur vert clair, soit plus ou moins incolores. La teinte verdâtre est générée par la présence d'impuretés (tel l'oxyde de fer) dans les matières premières, alors que le verre incolore a été obtenu par ajout d'une petite quantité de dioxyde de manganèse destiné à neutraliser ces impuretés, le verrier cherchant ainsi à imiter l'aspect du cristal de roche. Mais on produisait aussi des verres colorés : le cat. 84 est d'un vert profond, le cat. 97 est décoré de gouttes de couleur bleue et le cat. 83 présente des traces d'un vert brillant. La coupe de la Bibliothèque nationale (cat 35) est décoré de disques en verre incolores, vert intense et pourpre, peut-être afin d'imiter le cristal de roche, les émeraudes et les rubis. Néanmoins, en dépit de ces quelques usages occasionnels de la couleur, il semble que pour réaliser les coupes et des vases de prestige, le verre devait être le plus incolore et le plus transparent possible.

Les verriers sassanides utilisaient des techniques variées. Le soufflage était la technique la plus répandue pour donner sa forme à la pièce. Mise au point au cours du premier siècle av. J.-C. dans le Levant méditerranéen, le soufflage consiste à former une boule de pâte de verre à l'extrémité d'une canne creuse et à gonfler cette boule en soufflant dans cette canne. Pendant cette opération, le verrier centre la boule de pâte autour de la canne en la faisant rouler sur une surface plate, puis crée la forme en étirant la pâte à l'aide de pinces et d'autres outils. Pendant cette opération la pâte refroidit et devient rigide. C'est pourquoi le verrier chauffe à nouveau le verre de temps à autre pour lui rendre sa malléabilité.

Une autre méthode consiste à souffler le verre à l'intérieur d'un moule en terre, en pierre ou plus souvent en métal. La plupart des moules utilisés à l'époque sassanide étaient constitués d'un élément simple en forme de coupe et décoré à l'intérieur. Le souffleur utilisait le moule pour décorer le pâton, après quoi il le retirait et pouvait continuer à le souffler jusqu'à ce qu'il obtienne la forme et la taille désirée. Les pâtons peuvent être décorés à l'aide de moules plus complexes constitués de deux ou de plusieurs éléments articulés qui définissent le décor, la forme et la taille de l'objet. Une autre technique permettant de décorer des objets est d'estamper la pâte de verre, procédé utilisé pour décorer nombre d'appliqués et de plaques sassanides et post-sassanides.

Outre le moulage et l'estampage, les verriers sassanides ont décoré leur vaisselle de deux manières ; la première consiste à travailler la surface pendant qu'elle est encore chaude ou à y appliquer des gouttes et des cordons de pâte, la seconde à travailler la surface après que le verre ait été lentement refroidi à température ambiante afin de lui éviter de se briser en subissant un refroidissement trop brutal.

Les cat 83 et 95 fournissent de parfaites illustrations d'un décor réalisé à chaud. Dans les deux cas, le verre a été rechauffé pour permettre les ajouts de matière afin d'éviter le choc thermique qu'aurait produit l'adjonction d'un élément en fusion sur un corps d'objet froid.

La verrerie sassanide la plus réputée demeure toutefois celle dont le décor était exécuté à froid, en taillant, en meulant et en polissant le verre. Les artisans utilisaient probablement les outils et les techniques des lapidaires : scies circulaires en métal ou en pierre chargées d'un abrasif (émeri ou corindon par exemple en suspension dans un liquide); il se peut aussi qu'ils aient utilisé des outils à main tels que des limes. À l'aide de ce seul outillage, les artisans sassanides ont produit une vaisselle à décor de facettes concaves finement taillées qui souvent produisent un effet de nid d'abeilles (cat. 92 et 96) ou bien combinant des motifs de facettes et de tracés linéaires gravés (cat. 97) ou encore formant des protubérances en haut relief (cat. 93).

Les découvertes archéologiques

Au Proche-Orient

La plupart des verres sassanides qui apparaissent sur le marché sont dits avoir été trouvés en Iran alors que la plupart des objets publiés provenant de fouilles officielles ont été découverts en Irak. Ce hiatus signifie que notre connaissance de la distribution des différents types de verre reste sérieusement oblitérée par l'absence de traçabilité archéologique. Il nous semble néanmoins nécessaire d'établir un état de ce que l'on sait sur les lieux de découverte de certains types de verres sassanides [17]

Des pièces comparables à celles en verre taillé de ce catalogue ont été mises au jour sur des sites archéologiques en Iran comme en Irak. Des fragments de tubes semblables au cat. 84 ont été découverts à Ninive et à Tell Baruda en Irak ainsi qu'à Qasr-i Abu Nasr en Iran. Une coupe fragmentaire analogue au cat. 93 a été découverte à Qasr-i Abu Nasr et, des bols hémisphériques entièrement décorés de facettes concaves ont été retrouvés sur au moins sept sites d'Irak (Ninive, Ctésiphon, Choche, Tell Baruda, Kish, Babylone et Uruk) et sur de nombreux sites du Nord de l'Iran (Tureng Tepe, Shahr-i Qumis et sur certains sites de la province de Gilan). Ces bols ont une aire de distribution qui s'étend aussi au-delà des frontières de l'Iran et de l'Irak, en Asie centrale.

Les objets décorés à chaud, des coupes semblables au cat. 95, ont été découverts à Choche et à Uruk en Irak, à ed-Dur dans les Émirats arabes unis et dans la province de Gilan en Iran tandis que des bols décorés de protubérances semblables à celles du cat. 98 ont été trouvés à Tel Mahuz en Irak, à ed-Dur et dans le Gilan.

En Chine et au Japon

Au moins quatre pièces de cette exposition sont comparables à des pièces de datation connue et conservées en Chine et au Japon. Une carafe proche du cat. 91 figure dans le trésor du Shoso-in à Nara, au Japon ; on pense qu'elle a été offerte au temple par l'empereur Shomu en 752. Une coupe ou des fragments de coupe semblables au cat. 93 ont été retrouvés dans le tombeau de Li Xian décédé en 569 et de sa femme Wu Hui décédée en 547 à Guyan dans la région autonome du Ningxia ; des fragments ont été retrouvés dans un contexte archéologique qui couvre les VIe et VIIe siècles à Munakata sur l'île japonaise de Okinoshima. Des coupes semblables au cat. 96 ont été découvertes en Chine dans les tombes de Liu Zong, décédé en 439, à Chucheng, Jurong dans la province du Jiangsu et au Japon dans la tombe de l'empereur Ankan mort en 535 dans la préfecture d'Osaka. Une autre coupe de ce type figure au trésor du Shoso-in à Nara. Enfin, un bol à décor rapporté qui ressemble au cat. 98 a été découvert dans le tombeau de Hua Feng près de Pékin, site qu'il est possible de dater entre 265 et 316.

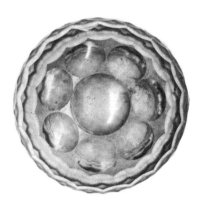

Fig. 1 - Bol en verre, trésor du Shoso-in, Nara, Japon.

17. Whitehouse 2005.

rappelle celle des hautes flûtes découvertes dans le monde romain. De tels gobelets ont été trouvés dans une tombe datée de la deuxième moitié du IIIe siècle à Sedinga au Soudan [1], on pense qu'ils auraient été fabriqués dans un atelier égyptien. Le Corning Museum of Glass conserve un gobelet [2] tout à fait semblable qui proviendrait de Amlash, en Iran du Nord.

F. D.

1. Leclant 1973, p. 52-68.
2. inv. 70 1 6.

83
Gobelet à décor de filets rapportés

Verre transparent vert clair - filets bruns
H. : 0,28 ; D. : 0,08
IIIe-IVe siècle
Iran
Téhéran, Musée national, inv. 4034.
Biblio. : Vienne 2000, n° 162.

Ce haut gobelet à la panse cylindrique repose sur un petit pied muni d'une large assise circulaire. Le décor rapporté à chaud est composé de rubans gaufrés, disposés verticalement et groupés par paires séparées par un filet simple. Cette forme élégante

84
Tube cylindrique à facettes

Verre transparent de couleur verte, moulé-soufflé, ciselé à facettes
H. : 0,305 ; D. : 0,024
VIe-VIIe siècle
Iran
Berlin, Museum für Islamishe Kunst, Staatliche Museen, inv. I.44/71.

Biblio. : Bruxelles 1993, n° 107.

Ce récipient tubulaire appartient à un type très particulier connu par les fouilles de Ninive en Irak, celles de Qasr-i Abu Nasr près de Shiraz en Iran ou bien encore par celles de Takht-i Sulaiman dans le Nord de l'Iran et par de nombreuses pièces de provenance inconnue conservées dans diverses collections. Ces tubes peuvent être grossièrement datés de la fin de l'époque sassanide ou du début de l'époque islamique mais comme leurs décors de facettes ciselées sont très différents, ils ont dû être fabriqués pour un usage bien défini que nous ne connaissons pas encore. Sur nombre de ces tubes, des traces montrent qu'ils ont dû être fermés par un couvercle métallique.

J. K.

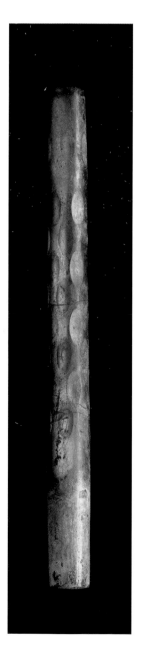

Cette singulière bouteille en verre présente une embouchure à rebord saillant et un col cylindrique ; au-dessus d'une base plate circulaire, la panse piriforme s'inspire des flacons en argent de la tradition sassanide. La bouteille est décorée par trois rangées de disques appliqués ; un cordon de verre a été appliqué sur son épaule. Il présente toutes les caractéristiques de la vaisselle sassanide. Des coupes portant des disques appliqués sans décor sont attestées depuis l'époque sassanide tandis que des vases de formes variées portant des disques appliqués décorés d'oiseaux ou de chevaux ailés étaient produits en grande Syrie à l'époque omeyyade.

J. K.

86
Gobelet ou lampe

Verre
H. : 0, 144 ; D. : 0,069
IVe-VIIe siècle
Iran, Amlash
Bruxelles, musées royaux d'Art et d'Histoire, inv. IR.1041.

Biblio. : Bruxelles 1993, p. 259, n° 108.

Ce vase transparent de forme conique, d'ordinaire considéré comme étant une lampe ou un gobelet, a été moulé et soufflé dans un verre transparent légèrement teinté de vert et parcouru de fines traces jaunâtres. Seize gouttes allongées de verre bleu ont été appliquées en une bande horizontale. Une seconde ligne entoure le gobelet à quatre millimètres du bord simple et plat. Cette lèvre aplatie suggère l'usage en lampe de ce récipient plutôt qu'en gobelet destiné à boire. De nombreux objets de ce type sont conservés dans les musées et les collections du monde entier et on les dit souvent originaires du Nord de l'Iran. Cependant, ce type de verrerie se rencontre aussi bien dans le monde romain qu'au Proche-Orient. Il est connu pour avoir été produit dans des ateliers romains de la région syro-palestinienne.

Étant donnée leur large répartition, il est probable que ces récipients relativement simples aient aussi été réalisés localement dans les nombreux centres verriers qui existaient sur tout le territoire de l'Iran sassanide.

B. O.

85
Bouteille décorée de disques

Verre transparent de couleur verte, moulé-soufflé, cordons et disques appliqués
H. : 0,143 ; D. : 0,092
VIe-VIIe siècle
Iran
Berlin, Museum für Islamishe Kunst, Staatliche Museen zu Berlin inv. I. 65/64.

Biblio. : Iranische Kunst in deutschen Museen, 1967, pl. 18a.

87
Gobelet en verre taillé à facettes

Verre soufflé taillé
H. : 0,212 ; D. extérieur : 0,063 ; D. intérieur : 0,058
contenance : 430 ml ; Pds : 142
Vᵉ siècle (?)
Réputé provenir d'Iran
Londres, British Museum inv. 132985 (1962-10-13,1).

Biblio. : Barnett 1963, p. 100 ; Pinder-Wilson 1963, pl. XVa ; Pinder-Wilson 1968, p. 106, nᵒ 138 ; Harden 1972, p. 83, pl. VID ; Pinder-Wilson 1991, p. 114, fig. 137.

Ce récipient a été exposé et décrit tantôt comme un vase, tantôt comme une fiole, ou encore comme une lampe ou un gobelet. La taille des facettes en nid d'abeilles en haut et en bas de l'objet est caractéristique de la verrerie sassanide tardive. Le décor stylisé qui figure sous l'une des arcades a été comparé aux représentations d'autels du feu de la glyptique sassanide, ce qui ferait de cet objet l'équivalent sassanide d'une série de lampes en verre romaines tardives décorées de croix gravées et de gouttes appliquées de couleur bleue.

Toutefois, cette ressemblance apparente est plus probablement le résultat fortuit du croisement des facettes horizontales et verticales car le même effet visuel se retrouve sur les verres romains tardifs. Par ailleurs, son usage en tant que lampe semble improbable car les lampes sont d'ordinaire plus larges au sommet afin de mieux projeter la lumière vers le haut et il n'y a aucun moyen simple d'installer convenablement cet objet dans une suspension ou un candélabre. Par sa forme, cet objet ressemble à une coupe dont la contenance est semblable à celle des bols hémisphériques et des gobelets à pied sassanides tardifs. Des récipients analogues découverts en Scandinavie sont datés des IVᵉ et Vᵉ siècles. Des fragments de coupes coniques et larges à base circulaire revêtus d'un décor sommairement taillé ont aussi été retrouvés à Veh Ardashir et on peut les dater du Vᵉ siècle, date également probable pour cet objet.

St J. S.

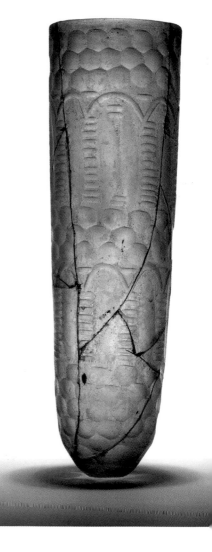

88
Petit flacon à panse côtelée

Verre vert clair soufflé-moulé, resoufflé
H. : 0,745 ; D. : 0,059 ; D. intérieur du col : 0,019
contenance : 42 ml (à l'étranglement du col) ; Pds : 103,5
IIIe-VIIe siècle
Irak, Babylone,
Londres, British Museum, inv. ANE 91538.

Ce flacon appartient à l'une des formes les mieux reconnaissables de la verrerie sassanide découverte à l'occasion des fouilles de Mésopotamie. Lisses ou décorés de filets, des objets de ce type ont été retrouvés à Veh Ardashir (Coche), la cité fondée par Ardashir Ier (224-240) sur la rive du Tigre qui fait face à Ctésiphon. Le type décoré de filets a aussi été découvert à Ctésiphon, Kish, Tell Mahuz et Ninive ainsi que dans des tombes à Bahrein et à Haftavan tepe (ouest de l'Iran). Ils sont d'une couleur verte bien reconnaissable, à surface lisse ou décorée de filets et leur hauteur varie de 6,5 à 10,5 cm. Les cols étroits laissent penser que leur dessin visait à une obturation parfaite et à un écoulement goutte à goutte de leur contenu ; il est probable qu'ils aient contenu un parfum. Un passage du Talmud de Babylone évoque l'importance de l'usage des parfums par les deux sexes ; il fait allusion à une « société de marchands de parfums » ; de son côté, l'auteur byzantin Theophylacte Simocatta raconte comment à l'occasion des banquets, les Perses étaient enclins à s'asperger de parfum. Ce flacon a été exhumé par Sir Austen Henry Layard (1817-1894) dans la partie du site de l'ancienne Babylone dite « colline de Babel » au XIXe siècle. Des monnaies, des sceaux, de la verrerie taillée à facettes, de la céramique et des « bols magiques » à inscriptions datant de la fin de la période sassanide ou de l'époque postérieure indiquent que des zones importantes du site ont été occupées pendant la durée de la période sassanide. Cette occupation continue du site explique la survie de son nom ancien. La ville et ses environs sont désignés sous le nom de « Bavel » dans le Talmud de Babylone, un *mobadh* de Babil est mentionné sur une bulle sassanide tardive. La ville correspond à un important point de franchissement de l'Euphrate et de ce fait un lieu d'importance stratégique. C'est là que les restes de l'armée perse commandée par Fayruzan tentèrent de contenir l'armée arabe après la bataille de Qadissiyah. Plus tard, la région sera toujours désignée en arabe sous le nom de « pays de Babil ».

St J. S.

89
Bouteille miniature

Verre taillé à facettes non poli
H. : 0,047 ; D. : 0,032 ; D. du bord intérieur : 0,018
contenance : 15 ml (à l'étranglement du col) ; Pds : 11,5
IVe-Ve siècle
Irak, Kuyunjik, Ninive
Londres, British Museum, inv. ANE 91519.

Biblio. : Simpson 2005, p. 148-149, fig. 2, p. 10.

Les récipients miniatures en verre taillé à facettes sont rares. Même s'ils sont semblables par leur forme, leur taille et leur matériau, ils diffèrent par le décor des omniprésentes bouteilles en verre soufflé découvertes dans les tombes de l'époque sassanide en Mésopotamie. La rareté

de ce type d'objets laisse penser qu'ils ont été fabriqués en quantité limitée par un unique atelier. Le verre taillé était une spécialité des artisans sassanides mais cette technique était principalement utilisée sur des vases aux parois épaisses afin bien sûr de limiter les risques de casse mais sans doute aussi afin d'imiter par le poids et l'assise, les vases taillés dans des pierres telles que le cristal de roche. Les origines de la tradition sassanide du verre taillé ne sont pas encore bien connues mais il apparaît à Veh Ardashir (Coche) au milieu du IVe siècle. Vers la fin de la période, la technique évolue et donne naissance à des styles de tailles plus profondes et imbriquées ; certains vases célèbres de ce type se retrouveront dans des tombeaux en Extrême-Orient. La datation de ce vase n'est pas assurée mais la technique de taille évoque le IVe, peut-être le Ve siècle. Il a été découvert au XIXe siècle dans les fouilles de Ninive qui semble avoir été à cette époque une ville importante et un point stratégique de franchissement du Tigre. Les fouilles du site ont livré un grand nombre d'objets datés de cette période parmi lesquels de la verrerie, de la céramique, des casques, des sceaux, des bulles et des monnaies.

St J. S.

90
Petite cruche en forme de poire

Verre soufflé
H. : 0,101 ; D. : 0,063 ; D. bord interieur : 0,029 ; Pds : 123,5
IIIe-VIIe siècle
Irak, Abu Habba (Sippar)
Londres, British Museum, inv. ANE 91472 (1882-3-23,2266a).

Cette cruche a été découverte sur le site de Abu Habba (l'ancienne Sippar), à quelque vingt kilomètres au sud de Bagdad, à l'occasion de la campagne de fouilles menée par Hormuzd Rassam (1826-1910) sous la direction du British Museum. Des fouilles irakiennes postérieures ont prouvé que cette ancienne cité a été occupée au moins depuis le milieu du IIIe millénaire av. J.-C. et demeure une cité importante et un lieu de culte du dieu babylonien Shamash sous le règne des monarques néo-babyloniens au VIe siècle av. J.-C.. Dans la période qui suit, il est difficile de dire ce qu'il advint de ce site mais des découvertes datables faites dans des tombes indiquent qu'il était occupé ou ré-occupé à l'époque sassanide. Parmi les autres découvertes de cette période, on trouve des céramiques et les « bols magiques » à inscriptions.

L'excellent état de conservation de cette cruche indique qu'elle provient sans doute d'une tombe. Le col très étroit laisse penser qu'elle a dû contenir un liquide précieux et volatile, peut-être un parfum ou une huile. Des flacons de ce genre, tantôt lisses, tantôt décorés de cordons sont attestés en Irak comme en Iran. Il est difficile de savoir s'ils proviennent d'un même atelier de verrier ou s'ils ont été produits conformément à une tradition standardisée que nous ne connaissons pas encore.

L'usage d'inhumer de la vaisselle de verre et d'autres objets avec les défunts s'est maintenu en Mésopotamie durant toute la période ; de telles pratiques ne correspondent en rien à l'orthodoxie zoroastrienne et devaient concerner la population autochtone dont les rites funéraires n'étaient pas affectés par la religion d'État.

St J. S.

91

Cruche

Verre transparent altéré
H. : 0,16
Vᵉ-VIIᵉ siècle
Iran, Nehavend
Téhéran, Musée national, inv. 579.

Biblio. Fukai, 1977, p.52; fig. 56.

Cette cruche en épais verre blanc a été réalisée par soufflage. L'embouchure en collerette est directement raccordée à la panse piriforme qui s'évase vers la base du récipient. Le bec a été obtenu par pincement à chaud du verre. L'anse munie d'un poucier, est attachée directement sur l'embouchure et prend appui très bas sur la panse.

La forme générale de ce récipient rappelle celle des aiguières en argent ou des cruches en terre émaillée contemporaines. Ces grandes cruches en verre sont rares , le trésor du Shoso-in à Nara au Japon en abrite un exemplaire : le verre dans un état de conservation parfaite a gardé sa toute transparence mais la silhouette plus élancée de ce vase indique une date probablement plus récente, au début de l'époque islamique.

F. D.

92

Vase piriforme

Verre brun clair jaunâtre, transparent
H. : 0,202
IVᵉ ou VIᵉ siècle
Lieu de découverte inconnu
Corning, The Corning Museum of Glass (62.1.4).

Biblio. : « Recent Important Acquisitions », JGS, v. 5, 1963, p. 145, n° 18 ; Corning 1972, p. 11, n° 11 ; Charleston 1980, p. 64, n° 24 ; Dolez 1988, p. 55, n° 6 ; Charleston 1990, p. 64, n° 24 ; Brewerton 1991, p. 55 ; Corning 1992, p. 28, n° 18 ; Yoshimizu 1992, v. 1, p. 289-290, n° 186 ; Bruxelles 1993, p. 257, n° 105 ; Whitehouse 2005, p. 54-56, n° 65.

En forme de poire, soufflé et taillé à facettes, ce flacon se termine par un rebord plat à lèvre arrondie. La panse s'évase vers le bas avant de rentrer vers une base étroite décorée d'un cercle de facettes concaves. La panse est totalement recouverte par seize bandes horizontales de facettes organisées de telle sorte que de haut en bas

Fukai [1] a publié un vase analogue [2] lui aussi percé en son fond et que l'on croit provenir d'une tombe sassanide de la province de Gilan, dans le Nord de l'Iran. Les trous que présentent ces deux objets ressemblent à ceux pratiqués par R. W. Smith pour réaliser des prélèvements destinés à l'analyse spectrographique. Mais, bien évidemment, la bouteille de Gilan a été perforée à époque antique et il en va de même pour le cat. 96.

D. W.

1. Fukai 1977, p. 54, fig. 59.
2. Au sujet d'un vase argenté de même forme mais décoré d'un motif en forme de cœurs, que l'on pense fabriqué en Iran entre le VIIe et le VIIIe siècle, voir Hasson, 1979, p. 28-29 et 37, n° 50.

93

Coupe

Verre brun rougeâtre, transparent
H. : 0,072 ; D. : 0,081
Probablement VIe siècle
Lieu de découverte inconnu
Corning, The Corning Museum of Glass, inv. 72.1.21.

Biblio. : Charleston 1980, p. 67, n° 2 ; Zerwick 1980, p. 33, fig. 2 ; Charleston 1990, p. 67, n° 25 ; Zerwick 1990, p. 33, fig. 26 ; Corning 1992, p. 28, n° 19 ; Yoshimizu 1992, v. 1, p. 289, n° 183 ; Bruxelles 1993, p. 265, n° 114 ; Guide Corning 2001, p. 45 ; Whitehouse 2005, p. 45-46, n° 50.

alternent deux rangs de facettes étroites et ovales et deux rangs de facettes approximativement ovales, certaines d'entre elles présentant des arêtes droites. Ensuite, dix rangs d'hexagones sont organisés en quinconce ; suivent une rangée de facettes quasi circulaires puis une rangée de grandes facettes circulaires. Au centre du fond, on trouve une petite perforation circulaire. L'objet est incomplet. Brisé, il a été restauré à l'aide de petits ajouts sur la lèvre et sur la panse. Des points légèrement irisés marquent la surface.

Cette coupe hémisphérique a probablement été moulée mais il est possible qu'elle ait été soufflée. Elle a ensuite été taillée, posée sur une base et polie. Le bord plat est souligné d'une lèvre arrondie qui forme un très léger relief. En descendant, la panse s'incurve vers l'intérieur pour reposer sur un pied circulaire. La paroi est décorée de deux rangées horizontales formées de six protubérances cylindriques aux surfaces concaves.

L'objet n'est pas endommagé hormis quelques ébréchures sur le bord, sur quelques protubérances et sur le pied ; il présente sur toute sa surface des points brunâtres d'altération.

Une coupe fragmentaire de ce type a été découverte à l'occasion de fouilles à Qasr-i Abu Nasr, dans le Sud de l'Iran [1] et des pièces semblables ont été découvertes en Exrême-Orient. L'une d'elles fut mise au jour en Chine, dans la tombe de Li Xian (décédé en 569) et de son épouse Wu Hui (décédée en 547) à Guyan dans la région autonome du Ninxia [2] ; un autre a été découvert à Barchuk au Xinjiang [3] et les fragments d'un troisième ont été exhumés dans le sanctuaire de Munakata, sur l'île japonaise d'Okinoshima, dans un contexte archéologique des VIe-VIIe siècles [4].

D. W

1. Whitcomb 1985, p. 156, fig. 58k.
2. An 1986 ; New York 2004, p. 61 et 258, n° 158.
3. Laing 1991, p. 111 et fig. 8.
4. Fukai 1977, p. 44-45 ; Laing 1991, p. 118 et fig, 29.

94

Coupe

Verre vert clair transparent
H. : 0, 077 ; D. : 0,106
V[e]-VIe siècle
Lieu de découverte inconnu
Corning, The Corning Museum of Glass, inv. 61.1.12.

Biblio. : New York 1978, p. 155, n° 78 ; Bruxelles 1993, p. 263, n° 112 ; Whitehouse 2005, p. 44-45, n° 49.

De forme approximativement hémisphérique, cette coupe en verre soufflé porte un décor de facettes taillées. Le bord en légère saillie se termine par une lèvre aplatie par polissage. La paroi est d'abord verticale avant de s'incurver vers une base étroite légèrement concave. Du haut vers le bas, la face extérieure est décorée de trois registres horizontaux : deux bandes de vingt-et-une cavités placées côte à côte qui sont plutôt carrées dans la bande supérieure et circulaires dans la bande inférieure puis de deux sillons parallèles et enfin de quatre bandes de cavités organisées en quinconce ; les cavités de la bande supérieure présentent des sommets arrondis et un fond en V alors que ceux du registre inférieur ont des arêtes en V et des fonds arrondis ; ceux des autres registres sont de forme hexagonale.

L'objet est intact ; il ne comporte qu'une légère irisation et des taches brunes d'altération.

Deux coupes fragmentaires de ce type ont été mises au jour à Tureng Tepe dans le Nord de l'Iran [1] et une coupe analogue a été découverte dans la tombe 98 (La grande tombe) à Hwangnam daech'ong en Corée [2]. Le site se compose de deux tumuli dont l'un est considéré comme la tombe du roi Soji décédé en 499 et inhumé en 502 et l'autre, présumé être celui de son épouse qui mourut quelque temps après lui.

D. W.

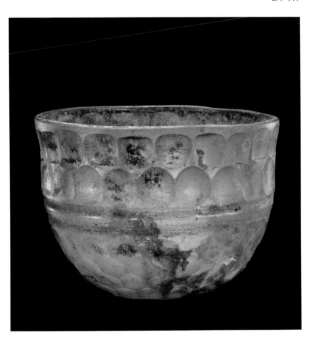

1. Boucharlat et Lecomte 1987, p. 173, pl. 99, n° 6 et pl. 100, n° 114.
2. Londres 1984, p. 93, n° 84 ; Lee 1993, p. 33-35, n° 6 ; Laing 1991, p. 115 et fig. 16.

95

Coupe à décor de nervures

Verre transparent vert olive
H. : 0,102, ; D. : 0,109
IIIe siècle environ
Lieu de découverte inconnu
Corning, The Corning Museum of Glass, inv. 63.1.10.

Biblio. : Ann Harbor 1967, p. 156, n° 81 ; Corning 1972, p. 10, n° 9 ; Bruxelles 1993, p. 268, n° 11 7; Whitehouse 2005, p. 22-23, n° 7.

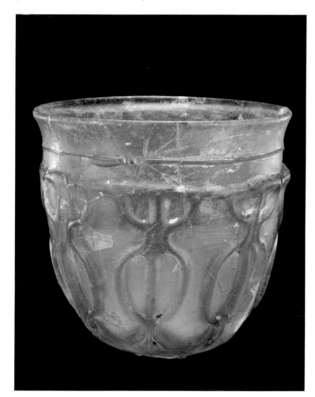

Cette coupe profonde au bord évasé a été soufflée et son décor rapporté. La paroi de la panse est presque verticale avant de s'incurver vers une base étroite et concave. La décoration rapportée occupe la majeure partie de la paroi extérieure et consiste en une frise horizontale continue délimitée en haut et en bas par un simple cordon. La frise se compose de sept groupes de trois cordons verticaux ; dans chaque groupe, le cordon central est demeuré vertical tandis que les deux autres étaient pincés vers lui afin de le rejoindre en deux endroits. Entre le bord de la coupe et la frise, a été déposée une fine nervure horizontale.

La pièce est incomplète. Elle a été cassée et réparée ; de petits éclats sur la lèvre et la panse ont été restaurés.

L'aspect du verre est terne et présente des taches d'altération de couleur argent irisé.

Des bols fragmentaires de ce type ont été découverts à Choche (Ctésiphon) et à Uruk en Irak [1] ainsi qu'à ed-Dur dans les Émirats arabes Unis [2] ; certains autres sont présumés venir de la province de Gilan en Iran [3].

D. W.

1. Negro Ponzi Mancini 1984, p. 35 et fig. 3, n° 110 ; Van Ess and Pedde 1992, p. 170, nos 1272 et 1273.
2. Lecomte 1993, p. 201 et fig. 14, n° 5.
3. Fukai 1977, pl. 16.

96

Bol à décor en nid d'abeilles

Verre presque incolore teinté de jaune
H. : 0,089 ; D. : 0,013
Ve-VIe siècle
Lieu de découverte inconnu
Corning, The Corning Museum of Glass, inv.60.1.3.

Biblio. : von Saldern 1963, p. 10-11, fig. 6 ; Michigan 1967, p. 153, n° 77 ; Corning 1972, p. 11, fig. 10 ; New York 1978, p. 159, n° 82 ; Whitehouse 2005, p. 42-43, n° 46.

De forme hémisphérique, cette coupe a été soufflée et taillée ; le bord est en biseau et la paroi de la panse arrondie se termine par une petite base concave. La paroi extérieure est entièrement décorée de cinq rangs continus de creux à facettes qui entourent la facette circulaire de la base. Du haut vers la base on compte : une rangée de dix-neuf facettes à sommet arrondi, parois verticales et fond en V ; trois rangs de dix-neuf facettes hexagonales et un rang de sept facettes circulaires.

Selon le vendeur, la pièce aurait été découverte près de Amlash dans le Nord-Ouest de l'Iran mais cette provenance ayant la faveur des marchands d'antiquités, l'information du vendeur n'est pas fiable [1].

Les coupes hémisphériques à décor de nid d'abeilles comptent parmi les objets les mieux connus de la verrerie sassanide et des pièces de ce type ont été découvertes à l'occasion de fouilles archéologiques en Irak, en Iran et dans les régions limitrophes. Cette coupe est tout à fait semblable à la célèbre coupe du trésor du Shoso-in à Nara (Japon) qui est réputé avoir été offert au sanctuaire en 752 par l'empereur Shomu [2]. Une autre coupe a aussi été découverte au Japon dans le tombeau de l'empereur Ankan (r. 531-535) dans la préfecture d'Osaka [3]. En Chine, une coupe analogue a été découverte dans la tombe de Liu Zong, décédé en 439, à Chucheng, Jurong, dans la province du Jiangsu [4].

D. W.

1. Whitehouse 2005, p. 10.
2. Laing 1991, p. 118, fig. 25.
3. Blair 1973, p. 61, pl. 1; Laing 1991, p. 118, fig. 26.
4. New York 2004, p. 61 et 211, n° 117.

97

Gobelet ou lampe

Verre transparent à nuance de vert très clair et inclusions translucides bleues
H. : 0, 093 ; D. : 0,107
IVe-VIIe siècle
Lieu d'origine inconnu (acheté en Iran)
Corning, The Corning Museum of Glass, inv. 63.1.21.

Biblio. : « Recent Important Acquisitions » JGS, v. 6, 1964, p. 158, n° 11 ; Bruxelles 1993, p. 260, n° 109 ; Whitehouse 2005, p. 50-51, n° 60.

Cet objet de forme tronconique est un gobelet ou bien une lampe ; il a été moulé et soufflé, revêtu d'applications puis taillé à froid. Le bord évasé présente une face supérieure plate et polie ; la paroi de la panse fait d'abord une saillie convexe avant de devenir concave vers le bas. La base plate est très légèrement concave. La paroi extérieure est totalement recouverte de facettes taillées et d'un décor appliqué organisé en trois registres horizontaux ; à savoir, de haut en bas, entre deux rainures plutôt irrégulières, treize facettes ovales alternent avec six rangs de courtes rainures horizontales parallèles. Au-dessous, vingt-et-une gouttes circulaires en verre de couleur bleue ont été appliquées sur le pourtour du gobelet ; enfin, sous la rainure irrégulière, un motif couvre l'ensemble ; il se compose d'un registre de quatre bandes de facettes placées en quinconce, chaque bande est composée comme suit : de haut en bas, une bande de dix-neuf facettes à sommet arrondi et fond en V, deux bandes de facettes plus ou moins hexagonales et une bande de onze facettes à fond arrondi.

La pièce présente seulement quelques zones d'altération de couleur qui vont du brun à l'ivoire et une faible irisation.

La comparaison avec le décor travaillé à froid présent sur d'autres formes telle la coupe publiée en 2005 par

Whitehouse permet raisonnablement de douter de l'origine sassanide d'objets tels que ce gobelet. Ces vases tronconiques à décor de bulles bleues tel le vase cat. 89 ne se distinguent en rien des productions romaines du IVᵉ siècle.

D. W.

deran située dans le Nord de l'Iran où des pièces semblables furent mises au jour. Cependant, des découvertes ont aussi été faites en Irak ce qui laisse penser que ce type de vase a été utilisé dans une zone étendue de l'Empire sassanide.

J. K.

98
Bol à protubérances

Verre de couleur vert clair, soufflé, décor appliqué et pincé
H. : 0,09 ; D. : 0,115
IIIᵉ-IVᵉ siècle
Iran
Berlin, Museum für Islamische Kunst, Staatliche Museen zu Berlin
inv. I.1/71.

Biblio. : Stuttgart 1980, n° 3.

99
Coupe à pied

Verre
D. : 0,063 ; H. : 0,066
IIIᵉ-IVᵉ siècle
Iran, Suse
Ville royale, A XI -élargissement du chantier N-E (fouilles 1963)
Paris, musée du Louvre, département des Antiquités orientales
inv. SB 5844.

Biblio. : Arveiller et Nenna 2005, p. 461, n° 1289.

La forme de cette coupelle en verre soufflé est très proche de celle des coupes à pied en argent dont un exemplaire à été retrouvé à Suse (cat. 63). Elle est composée de deux parties : un bol hémisphèrique et un haut pied rapporté. Elle a aussi été mise au jour à Suse lors des fouilles conduites par R. Girshman en 1963 sur le site de la ville royale, dans un niveau qui correspond à la période partho-sassanide.

F. D.

De forme globulaire, cette coupe se termine par une lèvre légèrement évasée. Son décor consiste en une double rangée de grandes protubérances et d'une troisième rangée de protubérances plus petites pincées de telle manière qu'elles forment un anneau de petits pieds sur lesquels la coupe repose. Une irisation argentée recouvre le verre de couleur vert clair. Cette coupe peut provenir de la région de Mazan-

100

Petite coupe

Or et cristal de roche
L : 0,089 ; l. : 0,066 ; H. : 0,017
VIIe siècle
Iran, Suse
Paris, musée du Louvre, département des Antiquités orientales,
inv. Sb 3795.

Biblio. : Amiet 1967, fig. 10-11, p. 277 ; Conteneau 1948, pl. XLIV, p. 101 ; Ghisrshman 1962a, p. 222, fig. 264 ; Pézard et Pottier 1913, n° 403, p. 175 ; Pézard et Pottier 1926, n° 403, p. 161 ; Shalem 2000, p. 169-182.
Expos. : New York 1978, n° 29, p. 85 ; Bruxelles 1993, n° 82, p. 231.

Cette précieuse coupelle est composée d'un fond en cristal de roche gravé, serti dans une monture en or ajourée. À l'intérieur de la monture, formée d'une feuille d'or repliée, on aperçoit les restes d'une substance noirâtre, peut-être du bitume, qui avait servi à fixer des incrustations de matière colorée. Le décor travaillé en camée au revers de la coupe est visible par transparence à l'intérieur. Un motif composé de trois folioles réunies par la pointe et encadré de deux spirales, orne les deux extrémités de l'ovale, le reste de la surface est occupé par un quadrillage de losanges. Un fragment d'une coupe en jadéite, de mêmes dimensions et qui provient aussi de Suse [1], porte le même type de décoration. Ces motifs ont été rapprochés des décors gravés au dos des sceaux [2] ; ils étaient peut-être exécutés par les mêmes lapicides, ou par des artisans disposant des mêmes recueils de motifs décoratifs.

Cette coupelle, qui s'apparente, tant par la technique que par les matériaux, à la coupe dite de Salomon (cat 35), devait contenir des matières précieuses, utilisées en petite quantité, peut-être des fards.

F. D.

1. Musée du Louvre, Sb 3792.
2. Gyselen 1993 (a).

Cat. 127, détail.

Les textiles de luxe, marqueurs de la royauté

Dominique Bénazeth

Les souverains sassanides ont laissé d'eux une image codifiée, dans laquelle le costume joue un rôle de premier plan. Ils portent avec aisance des vêtements amples et souples, complétés par des attributs précieux et d'impeccables coiffures. Qu'ils chassent, qu'ils combattent ou bien assistent aux distractions de la cour, ils sont toujours bien mis et se distinguent par leurs atours. Les représentations montrent encore, incidemment, des tissus d'ameublement (coussins des trônes) ou de parade (tapis de selles). Ces étoffes devaient être magnifiques : robes et pantalons bouillonnent comme de fines mousselines, des rubans fournis flottent au vent et certains tissus sont savamment décorés. Le plus bel exemple en est donné par les reliefs de Taq-i Bustan (cat. 1 et 2) : sur les costumes des chasseurs, le sculpteur a rendu des fleurs, des oiseaux et des animaux fantastiques, disposés dans des médaillons perlés ou des réseaux de rais-de-cœurs, tout en soulignant la coupe ajustée des habits par des galons pareillement ornés. Ces décors étaient tissés sur des métiers complexes, où s'entremêlaient les fils de soie d'une finesse extrême. La matière précieuse venait de Chine mais les Sassanides contrôlaient son commerce et en tiraient de substantielles ressources. Leurs soieries, monnaies d'échange ou cadeaux de grand prix, étaient connues des Grecs sous le nom de *polymita* et des Romains sous celui de *samitum*, qui a donné « samit » en français. Ainsi, leur circulation a dispersé les étoffes sassanides dans tout le monde alors connu. Curieusement, aucun témoignage concret n'en a été retrouvé sur le territoire de l'Empire, hormis les représentations évoquées plus haut. En revanche, des textiles de caractère sassanide se sont conservés sous de meilleurs climats, dans des nécropoles à inhumations habillées ou dans des trésors d'églises, tant à l'Est (Caucase, Asie centrale) qu'à l'Ouest (Égypte, Syrie, continent européen).

Ateliers et diffusion de la mode

Le paradoxe de ces trouvailles périphériques mais dont la technique et le style sont jugés sassanides, soulève bien des questions. La datation des pièces et la localisation des productions divisent encore les spécialistes. L'archéologie n'a jusqu'ici apporté que peu de précisions. L'estimation de l'âge des tissus par la méthode du radiocarbone est actuellement testée [1]. Comme les matières textiles voyageaient beaucoup, avant et après leur transformation dans les centres de tissage et dans les ateliers de confection (non identifiés), le style des décors a voyagé avec elles, ce qui a favorisé une diffusion lointaine de l'art sassanide et son prolongement, bien après la chute de l'Empire. Les étoffes utilisées secondairement pour envelopper des reliques ont véhiculé ces créations vers l'Occident (cat. 126, 129). En Orient, elles furent adoptées en Sogdiane, comme le montrent les peintures d'Afrasiab près de Samarcande. Plus loin encore, des soieries post-sassanides furent retrouvées aux marches de la Chine. De la nécropole égyptienne d'Antinoopolis proviennent les extraordinaires costumes fortement influencés par cette mode, sinon importés directement de Perse, ici présentés.

Témoignages de la mode sassanide à Antinoopolis (Antinoé)

Cette cité, fondée au bord du Nil par l'empereur Hadrien en 132 apr. J.-C., connut la prospérité jusqu'à l'arrivée des Arabes en 642. L'Égypte, province romaine puis byzantine, développait alors un art copte, très renommé pour ses tissages. Parmi les immenses nécropoles d'Antinoé [2], une centaine de tombes, réparties en deux zones, livra un ensemble de vêtements d'un genre très différent. Ces découvertes ont révélé non seulement des objets (pièces de costumes et d'ameublement) mais encore des techniques, des décorations et une mode vestimentaire étrangères à la production copte [3]. Le contexte archéologique n'a pas été clairement décrit par les fouilleurs (Carl Schmidt en 1896, cat. 101, 110 ; Albert Gayet, de 1896 à 1908, cat. 102-125) mais il semble bien que ces tombes n'avaient rien de particulier, hormis ces costumes, qui puisse les distinguer des sépultures autochtones. Si bien que l'on s'interroge sur l'identité des morts qui portaient de tels atours. S'agissait-il de Perses, l'Égypte ayant fait partie de l'Empire sassanide entre 619 et 629 ? Ou bien de fonctionnaires byzantins en poste dans la capitale régionale ? A. Gayet penchait pour cette seconde hypothèse. Et en effet, l'iconographie de l'Antiquité tardive et byzantine fournit maints exemples du port de telle ou telle pièce du costume. Il désignait leurs propriétaires par le titre de « patriciens », de « chevalier byzantin » ou encore de « fonctionnaire à la pourpre », insistant par là même sur la somptuosité des parures. Les spécialistes des textiles anciens les considèrent plutôt comme des costumes de cavaliers et relèvent leur parenté avec les usages sassanides. Il est donc bien difficile de savoir qui commandait de tels habits et pour quelles circonstances. La parure funéraire était probablement un usage secondaire pour des vêtements déjà portés durant leur vie,

1. Cat. 101-106, 110, 112, 116, 125, 126. Les prélèvements effectués au Louvre sont préparés par M. Van Strydonck à l'Institut royal du patrimoine artistique de Bruxelles et mesurés à l'université de Kiel, qui traita aussi les manteaux de Berlin : D. Bénazeth et M.-H. Rutschowscaya, 2004, p. 85 ; Bénazeth (à paraître) ; C. Fluck et G. Vogelsan-Eastwood, 2004, p. 148, 183-184.
2. F. Calament, 2005.
3. C. Fluck et G. Vogelsan-Eastwood, 2004.

manifestant le faste d'une activité ou d'un rang dans la société d'Antinoé. La couleur des manteaux et la nature de leur ornementation avaient sans doute une signification à cet égard. Certaines soieries avaient été prélevées sur des pièces anciennes pour orner ces vêtements de prestige [4].

À côté des costumes, quelques tissus d'ameublement (cat. 125, 128) présentent également une forte spécificité orientale, en contraste avec la production copte. Elle réside tantôt dans la matière (chèvre cachemire), ou dans la préparation des fils (torsion de sens Z au filage, teintures à la cochenille), tantôt dans le tissage (taquetés) et toujours dans la décoration.

Ne connaissant ni le lieu de fabrication des étoffes, ni celui de la confection des costumes, ignorant qui les possédaient, nous devons nous contenter d'y déceler un art issu du monde sassanide, d'y voir son rayonnement au-delà des frontières, et d'admirer les pièces elles-mêmes [5].

Les pièces du costume

La chemise (cat. 117) à manches longues s'ouvre sur la poitrine par une fente médiane. La toile de lin est coupée en forme et assemblée par coutures rabattues. Les poignets sont resserrés par des galons, qui bordent aussi l'encolure, et qui furent tissés à part (cat. 118), parfois sur un métier aux cartons (cat. 120, 121 et encadré ci-après).

Dans les représentations, le bas de la chemise cache en partie un autre vêtement, qui enrobe les jambes, laissant planer le doute sur sa nature : pantalon ou paire de jambières indépendantes. L'un et l'autre existaient mais seules les jambières sont attestées à Antinoé. Ces sortes de guêtres en lainage étaient enfilées sur les jambes puis, s'arrêtant au niveau des cuisses, elles étaient fixées par des jarretelles, selon la description d'A. Gayet. La partie supérieure forme un angle ou un arrondi, d'où partait l'attache ; cette excroissance se plaçait sur le côté extérieur de la cuisse, donnant de l'aisance à la pliure de l'aine. Pour suivre la forme du mollet, l'ampleur était diminuée dès le tissage (cat. 111, 112, 113) ou rétrécie par des rentrés (cat. 110). Le décor se développe sur une bande de soie appliquée à la partie basse (cat. 110), quand il n'est pas tissé sur toute la surface (cat. 111, 112, 113). Des bas-de-chausses (cat. 114) couvraient les pieds et entraient dans des bottes (cat. 115) ou dans des chaussures lacées [6].

L'élément le plus spectaculaire est le manteau (cat. 101, 102 et fig. 1 ci-contre), réalisé dans une toile en laine de mouton ou en poil de chèvre cachemire, dont les fibres, soigneusement grattées, forment en surface des ondulations moirées. L'étoffe était teinte en rouge avec de précieux colorants qui lui donnaient la somptuosité de la pourpre, ou dans un bleu-vert aux nuances de turquoise. Ouvert sur le devant, évasé de coupe, le manteau se distingue par d'interminables manches. Enfilées, elles devaient cacher les mains, mais elles pouvaient aussi flotter le long du vêtement, posé sur les épaules à la manière d'une cape. Les bordures et les coutures des manteaux turquoise étaient cachées

Fig. 1. Reconstitution du manteau cat. 105. Musée de Stockholm. Cliché P. Dal-Prà.

4. La couleur pouvait indiquer l'ordre ou le rang de la personne qui la portait : cat. Louvre 1997, p. 8 ; F. Calament, 2005, p. 282, n° 892, 894. Le réemploi des soieries est attesté par l'application de certaines d'entre elles sur leur envers et par les datations au radiocarbone : Bénazeth (à paraître). Enfin, signalons qu'une même étoffe pouvait se trouver dans plusieurs tombes (cat. 106, 111, 118, 124) sans doute parce que le tissu d'origine avait été distribué sur plusieurs vêtements.
5. Cat. Lyon 1986 ; cat. Louvre 1997 ; guide Lyon 1998.
6. C. Fluck et G. Vogelsan-Eastwood, 2004, p. 189-205 ; F. Calament 2005, p. 283-284, n° 902-904.

par des galons aux cartons (cat. 101). Sur les manteaux rouges étaient appliquées de larges bandes de soieries façonnées (cat. 102 à 106). D'autres samits historiés décoraient des manchettes (cat. 107 à 109), au dire d'A. Gayet, mais on ignore en quoi consistait exactement cet élément [7].

Le traditionnel costume des cavaliers orientaux était à la fois pratique (pantalons et jambières permettant de chevaucher) et ostentatoire (manteau que l'on pouvait étaler sur la croupe de la monture). Deux cavalières furent enterrées à Antinoé, avec leur selle d'amazone ; le bonnet de l'une d'elles (cat. 116) présente la somptuosité des autres vêtements. Ainsi, le courant avait-il gagné le vestiaire féminin, qui adopta soieries et motifs orientaux. Moins caractéristiques que le costume masculin décrit plus haut, ces garde-robes ne retenaient que certains aspects de la mode sassanide.

7. Certaines manchettes étaient en cuir ou comportaient une partie de cuir : cat. Louvre 1997, p. 95-98, n° 44 ; F. Calament 2005, p. 280.

Le tissage aux cartons

Cécile Giroire

En Égypte, et particulièrement sur le site d'Antinoé, ont été retrouvés nombre de vêtements, tuniques ou manteaux, bordés de galons rapportés. Ceux-ci ont été réalisés selon une technique de tissage particulière, appelée « tissage aux cartons » car elle met en œuvre des plaquettes de bois, d'os ou de cuir, voire des cartes à jouer. Habituellement quadrangulaires, ces « cartons » sont percés aux 4 angles d'un trou circulaire par lequel passe le fil de chaîne. Selon la largeur du galon souhaitée, leur nombre peut varier d'une dizaine à une centaine. Chaque mouvement de rotation des plaquettes crée un pas dans lequel est passé le fil de trame, dissimulé par les fils de chaîne qui forment le décor. Ce procédé de tissage génère donc des pièces fines et longues, ceintures ou galons qui sont ensuite cousus en bordure de vêtement. Les décors les plus simples sont à base de chevrons ; plus généralement, ils relèvent d'un répertoire géométrique, ou très stylisé, et sont répétés sur toute la longueur de la pièce. Des décors plus complexes, ou des détails, peuvent être obtenus par l'usage de trames supplémentaires qui sont brochées lors du tissage et participent au motif.

À Antinoé, les galons aux cartons exhumés décorent tous des tuniques ou manteaux coupés cousus plus proches de la mode perse que du vêtement égyptien de facture plus simple. Certains utilisent de la soie qui rappelle aussi l'Orient. Enfin, l'iconographie (oiseaux, têtes richement ornées) et l'organisation du décor, par leur proximité avec des soieries, reliefs ou pièces d'argenterie, témoignent d'influences sassanides certaines. S'agit-il pour autant de productions perses ? La découverte de cartons à tisser sur le site même d'Antinoé ne permet pas de répondre assurément à cette question.

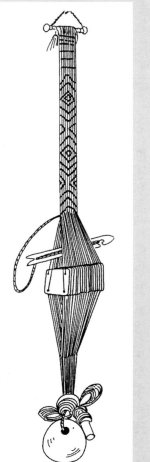

**Métier pour tissage aux cartons.
Dessin de reconstitution.**

101

Caftan bleu-vert

Laine de mouton et poil de chèvre du Cachemire (toile de manteau) ;
laine de mouton et lin (galon aux cartons) ; peu de toile de lin pour la
fermeture et pour le renforcement de l'ourlet du bas et des aiisselles
L : 1,20. ; l. : 2,52 (manches incluses)
440-640 (analyse radiocarbone)
Égypte, Antinoé, fouilles de Carl Schmidt, 1896
Berlin, Skulpturensammlung und Museum für Byzantinische Kunst,
inv. 9695.

Biblio. : Fluck 2004, p. 137-152, col. figs. 26 et 29, figs. 54-56 (avec bibliographie
détaillée en p. 149) ; Mälck 2004, p. 163-168, fig. 168-172, figs. 67b-69 ; Tilke 1923,
p. 13, pl. 27; Wulff et Volbach 1926, p. 133, pl. 126 (sous ancien n° 14231).

Ce manteau appartient au type des manteaux orientaux
de cavalier, tels ceux trouvés dans plusieurs tombes masculines de la nécropole d'Antinoé. Tous les manteaux ont
été taillés dans une toile de soie ou de laine cousue.
L'exemplaire de Berlin est constitué d'une toile épaisse
de couleur bleu-vert dont la surface présente des mèches
de poils ondulés. Les côtés du manteau sont légèrement
évasés dans leur partie inférieure ; les manches, aux
extrémités galbées, sont exceptionnellement longues.
L'encolure est rectangulaire. La moitié droite de la partie
antérieure est dotée d'un rabat rectangulaire, saillant à la
hauteur de la poitrine, et recouvrant partiellement la
moitié gauche. Les bords extérieurs du manteau sont
ornés de liserés de largeur et de dessins variés. La présence de fentes disposées sous les aisselles confère à ce
manteau un aspect exceptionnel. Elles servaient sans
doute d'orifices pour le passage des bras, ou facilitaient
une meilleure circulation de l'air.

C. F.

102

Manteau

Poil de chèvre cachemire (toile) et soie (samits façonnés)
1,35 x 0,55 (L des manches : 1,05)
Époque romaine (d'après fouille) ; entre 580 et 655 (datation au ¹⁴C)
Égypte, Antinoé, nécropole B, tombe 281 (fouilles A. Gayet 1897)
Lyon, musée des Tissus, inv. 968.III.1 (34.872).

Biblio. : Bénazeth (à paraître) ; Cardon et al. 1990, p. 30 ; cat. Lyon 1986, p. 54-55, n° 22 ; Fluck et Vogelsang-Eastwood 2004, p. 109-111 ; Martiniani-Reber 2004, p 114, fig. 1.

Le lainage est un cachemire aux poils grattés, qui ondulent à la surface, au toucher et à l'aspect somptueux. L'étoffe fut teinte, après le tissage, en un rouge carmin tiré de la cochenille, un insecte récolté dans des régions situées au nord de l'Empire sassanide. Un autre insecte, le kermès, a fourni le vermillon d'un galon de soie appliqué au bord des manches. Une seconde soierie (cat. 103) fut plus largement déployée, sur la poitrine et sur le bas évasé des manches, sans oublier les bandes plus minces qui s'étirent de haut en bas pour cacher les coutures et souligner les bords du manteau. Ces parements de soie sont très dégradés et presque imperceptibles dans l'état actuel. Une réplique du vêtement, exécutée lors de sa restauration en 1968 est conservée à Stockholm. Le manteau était porté avec des jambières en tapisserie, conservées à Lyon, et des chaussures à lacets. Un croquis de fouille regroupant des détails de ces costumes y associe le mot « Achille » en lettres grecques, peut-être le nom du propriétaire relevé dans la tombe.

D. B.

103

Fragments de soie
(garniture du manteau cat. 105)

Soie (samit façonné)
Plus grand fragment 0,34 x 0,285
Égypte, Antinoé, nécropole B, tombes 83 ? et 281 (fouilles A. Gayet 1897)
Époque romaine (d'après fouille) ; entre 420 et 550 (datation au ¹⁴C)
Lyon, musée des Tissus, inv. 897.III.6 (26.812/1) et Louvre, E 29222, déposé au musée des Tissus de Lyon.

Biblio. : Bénazeth (à paraître) ; Calament 2005, fig. 29 b ; Cardon *et al* 1990, p. 30 ; Cluny 2004, p. 192 ; Louvre 1997, p. 53-54, n° 7 ; Lyon 1986, p. 38, n° 4 ; Flück et Vogelsang-Eastwood 2004 p. 109-111, col. fig. 13, 14.

Les fragments ici rassemblés proviennent du manteau cat. 102 ou d'un vêtement similaire. Quelques vestiges de la même soierie sont encore en place sur le manteau exposé, au bas des manches et sur les coutures. Ces garnitures

Cat. 106 : reconstitution du motif. ©S. Forestier.

ont été découpées dans une étoffe dont l'origine n'est toujours pas élucidée, en dépit des recherches techniques et stylistiques. L'une des hypothèses propose un atelier byzantin, peut-être égyptien (l'Égypte faisait alors partie de l'Empire byzantin). La récente datation par le carbone 14 donne un âge plus ancien pour la soierie (Vᵉ-première moitié du VIᵉ siècle) que pour le manteau (fin du VIᵉ-première moitié du VIIᵉ siècle). Celui-ci aurait donc été garni avec une étoffe de récupération, conservée en raison de sa valeur. L'association d'un manteau considéré comme sassanide et d'une soie peut-être byzantine ne doit pas surprendre car ces étoffes de grand prix, très recherchées, circulaient. Les dignitaires byzantins avaient d'ailleurs adopté la mode perse pour certains costumes officiels.

D. B.

104

Fragments de la garniture d'un manteau

Soie (taqueté façonné)
Plus grand fragment : 0,06 x 0,14 (montage : 0,25 x 0,40)
Égypte, Antinoé, nécropole B, tombe 89 ? (fouilles A. Gayet 1896-97)
Époque romaine (d'après fouille) ; entre 330 et 460 (datation au ¹⁴C)
Paris, musée du Louvre, département des Antiquités égyptiennes, inv. E 29214.

Biblio. : Calament 2005 p. 280, note 885 ; Louvre 1997, p. 55-56, n° 8 ; Florence 1998, p. 195, 196, n° 239 ; P. Dal-Prà 1994, p. 197-201.

Ces fragments, avec celui du musée des Tissus de Lyon (26.812/13) ont souvent été présentés sur leur envers (des lions sombres se détachant sur un fond d'or) mais l'endroit montre l'effet inverse de félins jaunes passant sur un fond bleu. La soierie aux lions passants adopte un poncif très oriental, antérieur même au règne des Sassanides. La technique de tissage (taqueté) la distingue des autres soieries (samits) garnissant les manteaux d'Antinoé. Elle fut cependant utilisée de la même manière, pour border un manteau rouge, au dire d'A. Gayet, ou un « manteau de jeune dame romaine vert pistache », selon une revue de 1897. L'exposition des trouvailles des premières fouilles d'Antinoé, au musée Guimet à Paris, eut un retentissant écho dans la presse de l'époque. Quelques confusions ont pu s'y glisser… L'archéologue affirmait cependant que la mode féminine était concernée, elle aussi, par les influences orientales et l'erreur d'attribution n'est finalement pas si grave.

D. B.

105
Fragments de la garniture d'un manteau

Soie (samit façonné) ; peinture à base de minium, blanc de plomb, cire et œuf
Plus grand fragment : 0,215 x 0,155 (montage : 0,53 x 0,67)
Égypte, Antinoé, nécropole B, tombe 200 (fouilles A. Gayet 1896-97)
Époque romaine (d'après fouille) ; entre 340 et 570 (datation au ^{14}C)
Paris, musée du Louvre, département des Antiquités égyptiennes, inv. E 29212.

Biblio. : Calament 2005, fig. 29 a ; Louvre 1997, p. 62-63, n° 16, p. 26, fig. 2 ; Florence 1998, p. 195-196, n° 240, ill. p. 190 (avec erreur de n°).

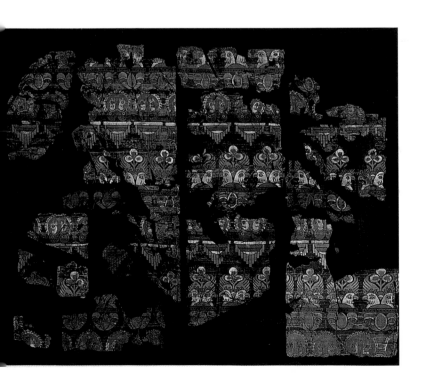

Les fragments proviennent de la bordure d'un manteau d'homme, probablement de couleur rouge, similaire au cat. 102, mais qui n'est pas conservé. Le costume était complété par des jambières garnies avec la même soierie et par une chemise dont quelques galons nous sont parvenus (cat. 117). La soierie se trouve à présent dans un état d'extrême dégradation ; d'autres morceaux en sont conservés au Louvre et au musée des Tissus de Lyon (26.812/8, 40.310, 40.311). Le montage respecte à la fois l'allure de galons verticaux, tels qu'ils se présentaient sur le vêtement, et l'idée du tissu d'origine, dans lequel ils furent découpés. Sur un fond bleu se détachent des motifs dont le dessin et la répétition appartiennent à l'art sassanide. Des touches de peinture, posées sur les têtes des griffons, en rehaussent les détails, pourtant déjà exécutés par le tissage. C'est l'unique exemple de ce procédé. Il nous révèle le luxe incroyable déployé dans les textiles d'Antinoé.

D. B.

106
Fragments de la garniture d'un manteau rouge

Soie (samit façonné)
Plus grand fragment : 0,205 x 0,23
Époque romaine (d'après fouille) ; entre 420 et 580 (datation au ^{14}C)
Égypte, Antinoé, nécropole B, tombe 106 ? ou plutôt 114 (fouilles A. Gayet 1896-97)
Paris, musée du Louvre, département des Antiquités égyptiennes inv. E 29225.

Biblio. : F. Calament 2004, p. 52, note 59, fig. 17 ; cat. Louvre 1997, p. 65-66, n° 19.

Un croquis de Jules-Paul Gérard, fait au moment de la découverte, donne la coupe du manteau, avec l'emplacement de la soierie appliquée en bordure et sur le large revers. Les morceaux conservés au Louvre et au musée des Tissus de Lyon (26.812/38) montrent plusieurs largeurs de bandes (4, 9 et 20 cm). Le croquis indique les motifs, ainsi que leur agencement en quinconce : des quadrilobes et des losanges timbrés d'une marguerite alternent avec de plus petits ronds entourant une étoile et des carrés contenant une svastika. Trois cordelines, cousues sur un petit reste de soie (non présenté), appartenaient sans doute à l'encolure. En effet, A. Gayet décrivait le col des manteaux comme « gansé » et « coulissé »,

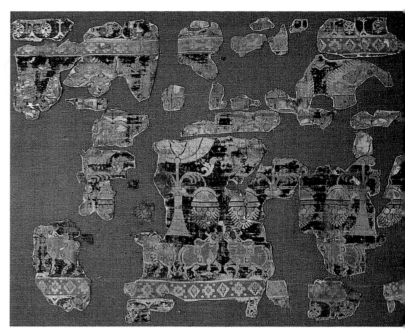

ce qui doit correspondre à un système complexe, attesté par de rares fragments, où plusieurs épaisseur de toiles, en laine ou en lin, supportent des groupes de trois torons, l'ensemble étant recouvert par des galons de soie et fixé par des lignes de points de couture.

D. B.

107
Soierie

Soie (samit façonné)
0,22 x 0,31
Époque romaine (d'après fouille)
Égypte, Antinoé, nécropole B, tombe 253 (fouilles A. Gayet, 1897)
Lyon, musée des Tissus, inv. 897.III.7 (26.812/18).

Biblio. : Lyon 1986, p. 50-51, n° 16 ; guide Lyon 1998, p. 47 ; guide Lyon 2001, p. 47 ; Calament 2004, p. 58, note 123.

La large bande est comprise entre deux bordures symétriques, formées par un ruban rouge garni de losanges, qui supporte un feston clair sur fond bleu foncé. C'est le même fond bleu qui garnit la partie centrale. Les motifs s'y répètent à l'infini, suivant des registres qui s'interpénètrent en quinconce. En bas, une frise de bœufs à bosse se dirige alternativement à droite et à gauche ; au-dessus, de gros régimes de fruits retombent de branches en palmettes, à leur tour reliées à des arbres dont l'ampleur occupe plusieurs registres. Les motifs stylisés, leur disposition et la technique de filage (de sens Z) et de tissage renvoient à

l'art sassanide. Contrairement aux samits découpés dans des lés d'étoffes puis cousus sur les manteaux (cat. 102 à 106) et sur la manchette (cat. 109), celui-ci a été tissé en ruban, prêt à l'emploi. Cette particularité se retrouve dans l'exemplaire cat. 108 et sur la bordure d'une manchette en laine et cuir (cat. Louvre 1997, p. 95-98, n° 44).

D. B.

108
Soierie qui garnissait une manchette

Soie (samit façonné)
0,16 x 0,24
Époque romaine (d'après fouille)
Égypte, Antinoé, nécropole B, tombe 218 (fouilles A. Gayet, 1897)
Lyon, musée des Tissus, inv. 897.III.4 (26.812/15).

Biblio. : F. Calament 2005, fig. 29 a; cat. Lyon 1986, p. 48-49, n° 14 ; guide Lyon 1998, p. 46 ; guide Lyon 2001, p. 46 ; Calament 2004, p. 58, note 122.

La soierie a perdu sa bordure supérieure et une bonne partie de l'inférieure. Mais ce qu'il en reste et la disposition des lions, au registre inférieur, sont tout à fait comparables à l'exemplaire cat. 107. Le musée des Tissus en conserve au moins trois autres (Lyon 1986, n°s 6, 7, 12) et il y en a encore une à Paris (Cluny 2004, n° 93). Toutes ces bandes, savamment tissées en ruban d'une vingtaine de centimètres de haut, présentent des bordures à festons et une zone centrale chargée de motifs complexes et répétitifs. L'archéologue A. Gayet précise parfois qu'elles garnissaient des manchettes. C'est le cas pour celle-ci. Le dauphin, quatre fois répété autour du motif principal, est issu du répertoire gréco-romain. Le visage en médaillon a été comparé à une impératrice byzantine, malgré la présence de têtes du même genre dans l'art oriental (cat. 124 et 125). La conjonction des influences, déjà notée sur des pièces d'orfèvrerie, témoigne d'échanges artistiques entre les Empires sassanide et byzantin.

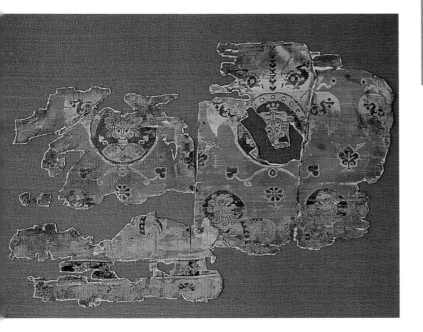

forme de panneaux de dix à quinze centimètres de large, comme le montrent les découpures, les replis et les points de coutures. Le couturier les avait découpés dans une étoffe, dont le motif peut être recomposé : la surface était tapissée d'un maillage formé par des médaillons perlés reliés les uns aux autres par de plus petits disques. Des fleurons occupaient les intervalles. Chaque médaillon abrite un somptueux cheval, paradant vers la droite ou vers la gauche, muni d'ailes déployées du plus bel effet. Paré à l'extrême de rubans et de joyaux, il évoque la divinité Verethragna et constitue un emblème de la royauté sassanide.

D. B.

D. B.

109
Fragments de manchette

Soie (samit façonné)
Plus grand fragment : 0,13 x 0,17 (montage : 0,36 x 0,51)
Époque romaine (d'après fouille) ; considéré comme plus tardif (VIIᵉ siècle ?)
Égypte, Antinoé, nécropole B, tombe 165 (fouilles A. Gayet 1896-97)
Paris, musée du Louvre, département des Antiquités égyptiennes, inv. E 29210.

Biblio. : Bénazeth et Dal-Prà 1993, p. 373-374, fig. 3 p. 379 ; Louvre 1997, p. 52-53, nº 6.

La « soierie de manchette » décrite par l'archéologue est aujourd'hui dispersée entre le Louvre et le musée des Tissus de Lyon. De la manchette elle-même, il ne reste que d'infimes vestiges d'un fin sergé de laine verdâtre. La garniture de soie était appliquée sur ce vêtement sous la

Cat. 109. Reconstitution du motif : ©P. Dal-Prà

110

Jambières

Laine de mouton et poil de chèvre du Cachemire (toile des jambières) ; soie (bordure du bas), lin (application en forme de cœur et bordure du haut)
L : 0,77 .; l. : 0,54
V[e]-VIIe siècle
Antinoé, fouilles de Carl Schmidt, 1896
Berlin, Skulpturensammlung und Museum für Byzantinische Kunst
inv. 9926.

Biblio. : Linscheid 2004, p. 153-161, col. fig. 30, figs. 60-61, 64 et 66 ; Mälck 2004, p. 168-172, fig. 70-74a-b ; Tilke 1923, p. 13, pl. 28 ; Wulff et Volbach 1926, p. 144 (sous ancien n° 14242, sans fig.).

À Antinoé, on a trouvé à plusieurs reprises des jambières dans le même contexte que les manteaux de cavalier (cat. 103). Elles sont toutes taillées dans une pièce de toile rectangulaire suivant le même principe et cousues en tubes coniques. Cette paire, comme le manteau cat. 103, consiste en une toile de laine grattée qui, elle n'a pas été teinte. Pour obtenir une largeur confortable autour des cuisses, on a inséré des parties supplémentaires en forme de goussets. Les bords supérieurs des deux jambières sont galonnés d'une toile de lin et se terminent en pointe. Pour les porter, on laçait les pointes à l'extérieur, vers les hanches. Directement au-dessous, subsistent des vestiges de deux garnitures en forme de cœur retourné. À l'origine, les garnitures couvraient les extrémités de petits cordons ou des œillets grâce auxquels les jambières pouvaient être fixées à une ceinture. Des bordures larges en soie, avec un dessin de palmettes blanches et bleues sur fond rouge, ornent le bas des jambières.

C. F.

111

Jambière

Laine (tapisserie)
0,73 x 0,55
Égypte, Antinoé (fouilles A. Gayet 1908)
Entre 530 et 640 (datation au ^{14}C de l'autre jambe, cat. 119)
Lyon, musée des Tissus
inv. 908.I.117 (28.928).

Biblio. : Bénazeth 1991 ; guide Lyon 1998, p. 40-41 ; guide Lyon 2001, p. 40-41 ; Paris 2000, p. 49, n° 25 a.

Si le vêtement, qui fait la paire avec cat. 112, est indéniablement oriental dans sa conception, il semble avoir été tissé hors de l'Empire sassanide. Le filage de la laine employée est de sens S, traditionnel en Égypte, et ces jambières sont très différentes de celles réalisées avec du cachemire et des soieries (cat. 110), plus volontiers rattachées à l'art perse. Ici, les bandes décoratives de la partie basse imitent, par le procédé de la tapisserie, une application de soies semées de motifs en quinconce. Plus haut, l'agitation d'une bataille, qui oppose des archers cavaliers à des fantassins vêtus de pagnes, contraste avec la figure hiératique d'un roi trônant au centre, tenant son épée devant lui. Ce dernier s'inspire des souverains sassanides (cat. 34 et 35). Mais le tisserand l'a interprété avec maladresse. Il n'a pas compris les rubans qui flottent derrière la figure royale. Les détails du trône à cabochons avec son gros coussin trahissant l'aire culturelle byzantine.

D. B.

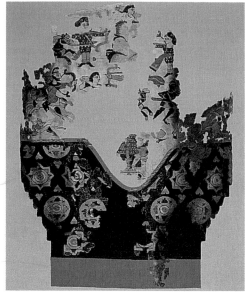

Cat. 111   Cat. 112   Cat. 112. Reconstitution du motif, ©P. Dal-Prà.

112
Jambière

Laine et poil de chèvre cachemire (tapisserie)
0,74 x 0,555
Entre 530 et 640 (datation au ¹⁴C)
Égypte, Antinoé (fouilles A. Gayet 1908)
Paris, musée du Louvre, département des Antiquités égyptiennes
inv. E 29323.

Biblio. : Bénazeth 1991 ; Paris 2000, p. 49, n° 25 b.

Voir cat 111, la jambière qui fait la paire avec celle-ci. De récentes analyses sur la jambière du Louvre apportent quelques précisions pour situer dans le temps et dans l'espace ces pièces exceptionnelles qui ont fait couler beaucoup d'encre au siècle dernier. La datation par la méthode du radiocarbone est confortée par celle du fragment d'une jambière similaire (conservé au Louvre, E 29230) et dont l'âge est compris entre 550 et 645. L'estimation généralement proposée aux alentours de l'an 600 s'avère donc juste. La présence de cachemire, identifié dans une trame de couleur rouge (alors que d'autres trames et la chaîne sont en laine de mouton), relance la question de l'origine asiatique de la pièce. La fibre en question a pu être importée, tout comme la forme du vêtement et l'imitation de son décor. La production, quant à elle, semble bien être étrangère à l'art sassanide (voir cat. 111) sans que l'on puisse déterminer l'atelier avec certitude.

D. B.

113
Jambières

Laine (tapisserie)
0,715 x 0,55
Époque byzantine, Vᵉ-VIIᵉ siècles (d'après fouille)
Égypte, Antinoé (fouilles A. Gayet 1906-07)
Lyon, musée des Tissus, inv. 28929/13 et DMBA 23 ; Louvre inv. E 11539 et AF 6211, déposés au musée des Tissus.

Biblio. : Bénazeth et Rutschowscaya 2004, p. 80, fig. 1 ; Calament 2004, p. 56, note 108, p. 122, col. fig. 22, 23.

Cat. 113- Montage photographique de tous les fragments
©M. Schoefer et Guéret.

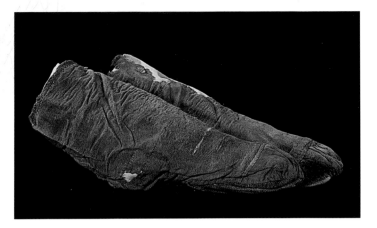

Le tisserand a évasé ces deux étoffes en pratiquant des lisières en escalier. Après la tombée du métier, ces bords furent rentrés et assemblés par une couture verticale. Chaque pièce devenait ainsi une jambière, comme nous le montre la paire restaurée en forme à Berlin (cat. 110). Cette dernière est coupée dans un lainage et ornée en sa partie basse par une bande de soie rapportée. Celle de Lyon fut décorée au cours du tissage au moyen de trames de diverses couleurs. En bas, un semis d'oiseaux bleus alterne avec des fleurons verts, sur un fond rouge. Cette disposition, qui se trouve aussi sur d'autres paires exécutées en tapisserie (cat. 111et 112), équivaut à la soierie du modèle berlinois. La partie haute est occupée par plusieurs registres de chevaux marchant vers la droite ou vers la gauche, tout en se regardant. Ils se détachent sur un fond bleu foncé timbré d'étoiles et de cœurs. Le vêtement, comme la composition de son décor, sont d'inspiration sassanide.

D. B.

114
Bas-de-chausses

Laine, restes de cuir adhérant
0,34 x 0,16
Époque byzantine, Vᵉ-VIIᵉ siècles (d'après fouille)
Égypte, Antinoé, nécropole C ? (fouilles A. Gayet 1898)
Paris, musée du Louvre, département des Antiquités égyptiennes
inv. E 29400.

Biblio. : Cat. Louvre, 1997, p. 73-74, n° 23 ; Bénazeth et Fluck 2004, p. 190-191, fig. 76.

La toile de laine grattée est de même nature que celle des manteaux (cat. 101 et 102) et des jambières (cat. 110), teinte après le tissage. D'autres étoffes y sont assemblées : une pièce a été posée pour masquer un trou, sur l'un des pieds ; une bande verticale vient renforcer l'arrière de la tige ; un galon de laine plus fine, sert de bordure, et une toile, au contraire plus grosse, est placée en guise de semelle. La coupe est étonnante, cette semelle n'occupant pas tout le dessous du pied mais juste son extrémité. Le bout des pieds est rapporté, ce qui forme un bourrelet qui pouvait être gênant dans la chaussure. Des restes de cuir encore adhérants par endroits montrent que ces bas-de-chausses étaient portés dans des chaussures ou dans des bottes. A. Gayet et J.-P. Gérard signalent une autre paire de chaussettes en lin, ornée de soieries pourpres, appartenant à un « scribe », qui portait aussi une chemise, un manteau, des jambières et des chaussures basses à brides.

D. B.

115
Paire de bottes

Cuir
Pied gauche : 0,365 x 0,10 x 0,425 ; pied droit : 0,345 x 0,11 (pointure : 35,5 points de Paris)
Époque romaine ou byzantine, IIIᵉ-VIIᵉ siècles] (d'après fouille)
Égypte, Antinoé (fouilles A. Gayet)
Paris, musée du Louvre, département des Antiquités égyptiennes
inv. E 21388.

Biblio. : Louvre 2000, p. 207, n° 134.

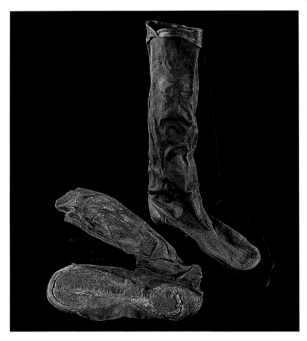

La paire est complète, bien que déformée. Chaque pied est composé d'une seule pièce de cuir, montée côté grain à l'intérieur, jointée à l'arrière et consolidée par un contrefort. Une élégante découpe en spirale a été effectuée de chaque côté, sous l'emplacement de la cheville, afin de réduire l'excédent de cuir à l'angle que forme le pied avec la tige. L'entrée est découpée en pointe sur l'avant, comme dans la représentation des bottes sassanides (cat. 34). Elle est ourlée par un bord à cheval en cuir rouge. Sur d'autres exemplaires, il s'agissait de soieries (cat. Louvre 1997, p. 95, 99). Une paire de bottes est bien attestée avec le port de jambières (ou d'un pantalon ?), sur une dépouille rapportée d'Antinoé avec son costume et conservée au Museum d'Histoire naturelle de Lyon (Calament 2005, fig. 25 b). Selon les descriptions d'A. Gayet et les croquis de J.-P. Gérard, d'autres costumes « de cavaliers » étaient complétés par des souliers à lacets ou à brides.

D. B.

les composantes de ce couvre-chef exceptionnel et d'en apprécier la facture très soignée. Plusieurs mentions de tels bonnets figurent dans les descriptions d'A. Gayet, sans avoir particulièrement attiré l'attention jusqu'à présent.

D. B.

116
Bonnet de femme

Lin et laine (toile) ; soie (samit façonné)
0,24 x 0,15 x 0,19
Époque romaine (d'après fouille) ; entre 420 et 540 (datation au ^{14}C)
Égypte, Antinoé, nécropole B, tombe 106 (fouilles A. Gayet 1896-97)
Paris, musée du Louvre, département des Antiquités égyptiennes, inv. E 29498.

Biblio. : Calament 2005, p. 343, note 37, fig. 36 a ; Louvre 1997, p. 101-102, n° 47.

L'élégante qui possédait ce somptueux bonnet occupait la tombe B 106, d'où proviendrait peut-être aussi la soierie de manteau cat. 106. Enterrée avec une selle de cheval, une sangle et des bottes, elle fut décrite comme une « amazone » par le fouilleur qui aimait personnifier ses trouvailles. La coiffure est faite d'une toile de lin barrée de lignes bouclées en laine rouge, repliée et cousue pour donner le volume. Le sommet était recouvert d'une soierie bleue et jaune, dont il ne reste que d'infimes vestiges. Le tissage est d'une finesse remarquable. Sous l'ample bonnet, la coiffure était prise dans une résille de laine et s'agrémentait de deux bigoudis en cheveux naturels. La restauration, décidée pour l'exposition, a permis d'analyser

117
Fragments de galons et reconstitution d'une chemise

Lin (toile) ; laine (toile du galon) ; laine et soie ou lin (fils de broderie au point de tige)
Plus grand fragment 0,19 x 0,07 (modèle 1,03 x 1,10)
Époque romaine (d'après fouille) ou jusqu'au vi^e siècle (d'après matériel associé : cat. 117)
Égypte, Antinoé, nécropole B, tombe 200 (fouilles A. Gayet, 1896-97)
Lyon, musée des Tissus, inv. 24400/41 et Louvre E 29211.

Biblio. : Calament 2005, fig. 29 b ; Schoefer 2004, p. 112, col. fig. 16, 17, fig. 44.

Parmi les textiles d'Antinoé, la chemise du costume dit « de cavalier sassanide » est moins bien représentée que le manteau ou les jambières. En revanche, elle est souvent figurée dans l'iconographie romaine et byzantine, portée par des chasseurs ou des voyageurs. C'est une sorte de tunique évasée vers le bas, ouverte sur la poitrine, et dont les manches larges sont resserrées aux poignets. Ceux-ci sont garnis de galons colorés qui bordent aussi l'encolure et qui se prolongent à la manière d'épaulettes, parfois jusqu'aux coudes. Seuls des fragments de garnitures figurent dans les collections françaises : galons aux cartons, sergés lancés (cat. 118) ou brochés et, dans ce cas, toile brodée. Mais plusieurs tuniques plus ou moins complètes sont parvenues à Berlin. C'est sur leur modèle que l'atelier de restauration du musée des Tissus a entrepris la reconstitution de la chemise trouvée dans la tombe B 200, celle-là même d'où provient la magnifique soierie aux griffons (cat. 105).

D. B.

L'état très fragmentaire de ces tissus ne permet pas de reconstituer un vêtement. Néanmoins, la disposition du galon, comparable à des exemplaires plus explicites (Giroire 1997, fig. 6 ; Fluck 2004, col. fig. 27), suggère une chemise. Le long galon, tissé à part, fut cousu minutieusement, en respectant un programme décoratif. À plusieurs reprises, le couturier a dû plier le ruban pour lui faire suivre une ligne brisée (sans doute l'encolure) ou pour repartir en sens inverse, redoublant ainsi la partie déjà appliquée (décor d'épaulette ou de devant ?). Pour obtenir une telle duplication du galon, il fallait le replier deux fois de suite, ce qui forme un triangle isocèle à un bout. A chaque angle, le surplus d'étoffe était aplati et dissimulé à l'envers du galon lors de l'application de ce dernier sur la toile de support. Le décor lancé, en laine rouge, dessine une succession d'étoiles fleuronnées, bordée sur un côté par la répétition en frise de deux motifs plus petits.

D. B.

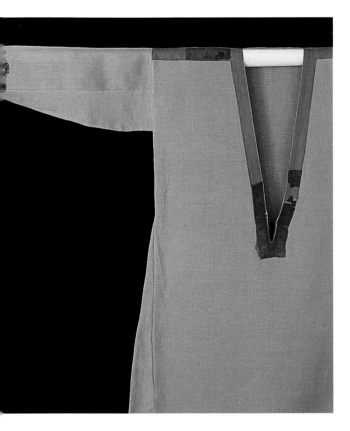

118

Fragments d'une chemise en lin bordée de galons

Support : lin (toile) ; galon : lin et laine (sergé façonné lancé)
Plus grand fragment : 0,49 x 0,11 (montage : 0,63 x 0,49)
Époque byzantine, Vᵉ-VIIᵉ siècle (d'après fouille)
Égypte, Antinoé, nécropole C, tombe 369 (fouilles A. Gayet 1898)
Paris, musée du Louvre, département des Antiquités égyptiennes, inv.
C 29129 (et 6 autres numéros d'inventaire, remontés ensemble).

Biblio. : Louvre, 1997, p. 90-93, n° 41.

119
Broderie

Lin (toile) et laine (broderie au point plat et au point de tige)
Plus grand fragment 0,11 x 0,23
Époque romaine ou byzantine, IIIe-VIIe siècle
Égypte, Antinoé, nécropole C, tombes 780 et 792
(fouilles A. Gayet, 1898)
Lyon, musée des Tissus, inv. 28520.170 1, 2 et Louvre E 29499,
E 29580, déposés au musée des Tissus

Biblio. : Fluck et Vogelsang-Eastwood, 2004, p. 60, n° 145 ; guide Lyon 1998, p. 43;
guide Lyon 2001, p. 42.

Ces fragments constituent un rare exemple de broderie sassanide (voir aussi cat. 117). Ils témoignent en effet

Aquarelle de J.- P. Gérard, avec l'aimable autorisation du propriétaire.

d'une manière étrangère à l'art copte et doivent rejoindre le groupe de tissus d'Antinoé qui illustrent la mode iranienne. La broderie fut exécutée avec soin car son envers est aussi net que l'endroit. Un motif rayonnant, malheureusement fort endommagé est brodé sur une toile de lin. Une aquarelle de J.-P. Gérard peinte au moment de la découverte, le montre plus complet, avec une découpe arrondie ; cette forme, qui suggère une encolure de chemise, a orienté la disposition sur le montage de présentation. Les autres fragments présentent des motifs de bordures : denticules, festons et palmettes terminées par des cœurs. Le décor, comme les couleurs employées, appartiennent au répertoire sassanide. Les motifs faisaient en effet alterner le turquoise et le rouge (aujourd'hui décoloré), teintes choisies également pour les manteaux (cat. 101, 102), les galons et d'autres étoffes de ce groupe.

D. B

120
Cartons de tissage
pour la fabrication de galons

Buis
Environ 0,04 x 0,04 x 0,003
Époque romaine ou byzantine, IIIe-VIIe siècles
Égypte, Antinoé, (fouilles A. Gayet)
Paris, musée du Louvre, département des Antiquités égyptiennes
inv. AF 1536.

Biblio. : Louvre 1986, p. 64, n° 204.

De simples carrés de bois perforés constituent l'élément principal du métier aux cartons (voir encadré). Ils appartenaient à un mobilier funéraire d'Antinoé, tout comme celui d'Euphémia, mieux documenté, actuellement conservé aux musées royaux d'Art et d'Histoire à Bruxelles. Les nécropoles d'Antinoé ont livré également des galons confectionnés par cette méthode (cat. 121 à 123). La plupart d'entre eux était cousue au bord des vêtements, en bas des manches de tuniques par exemple, mais d'autres étaient appliqués sur des manteaux inspirés par la mode sassanide, comme bordure décorative ou pour dissimuler les coutures (cat. 102). Les rares cartons à tisser retrouvés à Antinoé, semblent indiquer qu'on y pratiquait la confection de galons. Mais la question de

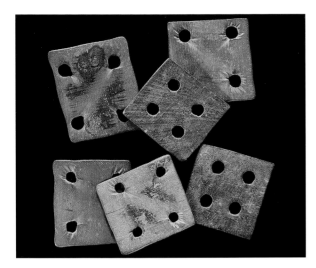

l'origine des manteaux n'est pas pour autant élucidée. En effet, le tissage aux cartons est une technique universellement connue et ne peut être associée à la seule culture sassanide.

D. B.

121

Fragments de galons

Support : lin (toile) ; galon : lin et laine (tissage aux cartons)
Plus grand fragment : 0,48 x 0,04
Époque byzantine, Vᵉ-VIIᵉ siècle (d'après fouille)
Égypte, Antinoé, nécropole C, tombes 305, 345, 358, 369 et 378 ?
(fouilles A. Gayet 1898)
Paris, musée du Louvre, département des Antiquités égyptiennes
inv. E 29144 (et 4 autres numéros d'inventaire, remontés ensemble).

Biblio. : Florence 1998, p. 194-195, n° 237 ; Giroire 1997, p. 8.

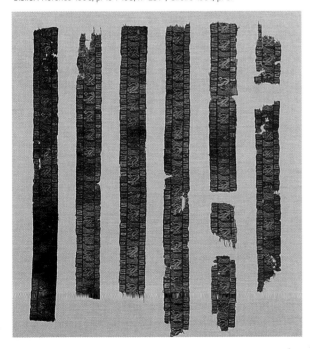

Ces exemplaires figurent parmi les plus sophistiqués des galons tissés aux cartons retrouvés à Antinoé car ils présentent un décor figuratif alors que la masse de la production montre de simples décors géométriques. En cela ils sont comparables aux fragments conservés à Paris, au musée de la Mode et du Textile (Giroire 1997). Dans la partie médiane, la plus large, se répète à l'infini la représentation d'un oiseau qui retourne la tête et touche, de son bec, une fleurette cruciforme. Est-ce un élément brandi par l'animal, tels ces rameaux ou ces croix portés par des oiseaux sur des peintures et sur des tissus d'Égypte et d'Orient ? Ou bien un signe sassanide, comme le motif qui encadre les lions du cat. 104 ? Une constellation peut-être ? Sur les petites bordures du galon apparaissent des signes, de ton alterné tantôt écru tantôt orangé, qui ressemblent à des lettres. Leur séquence est régulière, symétrique mais indépendante du rythme de la partie centrale.

D. B.

122

Assemblage de quatre étoffes

Support : laine (toile) ; doublures : une en soie (?), l'autre en lin (?)
et laine ; galon : lin et laine (tissage aux cartons)
0,108 x 0,03
Époque byzantine, Vᵉ-VIIᵉ siècle (d'après fouille)
Égypte, Antinoé, nécropole C, tombes 458 (fouilles A. Gayet 1898)
Paris, musée du Louvre, département des Antiquités égyptiennes
inv. E 29166.

Biblio. : Calament 2005, p. 55, note 96.

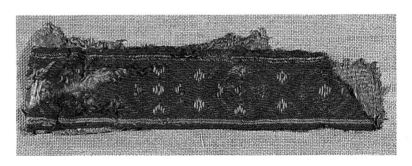

Le support de laine présente toutes les caractéristiques des manteaux de couleur bleu-vert (voir cat. 101). Le galon rouge, aux lisérés bleu et jaune, est décoré de losanges ; il présente une couture exécutée avec soin de manière à ne pas interrompre le décor. Au revers, on aperçoit quelques restes d'une soierie (?), masqués par une bande de doublure cousue le long du bord du lainage ; l'ensemble est maintenu par des coutures. La toile de doublure allie une trame en laine jaune à une chaîne fine et marron d'une autre matière (lin ou soie ?). Des étoffes semblables se rencontrent parmi la série de style sassanide d'Antinoé, supportant directement des galons découpés dans des samits de soie ; plus souples que les lourds lainages des manteaux, elles devaient se prêter à la confection de chemises, concurremment aux toiles de lin. Ce fragment est un bon exemple de la diversité des tissages et de la complexité des assemblages, qui caractérisent les vêtements orientaux retrouvés en Égypte.

D. B.

123
Fragment de galon appliqué sur un lainage

Support : laine (toile) ; galon : laine (tissage aux cartons)
0,223 x 0,044
Époque byzantine, V[e]-VIIe siècle (d'après fouille)
Égypte, Antinoé, nécropole C, tombes 724 (fouilles A. Gayet 1898)
Paris, musée du Louvre, département des Antiquités égyptiennes inv. E 32144.

Biblio. : Calament 2005, fig. 29 b ; Pfister 1935, p. 38, 41.

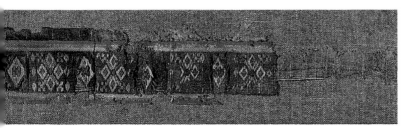

Le support bleu canard et le galon rouge, jaune et turquoise, aux losanges régulièrement répétés, s'inscrivent dans la gamme des vêtements de style sassanide retrouvés à Antinoé. La toile de laine est cependant plus fine que celle des manteaux et pourrait appartenir à une chemise. Le galon est cousu à la lisière de cette toile, qu'il déborde de quelques millimètres. Cette disposition, qui fragilise la bordure, nous semble illogique. Il se peut qu'une doublure ait soutenu l'ensemble comme dans un autre fragment exposé (cat. 122). Une aquarelle de J.-P.

Gérard marque l'évasement du tissu, beaucoup moins lacunaire qu'aujourd'hui, et donne l'impression d'un bas de manche, dont le galon soulignerait le poignet. De la même tombe provient un autre galon tissé aux cartons ; il est un peu plus large que celui-ci et broché de motifs du même genre (Calament 2005, p. 355, note 141).

D. B.

124
Galons de soie

Soie (samit façonné)
0,19 x 0,04 (25.230) ; 0,084 x 0,035 (25.231) ; 0,95 x 0,03 (25.232)
Époque romaine ou byzantine, IIIe-VIIe siècle
Égypte, Antinoé (fouilles A. Gayet) ou Akhmîm (fouilles R. Forrer)
Lyon, musée des Tissus, inv. 891.III.1, 2, 3 (25.230 à 25.232).

Biblio. : Lyon 1986, p. 37-38, n° 1-3 ; Pfister 1929-1930, p. 7, 22, fig. 1.

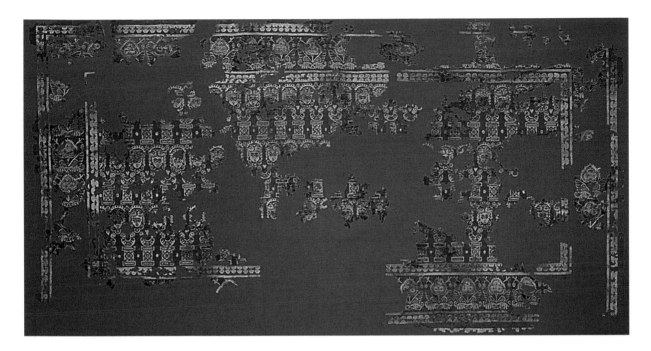

L'hésitation sur la provenance de ces pièces est due aux lacunes dans la documentation des fouilles d'Akhmîm et d'Antinoé, à la fin du XIXᵉ siècle. R. Pfister publia deux d'entre elles comme venant d'Antinoé. L'iconographie purement sassanide milite d'ailleurs pour ce lieu, où fut retrouvée toute une série d'étoffes de ce style.

Des têtes héraldiques émergent d'une collerette et portent des couples d'oiseaux, comme sur la tapisserie cat. 125 ou sur des galons tissés aux cartons (Giroire 1997) ; elles alternent avec des palmettes ou des compositions mêlant oiseaux et feuillages autour d'un vase. La symétrie, la répétition, l'encadrement de rais-de-cœurs appartiennent aux compositions sassanides. Cependant, à la différence des autres soieries, ces garnitures n'ont pas été découpées dans un lé d'étoffe mais ont été tissées sous forme de galons. Leurs bords ont été repliés et cousus sur une étoffe aujourd'hui disparue.

D. B.

125
Tissu d'ameublement (?)

Laine et lin (tapisserie)
Plus grand fragment 1,00 x 0,82 (montage 1,10 x 2,00)
Entre 560 et 655 (datation au ¹⁴C)
Égypte, Antinoé (fouilles A. Gayet)
Paris, musée du Louvre, département des Antiquités égyptiennes

inv. E 29392 et Lyon, musée des Tissus, inv. 908.I.118, 119 (28.929/118, 119) déposé au Louvre.

Biblio. : Louvre 1997, p. 137-139, nº 85 ; Bénazeth et Dal-Prà 1995 ; Martiniani-Reber 2004, p. 116, fig. 4.

Le dépôt au Louvre de plusieurs fragments du musée des Tissus a permis une réintégration de tous les morceaux subsistants. Le montage est hypothétique car les lacunes sont importantes et la pièce était peut-être plus grande à l'origine. Les petits côtés présentent une lisière qui constitue la limite du tissage. La large bordure verte est remplie de bouquets stylisés. Le panneau à fond rouge présente une répétition de motifs, dont la disposition en registres et en quinconce est très serrée. La finesse des fils et du tissage a permis la représentation de nombreux détails. Le masque surmonté de couples d'oiseaux et le double protomé de griffons placé sur un podium, constituent un décor fantastique et rappellent le répertoire sassanide. Leur sens de lecture suggère une position verticale de la tapisserie, tendue contre un mur par exemple. Une courte inscription (en grec ?) a été tracée à l'encre sur le bord, dans l'angle supérieur gauche.

D. B.

126
Tissu « aux faisans nimbés »

Soie ; Samit façonné
H. : 0,64 ; L : 0,96
VIIᵉ-VIIIᵉ siècle
Iran ?
Jouarre, Abbaye Notre-Dame-de-Jouarre (Seine-et-Marne)
classé monument historique.

Biblio. : Laporte 1988 ; Vial, 1988.
Expo. : Paris 1988, p. 58-59, pl. II ; Bruxelles 1993, nᵒ 129, p. 278-279.

Le commerce des reliques qui se développa au haut Moyen Âge entre la Terre-Sainte et l'Occident favorisa la diffusion des soieries orientales, et l'on sait que, dès avant le XIᵉ siècle, ce précieux tissu qui emballait les reliques de Saint-Prix était abrité au monastère de Jouarre.

Le motif est composé de médaillons jointifs délimités par une bordure formée de lignes de couleur or, rouge, vert bronze et bleu foncé. L'espace entre chaque motif est occupé par une rosette sur fond or. À l'intérieur de chacun des médaillons un faisan posé sur un petit socle rectangulaire décoré de perles de couleur se détache sur le fond rouge sombre. L'oiseau est nimbé et porte autour du cou le collier royal à trois pendentifs. Cet ornement qui apparaît sur les reliefs (à Taq-i Bustan) et sur les monnaies de la fin de l'époque sassanide, continue à être représenté jusqu'à l'époque omeyyade. La datation au radio-carbone du textile indique une date autour de la fin VIIᵉ-VIIIᵉ siècle [1].

F. D.

1. M. Van Strydonck et K. Van der Borg, 1990.

127

Soierie de provenance inconnue

Soie (samit façonné)
0,25 x 0,16
Post-sassanide ?
Achetée à Cologne en 1888
Lyon, musée des Tissus, inv. 888.III.1 (24.577/2).

Biblio. : Lyon 1986, p. 28, 58-59, n° 27 ; guide Lyon 1998, p. 50 ; guide Lyon 2001, p. 50;

Le décor procède de la composition sassanide en médaillons placés en quinconce. Un oiseau et un bouquet occupent alternativement des cadres étoilés. Le dessin adopte des lignes simples, et sa couleur d'or se détache sur un fond bleu sombre. Le fleuron intermédiaire, est placé, quant à lui sur un fond à rayures qui le rend très présent et en fait le motif principal. Ce trait distingue l'étoffe des exemplaires ici présentés, qui distribuent les éléments dans un maillage plus léger (cat. 103, 106, 109). Les motifs figurés y ont perdu de leur superbe et paraissent à l'étroit dans leur petit cercle. La provenance de ce tissu étant inconnue, il est difficile de l'attribuer à une tradition. On l'a rattaché à la Sogdiane, région située au nord de l'Iran, dont les ateliers de tissage auraient repris le flambeau à la chute de l'Empire sassanide. Des fragments du même ou de pièces identiques sont conservés dans plusieurs musées, en Europe, en Russie et aux États-Unis.

D. B

128

Tapisserie au « faisan »

Laine, (tapisserie, kilim) - Chaîne : fil de laine cardée, jaune clair, S-torsion, double – de deux fils (chaque à Z-torsion) ; réduction 6-8 fils doubles/cm - Trame : fil de laine cardée, Z-torsion, 8 couleurs – rouge violacé, lilas, brun, bleu foncé, bleu clair, bleu-vert, jaune, blanc ; réduction 40 fils / cm
H. 1,03 ; l. 0,59
Deuxième moitié du VIIe–début du VIIIe siècle.
Méditerranée orientale (Égypte ou Syrie ?) - découvert au Caucase du Nord : Tombeau de Hassaout (trouvaille de M. Kovalevskij, 1885).
Saint-Pétersbourg, musée de l'Ermitage. Inv. Kz 6341.

Biblio. : Ierusalimskaïa 1992, p. 23, n° 55 (en russe) ; Ierusalimskaja et Borkopp, 1996, p.. 62-63, n° 71, Ierusalimskaja, 2004, p. 22-24 et 60.

Le motif principal, polychrome sur un fond rouge violacé, représente un faisan la tête tournée vers l'arrière, dans un grand médaillon perlé ovale. Le fond est orné de « palmettes sassanides » en forme de fleurs de lotus et de petits cercles entourés de perles qui relient les médaillons entre eux.

Ce dessin, qui imite une soierie exécutée dans une autre technique (au métier à la tire), est caractéristique de l'époque sassanide et post-sassanide (*cf.* la composition, l'imitation de la répétition mécanique des motifs, etc.). Quelques détails indiquent cependant que le prototype de soie n'était pas purement sassanide, mais une copie occidentale d'un original oriental. La plupart des tapisseries comparables ont été trouvées en Égypte (Fustat, Antinoé, Akhmîm, Nubie, etc.). Un exemplaire très proche, mais avec un décor d'ibex [1], a été attribué à un atelier sassanide du IVe-VIe siècle ; son dessin plus raffiné se rapproche des prototypes iraniens, alors que le style de notre tapisserie, interdit une telle hypothèse.

Ce kilim permet de dater avec plus de précisions le groupe de tapisseries «du cercle sassanide». Dans la tombe où il a été découvert on a également retrouvé un fragment d'une soierie d'Antinoé, ce qui donne comme *terminus ante quem* 641, date de la prise de la ville par les Arabes. Le tombeau de Hassaout est situé au Nord-Ouest du Caucase, près du col de Klouchorskij. L'un des itinéraires de la Route de la Soie qui permettait aux marchands de contourner l'Iran passait par ce col contrôlé par les tribus locales alaines. On a retrouvé dans cette région (tombeaux de Hassaout, Moshtchevaja Balka, Nignij Archyz) des tissus précieux de soie et de laine en grande abondance. Ces marchandises de grande valeur qui y transitaient étaient très appréciées par les tribus locales. Grâce aux conditions favorables du sol et du climat ces tissus, ainsi que tous les objets du mobilier funéraire (en bois, en cuir, en étoffe, etc.) se sont parfaitement conservés.

A. I.

1. P. Ackerman 1938, p. 708, Kilim aux ibex, collection W. Moore.

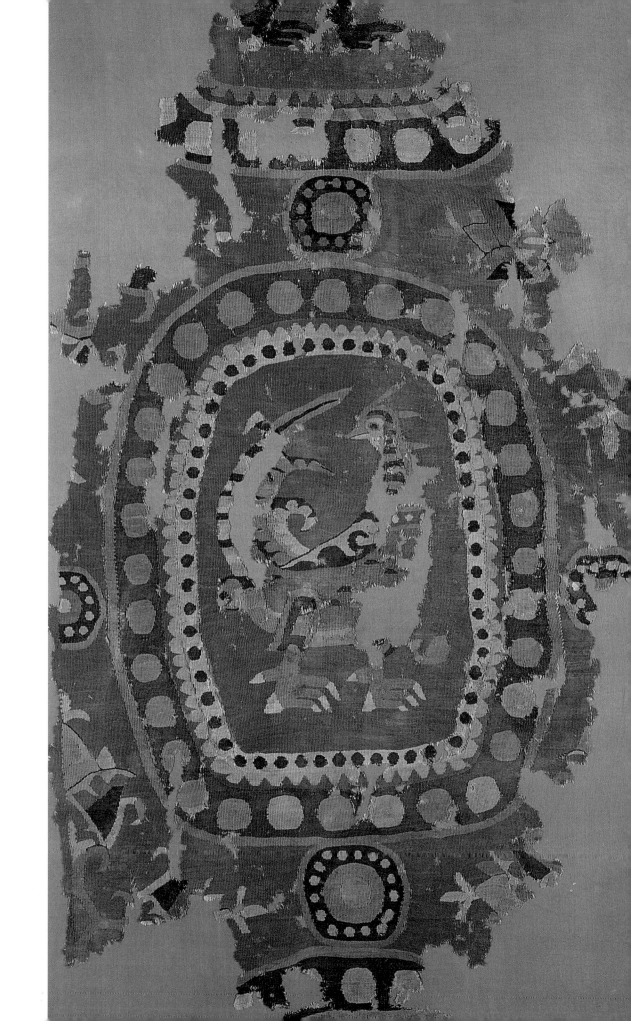

129

Tissu au *senmurv,*
dit « Suaire de Sainte Hélène »

Soie ; samit façonné
H. : 0,445 ; L : 0,563
IXe siècle
Méditerranée orientale, Iran (?)
Paris, musée de la Mode et du Textile, collections des Arts décoratifs,
inv. 16364.

Biblio. : Cahier et Martin 1847-1856, III, pl. 14 ; Van Falke 1913, fig. 96 ; Kendrick
1925, n° 1000, p. 12 ; Kajitani 2001, fig. 42, p. 110 ; Migeon, 1927, II, p. 17 ; Pope,
1938 (c), pl. 200 ; Guicherd et Vial 1962, XV, p. 46-47 ; Riboud 1976 ; Ierusalimskaja
1978, p. 183-212 ; Ierusalimskaja 1996, n° 139, ill. 196-197.
Expos. : Paris 1980, n° 84 ; Rome 1994, n° 25 ; Paris 2001, n° 84, p. 118 ; Paris 2005,
n° 126, p. 179.

Le motif du *senmurv,* particulièrement populaire à la fin
de l'époque sassanide et au début de la période islamique, orne des carreaux de stucs (cat. 15), des pièces
d'argenterie (cat. 55, 56) ou comme ici des textiles.
Enfermé dans un médaillon perlé, le monstre forme le
motif principal de ce tissu de soie dont le décor couleur
or se détache sur le fond vert bronze. Les médaillons, de
grande taille, sont liés les uns aux autres par des anneaux
soulignés de perles entourant soit un croissant de lune
soit une double hache. Un motif en étoile occupe l'espace entre les médaillons. Sur les reliefs de Taq-i Bustan, le
roi est vêtu d'étoffes brodées ou tissées de motifs au *senmurv* qui symbolise probablement la *khwarnah,* la
Fortune, emblème de la puissance royale. Un caftan dou-
blé de fourrure, taillé dans une soierie très proche de ce
fragment a été découvert dans la sépulture d'un chef
d'une tribu locale, dans le Nord du Caucase et a pu être
daté du milieu du IXe siècle [1].

Notre fragment provient d'un tissu connu sous le nom de
« Suaire de Sainte Hélène ». Il enveloppait les reliques de
la sainte qui furent dérobées à Rome en 842, et déposées
à l'abbaye de Hautvilliers (Marne) puis à l'église Saint-
Leu-Saint-Gilles à Paris [2].

F. D.

1. Ieroulimskaja 1978, p. 183-211 ; 1993, n° 127.
2. Huchard 2004, n° 126.

130
Tissu au décor de *senmurv*

Soie, samit
H. : 0,33 ; l. : 0,52
VIIIe-IXe siècle
Byzance (?)
Paris, musée de la Mode et du Textile, Collections des Arts Décoratifs, inv. 14572.

Biblio. : Pope 1938 (c), pl. 199 B.
Expos. Paris 1994, n° 23, p. 82.

Plusieurs tissus de soie au décor de *senmurv* sont répertoriés, les médaillons sont de plus ou moins grande taille et les motifs de remplissage diffèrent ainsi que la couleur du fond. Ici d'un bleu profond, le fond est parfois vert (cf. cat. 129) ou encore rouge comme l'exemplaire conservé dans le trésor de Saint Remi à Reims.

Ces soieries auxquelles on attribue des origines diverses sont datées entre le milieu VIIIe et le milieu du IXe siècle.

F. D.

Firuzabad, Iran. Victoire d'Ardashir Ier sur le souverain parthe Artaban, détail, *in* Flandin et Coste 1843.

L'art de la guerre : armes et équipements

Bruno Overlaet

Lᴀ ᴘʀᴏsᴘᴇ́ʀɪᴛᴇ́ ᴅᴇ ʟ'Eᴍᴘɪʀᴇ sᴀssᴀɴɪᴅᴇ, dépendait autant de ses positions économiques que de sa capacité militaire à les protéger et les étendre. Entre les puissances romaine et byzantine à l'ouest et celles des Kouchanes, des Huns chionites et hephtalites et des Turks à l'est, les Sassanides contrôlaient la Route de la Soie, importante source de richesses mais vaste zone géographique dont la défense requerrait un dosage équilibré de diplomatie et de force militaire.

Lorsqu'Ardashir Iᵉʳ, un prince local de la province du Fars, accéda au pouvoir il organisa son expansion territoriale à partir d'une forteresse bâtie sur un rocher isolé situé près de Firuzabad, connu aujourd'hui sous le nom de Qalah-i Dukhtar. Ce n'est qu'après s'être emparé de la couronne parthe et avoir étendu sa domination sur la totalité de l'Iran, qu'il s'installa dans la ville de Firuzabad, dans la vallée, beaucoup plus vulnérable. L'architecture militaire demeura un élément fondamental de la puissance sassanide dont la force militaire reposait à la fois sur une infrastructure de défense de grande envergure et une armée bien équipée et bien organisée.

La défense de l'empire était fondé sur la protection des frontières. À des villes fortifiées dotées de garnisons permanentes, était associé un système de murailles défensives, les « longs murs » déployés sur les principales frontières. Ces murailles sassanides avaient les mêmes fonctions que celles construites en Chine (la Grande muraille) et dans le monde romain (mur d'Hadrien sur le *limes* d'Écosse). Elles permettaient de surveiller la frontière et de l'interdire de manière efficace aux envahisseurs. Par exemple, une garnison et des murailles fortifiées installées près de Darband sur la côte occidentale de la mer Caspienne, contrôlaient l'étroit passage qui sépare la mer Caspienne des monts du Caucase. Construite à la fin du IVᵉ et au Vᵉ siècles, cette structure était destinée à protéger l'Empire des invasions des Huns. Le coût de sa construction et de son entretien étaient partagés avec l'empire byzantin car elle contribuait à la sécurité de ce dernier ; toutefois, plusieurs conflits éclatèrent car Byzance tardait à respecter ses engagements. La muraille la mieux conservée mesure environ 170 km et ferme le passage entre l'Elbrouz et la mer Caspienne dans le Nord-Est de l'Iran. C'est une construction d'une dizaine de mètres d'épaisseur avec un fossé de 30 m de large, ponctuée de bastions à intervalles réguliers. Comme de nombreuses constructions militaires en Orient, ce mur, toujours connu sous le nom de Sadd-i Iskandar, a été attribué à tort à Alexandre-le-Grand. De nombreux autres murs furent construits dans le Sud de l'Irak où ils étaient sous la garde de tribus arabes alliées.

Au début de la période sassanide, l'organisation et l'équipement des forces armées s'inscrivent dans la tradition des armées parthes.

Le noyau de l'armée est constitué par la cavalerie lourde, citée dans les sources romaines sous le nom de *clibanarii* ou *cataphractarii* (cataphractaires). Ces cavaliers, équipés d'une armure complète qui les protège efficacement des flèches ennemies, sont armés d'épées, de haches, de masses et surtout d'une longue lance tenue à deux mains pendant la charge. Comme les étriers ne sont pas encore utilisés, la lance repose sur le col du cheval et un anneau ou un crochet fixé à la selle donne une meilleure stabilité au cavalier.

Les Sassanides utilisaient des chevaux qui n'étaient pas les petites races d'Asie centrale. La charge frontale de la cavalerie lourde devait avoir un impact considérable et constituait la phase décisive de toute bataille. C'est la force symbolique de cette cavalerie qu'exaltent la représentation du chevalier caparaçonné de la grotte royale de Taq-i Bustan (fig. 3) ou les sceaux officiels des généraux sassanides (fig. 1). Les reliefs rupestres de Naqsh-i Rustam donnent une idée de la puissance de cette charge tout comme celui qui représente la victoire d'Ardashir sur le dernier roi parthe à Firuzabad (fig. 2) et montre les chevaux des adversaires renversés. Les différences dans l'équipement des deux camps peuvent toutefois avoir un caractère de propagande : les Sassanides sont représentés avec des armures d'un type plus moderne, en mailles, tandis que les Parthes portent l'armure traditionnelle à lamelles fixées sur un support de cuir. Les *clibanarii* étaient une force redoutable, et pour leur faire face, les armées romaines durent créer des unités combattantes similaires.

Cette cavalerie lourde était appuyée par des fantassins et une cavalerie légère armée principalement d'arcs et de flèches. Même si ces troupes dépassaient largement la cavalerie en nombre, elles n'avaient qu'un rôle d'appui. Leur tâche était d'attaquer les lignes ennemies et de les harceler avant le déclenchement de la charge de la cavalerie cuirassée. Parfois, surtout vers la fin de l'époque sassanide, des contingents d'éléphants de guerre ont été adjoints au corps d'armée.

Une des tactiques préférées de la cavalerie légère relevait de la célèbre « flèche du Parthe ». Elle consistait à leurrer l'ennemi en l'entraînant dans une poursuite et à lui décocher des flèches en s'enfuyant. Cette manœuvre requerrait de l'archer une extrême habileté car il devait se maintenir sur sa monture avec la seule aide de ses jambes tandis que, retourné, il bandait son arc et surveillait ses arrières. Cette tactique conserva la

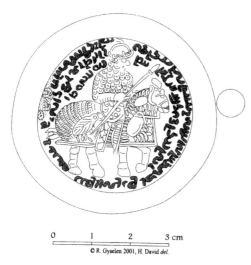

0   1   2   3 cm

© R. Gyselen 2001, H. David *del.*

Fig. 1 Clibanarius sur le sceau d'un Eran Spahbad. (empreinte d'après R. Gylesen, The Four Generals of Sassanian Empire: *some Sigillographic Evidence*, Roma, 2001, p. 37.).

Fig. 2 - Victoire de Ardashir Ier sur le dernier roi parthe. Sculpture rupestre de Firuzabad.

faveur des armées à l'époque islamique et atteignit la perfection dès l'introduction de l'usage des étriers.

Mais, face aux peuples nomades d'Asie centrale (Huns et Turks), la charge de la cavalerie lourde se révéla inefficace. Une série de défaites importantes dont l'une coûta la vie au roi sassanide Peroz, montra, à la fin du Ve siècle, l'urgente nécessité d'une réforme. On transforma alors, non seulement l'organisation de l'appareil militaire mais aussi les équipements et les tactiques de combat.

L'Eran-spahbad ou commandant en chef de l'armée fut remplacé par quatre généraux commandants de régions, les spahbad. La défense de l'empire reposait désormais sur des mercenaires soldés et sur la petite noblesse qui recevait des compensations en échange des services militaires rendus.

Les groupes de combattants d'Asie centrale utilisaient de petits chevaux rapides, étaient très mobiles et pouvaient facilement éviter la confrontation directe avec les clibanarii. La cavalerie sassanide avec ses grands chevaux et son équipement lourd manquait d'endurance pour poursuivre et défaire ces cavaliers très mobiles. Il leur fallait s'alléger et devenir plus manœuvrables.

Les changements sont évidents si on compare les représentations figurant sur les sceaux des généraux avec la sculpture de Taq-i Bustan, qui date probablement du règne de Khosrow II (591-628). Le cavalier porte une cote de mailles légère et seul le devant du cheval demeure protégé. L'adjonction d'un bouclier à cet équipement est particulièrement significatif car il indique son aptitude au combat rapproché.

D'autres changements intervinrent aussi dans l'armement. Les premières épées sassanides longues et lourdes ont des lames à double tranchant et de larges gardes. Elles sont suspendues à la ceinture verticalement dans un fourreau et leur pointe touche le sol quand le soldat est debout.

Des représentations plus tardives, comme à Taq-i Bustan, montrent des épées attachées à la ceinture en position oblique par deux passants fixés sur le côté du fourreau par des attaches en forme de P. C'est un progrès majeur car l'arme pouvait ainsi être plus rapidement dégainée. Sa position pouvait être modifiée en changeant la longueur des deux passants, et le fourreau pouvait ainsi être maintenu en arrière avec la main gauche tandis que la main droite tirait l'épée. De nombreuses armes de ce type sont dites avoir été découvertes au Dailaman, une région semi-autonome située au nord de l'Iran. Les combattants dailamites ont souvent été enrôlés comme mercenaires dans l'armée sassanide. Les Dailamites de l'armée personnelle du spahbad d'Irak comptèrent parmi les premières troupes qui s'engagèrent dans les armées musulmanes. Selon toute apparence, les habitants de cette région ne se conformaient pas aux rites funéraires zoroastriens puisque une grande partie de l'armement sassanide connu est réputé provenir de leurs tombes.

Le fourreau et la garde de ces épées dailamites sont recouverts de feuilles d'or et d'argent décorées de motifs d'écailles et de plumes travaillés au repoussé (cat. 134 à 136). Bien qu'elles soient munies de la lame traditionnelle à double tranchant, elles sont très différentes des premières épées sassanides. Elles n'ont pas de garde et la poignée présente une indentation pour y placer l'index et renforcer la préhension. Le motif de plumes est un motif décoratif considéré comme protecteur très répandu du Vᵉ au VIIᵉ siècles chez les Huns et que l'on rencontre de l'Europe de l'Est jusqu'à l'Extrême-Orient. Ce même motif décore tout un groupe de casques qui proviendraient eux aussi du Dailaman. Ils sont semblables au casque porté par le cavalier de Taq-i Bustan et se composent d'un assemblage de bandeaux sur lesquels des plaques sont rivetées. Une protection en mailles de chaîne, le camail, était suspendue au bord inférieur. Les casques sont décorés de feuilles d'or et d'argent et d'un croissant de lune. L'utilisation de ces métaux précieux montre que cet armement appartenait à l'aristocratie dirigeante. Un siège pliant en fer damasquiné de laiton et d'argent est dit avoir été retrouvé avec l'un de ces casques. Il appartient à la tradition romaine de la *sella castrensis*, variante militaire de la *sella curulis*, la chaise de fonction des consuls romains. Des sièges de même type ont été découverts dans des sépultures lombardes du Nord de l'Italie et sont probablement de fabrication byzantine. La signification symbolique de la *sella castrensis* était bien connue à l'Est, par exemple au travers de sa représentation sur les monnaies romaines en Arménie. Sa présence au Dailaman ne doit pas surprendre. Les *regalia*, signes ostentatoires de la fonction, les images à connotations symbolique ou royale et même le protocole de cour étaient des éléments qui se diffusaient rapidement dans les cultures avoisinantes. Les groupes de pendentifs accrochés à la ceinture sont un autre de ces attributs. Cette mode, originaire de l'Asie centrale est attestée pour la première fois sur les sculptures rupestres de Taq-i Bustan. Ces pendants sont portés par le souverain et par les courtisans sur les scènes de chasse et par le cavalier. Plusieurs ensembles de ces pendentifs sont dits venir du Dailaman (cat. 137).

L'archerie fut aussi l'objet d'importantes transformations. L'importance du tir à l'arc n'était pas seulement militaire, c'était aussi un exercice d'élite. Le décor de nombreux plats royaux en argent montre le roi en archer, et le roi Shâpur II se vante de la portée exceptionnelle de son tir sur des inscriptions rupestres à Hajjiabad et Tang-Buraq. L'arc sassanide est de type réflexe, il est courbé à l'envers quand la corde n'est pas en tension. Sa structure composite en bois, corne et tendons d'animaux lui permettait de supporter des tensions extrêmes. Par rapport aux arcs parthes, relativement petits et qui pouvaient être utilisés aussi bien à pied qu'à cheval, les arcs sassanides sont devenus plus grands, probablement sous l'influence de l'Asie centrale. La partie inférieure de l'arc était souvent plus courte que la moitié supérieure ce qui en facilitait l'usage à cheval. Invention propre aux Sassanides, le *nawak* est un guide-flèche fixé contre l'arc et qui le fait ressembler à une arbalète. Il rendait possible l'usage de flèches courtes et lourdes à longue portée mais qui, à courte distance, avaient une grande force de pénétration. Les archers sassanides n'utilisaient pas la méthode méditerranéenne ou mongole qui pince la corde entre le pouce et l'index, mais la méthode persane : pour bander l'arc, les trois doigts inférieurs ou les deux doigts du milieu tendent la corde tandis que l'index est posé le long de la flèche ; cette technique d'origine parthe est représentée sur de nombreux plats sassanides en argent. Pour réduire la pression de la corde sur les doigts un doigtier, attaché au poignet par une cordelette, était parfois utilisé.

Fig. 3 - Taq-i Bustan, Iran. Cavalier en armes, *in* Flandin et Coste, 1843.

131

Casque

Fer, bronze et argent
H. : 0,21 ; D. : 0,195
Fin VIe-début VIIe siècle
Iran du Nord, Cheragh Ali Tepe, (?)
Bruxelles, musées royaux d'Art et d'Histoire, inv. IR.1315

Biblio. : Overlaet 1982, p. 189-206, 3 fig. V ; Overlaet 2004, p. 450-453, 798, cat. 521.

Expos. : Bruxelles 1993, p. 173, cat. 31.

Le casque est composé de quatre plaques de fer ajustées entre un bandeau frontal horizontal, une bande verticale qui parcourt tout le casque de l'avant jusqu'à l'arrière et deux bandes latérales plus petites sur chaque côté. Les bandes sont toutes plaquées de bronze tandis que les quatre plaques sont recouvertes d'argent ; des rivets en bronze assemblent les différentes pièces. Les perforations qui figurent le long du bord inférieur servaient probablement à suspendre un camail. Les plaquages d'argent sont décorés d'un motif d'écailles À l'intérieur de ces écailles des lignes incisées évoquent des plumes. Le même motif traité en pointillé décore les bandes plaquées de bronze et un dessin circulaire orne le sommet du casque. Sur le devant de la bande frontale apparaît sur un socle un croissant de lune dont les extrémités sont ornées de minuscules croissants.

Le choix des matériaux tout comme la décoration, montrent que les casques de ce type étaient des objets de prestige qui signalaient le haut rang militaire et social de leur propriétaire. Ce casque est présumé avoir été découvert en même temps que le siège pliant damasquiné (cat. 141), autre emblème d'un statut élevé. Les plaquages d'argent ou d'or à décor de plumes ou d'écailles apparaissent sur de nombreux casques, poignards et épées, toutes armes prétendues provenir du Nord de l'Iran. Tous ces casques arborent un croissant de lune sur le bandeau frontal, autre signe de leur appartenance au même fonds culturel. On a avancé l'hypothèse que le décor d'écailles représenterait le plumage de l'oiseau mythique Varagna, incarnation du dieu zoroastrien de la victoire, Verethragna, et serait donc une protection symbolique. Mais ce décor se retrouve dans toute l'Eurasie où il apparaît dès le début du Ve siècle sur l'armement et l'équipement des Huns. Ce casque est du type « casques de Baldenheimer » produits à même époque dans les ateliers byzantins et ostrogoths et le plus souvent décorés d'un mélange de thèmes classiques tardifs et d'éléments barbares.

B. O.

132

Casque

Fer, bronze et argent
H. : 0,21 ; D. : 0,195
Fin VIe-début VIIe siècle
Iran ?
Mayence, Römisch-Germanische Zentralmuseum, inv. O.38823

Biblio. : Balint, 1992, n° 416, pl. 12B, p. 317 ; Bohner, Ellmers et Weidemann 1972, p. 42 ; Overlaet 1982, p. 193-194.
Expos. : Bruxelles 1993, p. 174-175, n° 32.

Quatre plaques de fer assemblées au sommet par un rivet composent l'armature de ce casque.

Les plaques intermédiaires ainsi que le bandeau frontal sont recouverts d'une feuille d'argent décorée du motif en écaille qui évoque un décor de plumes. Ce motif est interrompu au centre du bandeau par une zone rectangulaire marquée de six triangles enfermant un décor de nervures qui rappelle soit une plume soit une palmette. Au-dessus, un croissant de lune bordé de bossettes est fixé sur le casque par trois rivets de bronze. Sur le bord inférieur du bandeau les rivets ont disparu, ils servaient à fixer les protections du visage et de la nuque probablement formées d'un filet de mailles. Une attache au sommet du casque montre qu'il devait être surmonté d'un cimier. Ce casque comparable à celui porté par le chevalier (peut-être le roi Khosrow II) figuré au fond de la grotte de Taq-i Bustan (fig. 3, p. 187) est dit avoir été retrouvé dans une tombe de la région de Amlash qui contenait aussi une épée et un gant d'armure [1]. Il appartient à la même série que les casques et épées portant le même type de décor.

F. D.

1. Overlaet ,B, 1982, p.194 et note 19.

133

Casque sassanide

Bronze et fer
H. : 0,23 ; D. : 0,20-0,225 (à l'ouverture)
Probablement VIᵉ-VIIᵉ siècle
Irak, Ninive
Londres, British Museum, inv. ANE 22498.

Biblio. : Rawlinson 1894, p. 398-99 ; Guide 1900, p. 99 ; Arendt 1935/36, taf. VII; Werner 1949/50, p. 188-89, taf. 7/2 ; von der Osten 1956, taf. 105 ; Grancsay 1963, p. 259, fig. 8 ; Gardner 1968, fig. ; James 1986, p. 117-19 ; Wilcox & McBride 1986, p. 39 ; Overlaet 1982, p. 193 ; Dezsö and Curtis 1991, p. 105 ; Nicolle & McBride 1996, p. 66, fig. 34B ; Simpson 1996, p. 97-98, pl. 2a-b ; Reade 1998, p. 78. Expos. : Bruxelles 1993, p. 172, n° 30

Ce casque est l'un des quatre derniers exhumés à Ninive. Depuis les premières découvertes au XIXᵉ siècle, de nombreuses opinions se sont manifestées quant à leur datation, mais les spécialistes de l'équipement militaire s'accordent sur le Vᵉ siècle ou une date ultérieure. Néanmoins, la découverte de pièces en aussi grand nombre sur le même site est singulière. Elle ne prouve par pour autant la présence d'une garnison à Ninive même si l'existence d'une forteresse est attestée à cette période.

Plusieurs types de casques étaient portés par les armées de l'Empire sassanide. Un casque provenant de Dura indique qu'au IIIᵉ siècle, ils étaient formés par assemblage de deux demi-coques en fer. Les casques de type *spangenhelm* rond-conique formé de quatre bandes apparait au Vᵉ ou au VIᵉ siècle et si on en juge par un autre casque découvert à Ninive était parfois équipé de fentes ménagées pour les yeux. On a longtemps cru que les rangées de trous autour de la base des autres casques étaient destinés à fixer un camail. Toutefois l'espacement des trous convient mieux à la fixation d'un bandeau de cuir et certaines représentations montrent une coiffe complète en maille de fer portée sous le casque. La construction et la décoration présentent des variantes de détails. Certains étaient décorés par des tissages tandis que d'autres étaient revêtus de bronze ou d'argent. Dans les deux cas on constate que ces décorations utilisent un motif très proche de celui qui orme les fourreaux d'épée du Dailaman.

Ces découvertes peuvent donc être assez représentatives des différents types de casques utilisés dans l'Empire sassanide plutôt que le produit d'une influence caucasienne ainsi que Balint l'a suggéré [1]. Le lieu de découverte confirme que ce modèle de casque était utilisé sur les confins occidentaux de l'Empire sassanide de même que dans le Nord-Ouest de l'Iran. Mis à part des usages ethniques particuliers, on ne sait pas si les décorations de ces casques correspondaient à un rang social mais par analogie avec les armées romaines et médiévales européennes, il semble que le décor de l'équipement militaire n'ait pas été réservé aux grades supérieurs.

St J. S.

1. Balint 1992, p. 415-416

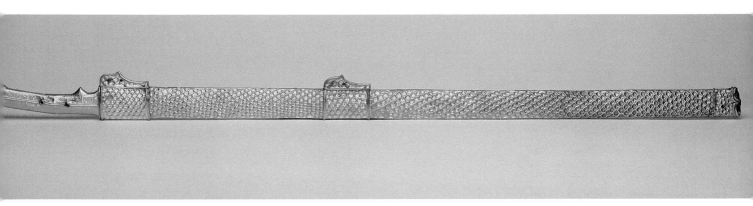

134

Épée en fer à poignée et fourreau en or

Fer, or
L : 1,06.5 ; L (de la poignée 0,154 ; l. 0,0 ; l. du fourreau : 0,045
VIᵉ-VIIᵉ siècle
Réputée provenir du Dailaman, Iran
Londres, British Museum, inv. ANE 135738 (1972-6-17,1).

Biblio. : Kent & Painter eds 1977, p. 156, n° 327 ; Painter 1977, p. 15 ; Balint 1978, fig. 4.4 ; Overlaet 1982, pl. IIIc ; Wilcox & McBride 1986, p. 43 ; Masia 2000, p. 282, pl. 19.
Expos. : Bruxelles 1993, p. 179, n° 40 ; Vienne1996, p. 243 et 404, n° 94 ;

Environ une douzaine d'épées sassanides sont conservées dans les collections des musées. Elles ont toutes été prétendument trouvées au Nord-Ouest de l'Iran, sans doute dans des cimetières situés au sommet des collines de la région montagneuse et boisée du Dailaman. La densité de la forêt et la relative inaccessiblité de la région laisse penser que ses habitants ont toujours vécu un peu à l'écart de leurs voisins. Les Dailamites étaient des guerriers réputés et la relation de découvertes d'armes sur les sites de cette région a été avancée comme preuve d'une très longue tradition ; toutefois, il n'existe aucune preuve archéologique attestée.

Pour la plupart, les épées de ce type sont composées d'une lame droite à double tranchant rangées dans des fourreaux décorés en or ou en argent dont les attaches sont soit en forme de " P " soit de " R " ; ces attaches sont conçues pour maintenir l'épée sur la cuisse gauche dans un angle optimal ; elles sont représentées sur un relief de Taq-i Bustan, un plat en argent du VIIᵉ-début VIIIᵉ siècle du musée de l'Ermitage et les peintures rupestres de Sogdiane datant des viie et viiie siècles. Ce système d'attache a probablement été importé d'Asie centrale et utilisé concurremment avec les ceinturons à deux passants. Le décor couvrant la totalité du fourreau qui se retrouve aussi sur de nombreux casques sassanides est un trait caractéristique des productions artistiques de la fin de la période sassanide.

Les épées et leurs ceinturons d'attache faisaient partie des pièces de butin particulièrement appréciées par les combattants arabes pendant la conquête musulmane : est-ce la qualité des lames ou celle de la décoration qui leur conférait de la valeur ? Quoi qu'il en soit, les épées étaient, dans l'Empire sassanide, le signe d'un haut rang : Le « Porteur de la Royale Épée » figure dans la liste des hauts dignitaires de la cour de Shapur Iᵉʳ comme l'attestent les *Res Gestae* de Ka'ba-i Zardusht et les épées occupent une place de premier rang sur les reliefs rupestres royaux sassanides.

Şt J. S

135
Garniture d'épée

Or
H. : 0,05 / 0,05 et 0,284 ; l. 0,081 ; 0,081 et 0,045
Fin VIe-début VIIe siècle
Iran
Paris,, musée du Louvre, département des Antiquités orientales
inv. MAO423.

Biblio. : Amiet 1967, fig. 15, p. 280 ; Amiet 1971, p. 93 ; Balint 1978, p. 173-176, fig.
1-3 ; Overlaet 1982, p. 197.
Expos. : Paris 1967, n° 47 ; Bruxelles 1993, p. 179, n° 41.

De cette épée ne subsiste que l'habillage en feuille d'or de la poignée et du fourreau. Ce dernier qui était en bois, n'était pas entièrement gainé de métal précieux ; seul le tiers inférieur et les deux larges bagues qui maintenaient les éléments d'attache en forme de P dans la partie supérieure et au milieu étaient recouverts d'une feuille d'or travaillée au repoussé d'un motif en écailles qui évoque un décor de plumes. La poignée est composée de deux éléments qui ne sont pas jointifs : ils devaient enchâsser un élément central façonné dans un autre matériau, peut-être en os, en ivoire, ou taillé dans un bois précieux. La poignée est aussi ornée de ce même motif de plumes, qui avait probablement une valeur apotropaïque. On le retrouve sur les épées de même type et les casques qui forment une série homogène, datée de la fin de l'époque sassanide et à laquelle on attribue une provenance commune : la région Nord-Ouest de l'Iran.

F. D.

136
Épée à garniture d'argent

Fer, argent
H. : 0,87
Iran
Fin VIe-début VIIe siècle
Paris, musée du Louvre, département des Antiquités orientales
inv. AO25534

Bib.lio. : Amiet 1974, p. 195-196, fig. 4 ; Balint 1978, p. 207-210, fig. 16-17 ; Girshman,
1963, p. 293-311 ; Overlaet 1982, p. 197.
Expos. : Bruxelles 1993, p. 178, n° 38.

L'étroite lame de fer de cette longue épée est encore enfermée à l'intérieur du gainage d'argent qui ornait le fourreau de bois. La poignée et le fourreau sont recouverts d'une feuille d'argent décorée au repoussé du motif de plumes qui orne toute cette série d'armes.

Lors d'une ancienne restauration – malheureusement irréversible – les bandeaux sur lesquels sont fixées les attaches en forme de P n'ont pas été remontés à leur emplacement normal (cat. 135), mais côte à côte en haut du fourreau. Ils portent à l'arrière deux petits anneaux dans lesquels passaient les liens en cuir permettant d'attacher l'épée à la ceinture.

F. D.

137

Ornements de ceinture

Argent, or, bitume 13 éléments
0,021 x 0,009 / 0,032 x 0,013 / 0,03 x 0,019 / 0,041 x 0,012
fin VIᵉ-VIIᵉ siècle
Iran, Amlash (?)
Bruxelles, musées royaux d'Art et d'Histoire, inv. IR.1262.

Biblio. : Bruxelles 1993, p. 182, n° 43.

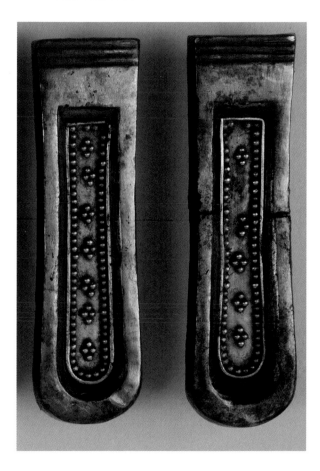

Chacun de ces treize ornements est équipé au revers de deux longues attaches qui permettent de les fixer sur une ceinture de cuir à pendants. La forme précise d'une telle ceinture ne nous est pas connue car ces objets ne proviennent pas d'une fouille archéologique contrôlée. En fait on ne sait même pas si nous disposons de tous les éléments. Chacun d'eux est composé d'or, d'argent et de bitume ; une bordure en argent entoure une petite plaque en or décorée de granulations et bordée d'un fil d'or ; la face postérieure creuse est remplie de bitume.

L'usage des ceintures à pendants vient probablement d'Asie centrale. On les rencontre aussi en Europe centrale, chez les Avars ainsi qu'en Italie et dans l'Empire byzantin. Dans l'Iran sassanide, ces ceintures apparaissent pour la première fois sur les sculptures rupestres de Taq-i Bustan : des serviteurs, des courtisans et le roi lui-même portent des ceintures dont le nombre de pendants varie. On a suggéré que le nombre de ces languettes dépendait du rang social du porteur, mais cela demeure une simple hypothèse. L'usage de ce type de ceintures perdura après l'avènement de l'Islam.

B. O.

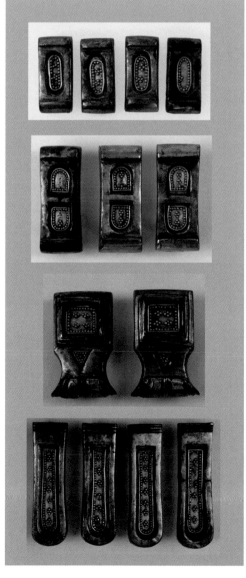

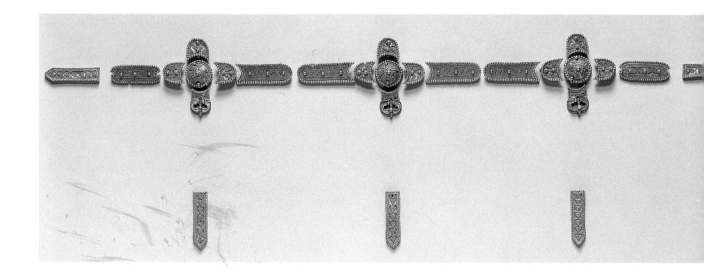

138
Ornement de lanières

Or
D. (des boutons) : 0,029.
Fin VIe-VIIe siècle
Iran
Paris, musée du Louvre, inv. AO21405.

Biblio. : Amiet 1967, fig. 1, 5, p. 275-276 ; Balint 1978, p. 186-199, fig. 8-9.
Expos. : Paris 1967, n° 46 ; Bruxelles 1993, n° 44, p. 183.

Ces trente-deux petits éléments : languettes, boucles, garnitures de courroie, boutons, en or portent un décor géométrique fait de granulations. Ils étaient destinés à orner des lanières de cuir, probablement le harnais d'un cheval. Ceintures (cat 137) et harnais ainsi décorés étaient répandus chez les peuples des steppes, en particulier chez les Avars, et ont été adoptés vers la fin du VIe siècle tant à Byzance que dans l'Empire sassanide.

La disposition des différents éléments adoptée ici est une simple convention. En s'appuyant sur les découvertes, dans des sépultures de cavaliers Avars, de harnais des chevaux qui y avaient été inhumés avec les défunts, Cs. Balint a proposé une reconstitution replaçant les plaquettes en or sur le harnais d'un cheval, l'ensemble de cet ornement devait comporter plus d'éléments que ceux conservés ici.

F. D.

139
Deux médaillons à décor de pintade

Argent partiellement doré
D. : 0,053
VIe-VIIe siècle
Iran
Berlin, Museum für Islamische Kunst, Staatliche Museen zu Berlin inv. I.87/63.

Biblio. : Berlin 1979, no 87 ; K. Bohner et al., 1972, p. 43.
Expos. : New York 1978, p. 63 ; Bruxelles 1993, p. 185, n° 46 ; Vienne 1996, 244 et 405.

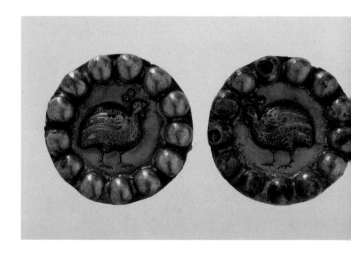

Ces deux médaillons proviennent d'un ensemble dont au moins six pièces nous sont parvenues. Toutes sont décorées d'une pintade représentée de profil droit ou de profil gauche. Placés sur un fond doré, ces oiseaux sont entourés de treize perles rondes. Le revers de certains médaillons porte une attache indiquant qu'ils ont pu être utilisés comme fibules ou orner les ceintures de nobles persans. Le thème de la pintade était courant à l'époque sassanide ; on le retrouve utilisé dans différentes techniques en raison de son aspect bénéfique dans la tradition zoroastrienne où les oiseaux étaient associés à la puissance du Bien. On retrouve ce thème sassanide dans l'artisanat du début de la période islamique.

J. K.

140
Paire de disques décoratifs

Argent partiellement doré
D. : 0,053
Fin VIᵉ-VIIᵉ siècle
Iran
Mayence, Römisch-Germanische Zentralmuseum
Inv. O.39246-O.39247.

Biblio. : Bohner, Ellmers et Weidemann 1972, p. 43.
Expos. : New York 1978, n° 20, p. 63 ; Bruxelles 1993, n° 47, p. 186.

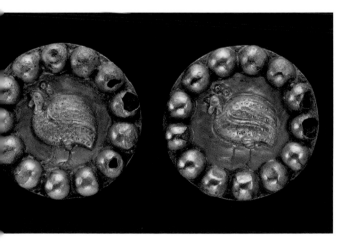

Ces deux disques décoratifs, ornés d'une pintade de profil à gauche font partie du même ensemble que les deux numéros précédents. Quatre anneaux de fixation sont soudés au revers des disques. Ils étaient probablement utilisés comme ornements de ceinture ou pour décorer des harnais de chevaux.

F. D.

141
Siège pliant damasquiné

fer, laiton et argent
0,665 x 0,41 / 0,665 x 0,38
Fin VIᵉ-VIIᵉ siècle
Iran du Nord, Cheragh Ali Tepe (?)
Bruxelles, musées royaux d'Art et d'Histoire, inv. IR.1316.

Biblio. : Overlaet 1995, p. 93-122, fig. 12. Overlaet 2004, p. 450-453, 799, n° 522.

Ce siège pliant est composé de deux cadres rectangulaires articulés par un rivet en fer au milieu de chacun des grands côtés. Une tige de fer qui passe au travers de cinq anneaux fixés aux barres horizontales supérieures des cadres soutenait le tissu du siège. Les barres métalliques qui constituent les cadres sont de section carrée dans les angles et octogonale en leur milieu. Toutes les parties visibles sont damasquinées : elles portent un décor de fleurs et de formes géométriques en laiton et en argent. Les barres horizontales supérieures sont incrustées seulement sur le dessus et la face extérieure. Elles devaient demeurer visibles et n'étaient donc recouvertes ni par le tissu du siège ni par des coussins.

Des sièges décorés en fer de même type ont été découverts dans les tombes des Avars de Kölked-Feketekapu en Hongrie et dans les sépultures longobardes de Nocera Umbra en Italie. Les sièges découverts en Italie, très proches de notre exemplaire tant par la forme que par la décoration, pourraient provenir du même atelier. Cette technique décorative était très largement utilisée par les ateliers barbares mais ces sièges peuvent aussi avoir été façonnés dans un atelier romain ou byzantin car Byzance entretenait des contacts étroits aussi bien avec les Longobards qu'avec l'Iran : l'empereur Justinien avait enrôlé des mercenaires longobards dans son expédition militaire de 553 contre les Sassanides. Il est impossible de savoir comment ce siège pliant d'origine byzantine ou barbare est arrivé en Iran ; il peut s'agir d'une prise de guerre, d'un présent, ou bien encore d'une marchandise. Il est dit provenir de la même tombe que le casque cat. 131.

C'était assurément un objet de prestige dont l'origine vient du monde romain. Le modèle de siège à pieds rectilignes, la *sella castrensis* (siège de camp) était le pendant militaire du siège curule (*sella curulis*) attaché à la fonction des hauts magistrats romains depuis l'origine de la République. Cette chaise curule destinée à un consul était transportée, entourée des faisceaux des licteurs, devant les sénateurs assemblés ; on la retrouve, symbole de la fonction de magistrat, représentée sur des monnaies et les stèles funéraires. Pendant l'Antiquité tardive et le Moyen Âge occidental, ces sièges pliants furent attachés à la fonction des puissants et des dignitaires religieux. *Le faldistorium*, siège liturgique épiscopal en est la trace toujours vivante dans le cérémonial catholique romain.

B. O

143
Statuette figurant un roi debout

Bronze
H. : 0,185 ; l. : 0, 7 ; Ép. : 0,035 ; Pds : 1431
IVe-Ve siècle
Iran ?
Londres, British Museum, ANE 134382 (1964-6-15,1).

Biblio. : Barnett et Curtis 1973, p. 127, pl. LVIII b-c ; British Museum 1967, p. 39, pl. XIVb ; Collon 1995, p. 205, fig. 171 ; Curtis, 2000, p. 83, fig. 98 ; Pinder-Wilson 1971, n° 103 ; Philby, 1981, p. 85.
Expos. : Bruxelles 1993, p. 169, n° 27.

Cette statuette en bronze représente un personnage debout portant la barbe et une couronne crénelée au dos de laquelle flotte une paire de rubans ; il porte pantalon sous une tunique évasée ceinturée à manches longues qui s'arrête au genou ; la partie inférieure de la tunique est décorée en son milieu, le long du bas et sur le pan droit. Le personnage est paré d'un collier à deux rangs, un pectoral orfévré qui indique son rang et une paire de ceintures, la plus basse portant une paire de plaques fixées et un ruban de chaque côté ; les deux mains reposaient originellement sur le pommeau et la garde d'une épée droite coulée séparément et que le personnage

Cette petite statuette d'homme est vêtue d'un pantalon long, d'une courte tunique et d'un long manteau ajusté, maintenu sur la poitrine par une attache. Ce costume typiquement iranien, fut celui des Parthes avant d'être celui des Sassanides, mais il fut aussi porté par les Scythes et les Koushans. La main gauche du personnage repose sur le pommeau de son épée qu'il maintient, à la mode sassanide, verticalement entre ses deux jambes, la main droite levée est brisée, mais devait tenir un emblème. La chevelure mais surtout la barbe ondulée et la moustache rappellent la physionomie de certaines statues masculines de Hatra, datées du IIIe siècle. Il est impossible de déterminer la fonction de cette figurine dont la date se situe probablement à la charnière entre les époques parthe et sassanide.

F. D.

tenait verticalement devant lui, posée pointe au sol ; la couronne et les jambes sont endommagées et l'épée est manquante. Cette représentation d'un personnage royal debout tenant son épée devant lui est courante dans le répertoire sassanide. On la retrouve sur de grands reliefs rupestres en Iran, la vaisselle en argent, les monnaies et même parmi les figurines en terre cuite de Merv. La diversité des supports et l'étendue géographique de sa présence indiquent que cette représentation était immédiatement reconnaissable où que ce soit.

St J. S.

144
Statuette d'homme debout

Bronze
Iran
IIIe siècle
H. : 0,124
Paris, musée du Louvre, inv. AO 22134

Biblio. : P. Amiet, 1967, fig. 13-14, p. 278, 280; H. C. Gallois, 1923; B. Overlaet, 1993, n°25, p. 168
Expos. New York, 1978, n°30, p. 88-89 ; Bruxelles, 1993, n°25, p. 168.

Cat. 177, détail.

L'art sigillaire : camées, sceaux et bulles

Rika Gyselen

Aucune expression artistique ne reflète mieux la culture sassanide dans son ensemble que l'art sigillaire. Le lapicide sassanide produisit non seulement des bijoux, des objets de prestige ou des talismans, mais aussi des sceaux dont l'usage était indispensable dans les divers secteurs administratifs, comptables et commerciaux, ainsi que dans la vie privée afin de sauvegarder l'inviolabilité de la propriété ou de s'assurer une protection contre les forces maléfiques. Seule une minorité de sceaux portent une inscription, en général en pehlevi, dont le contenu présente un rapport direct avec le rôle assigné à l'objet.

À l'exception de rares camées gravés en relief, l'art sigillaire est surtout connu à travers des sceaux, gravés en creux sur des pierres semi-précieuses dont l'agate, la cornaline, la calcédoine et le jaspe, et subsidiairement le grenat almandin, l'onyx, le cristal de roche, l'améthyste et l'hématite. Les Sassanides ont introduit une forme de sceau plus ou moins hémisphérique — dactyloïde et ellipsoïde — qui, étant perforé de façon à pouvoir être suspendu, n'avait donc pas, comme les chatons, à être serti dans une monture. Les deux formes coexistent mais n'ont pas été utilisées de manière tout à fait aléatoire. Des décorations géométriques ornent parfois le dos des dactyloïdes et des ellipsoïdes ; elles appartiennent au même répertoire décoratif que celui qui fut appliqué sur des objets en verre ou en cristal de roche, et qui a dû être utilisé aussi sur d'autres supports plus périssables tel le bois.

Un sceau servait en premier lieu à sceller et ces scellements, appelés bulles, sont en argile. La plupart de ces bulles ont été trouvées dans des archives à caractère officiel, sinon administratif, que le contexte archéologique ou des critères intrinsèques aux objets permettent de dater des VIe-VIIe siècles, ce qui correspond à une période de densification du réseau administratif provincial suite aux réformes administratives de Kawad Ier, menées à bien par son fils Khosrow Ier (531-578). Les bulles administratives constituent une source privilégiée pour l'histoire culturelle et administrative de l'empire et rendent aussi compte du fait que les sceaux utilisés dans la vie publique ne représentent qu'une petite partie du corpus sigillaire total.

Quelques sceaux peuvent être datés des IIIe-Ve siècles grâce à la couronne royale que porte le personnage représenté ou à l'inscription mentionnant un personnage historique connu. Très rares, ces sceaux de la famille royale des IIIe-IVe siècles sont en améthyste ou en onyx gravé en nicolo. Peroz (459-484) choisit la cornaline pour faire graver son buste richement décoré et coiffé d'une tiare sur un grand chaton convexe. Ce sont ces mêmes facture et iconographie qu'utilisent de nombreux hauts dignitaires appartenant aux instances centrales et provinciales de l'État, à l'entourage du roi et au clergé mazdéen. Il ne fait pas de doute que ce type de buste à tiare a été le privilège d'un groupe social bien déterminé : membres de la famille sassanide et des anoblis (?) par le roi. Pourquoi, autrement, des nobles issus des autres grandes familles de l'Empire, tels les Kâren et les Warâz, les princes locaux du Dumbâwand ou un gouverneur chrétien, auraient-ils tous choisi, au lieu du buste, des motifs comme le lion, le bœuf à bosse, le sanglier, le cheval ailé ?

Parallèlement à ces sceaux nominatifs, diverses administrations sont attestées par des sceaux portant exclusivement des informations d'ordre administratif. Il est peut-être dû au hasard des trouvailles que seules deux administrations « centrales » (trésorerie et *diwân*) soient attestées alors que deux cent-vingt sceaux divers environ font connaître une quinzaine d'administrations provinciales et plus de quatre-vingts « provinces ». Outre la trame provinciale très dense, ces sceaux témoignent de l'omniprésence de l'administration fiscale (*âmârgar*) et de la puissance du clergé zoroastrien qui, avec un « délégué » (*magûh*) dans chaque bourg, tenait en son pouvoir, au moins en Iran intérieur, tout l'appareil juridico-religieux. L'existence d'un quadrillage militaire du territoire national est moins certaine. À une exception près, les administrations provinciales possèdent des sceaux de forme hémisphérique, le plus souvent en agate.

L'appareil militaire est surtout connu par des sceaux nominatifs de généraux d'empire qui se font représenter sur de grands chatons convexes sous l'aspect de cavaliers entièrement caparaçonnés. Chaque général s'identifie par une longue légende énumérant son nom, son ou ses titres personnels, ceux communs à tous les généraux, et la partie de l'empire − région Est, Sud, Ouest ou Nord − dont il a la charge. Ces sceaux datent au plus tôt de l'époque de Khosrow Ier, auquel est attribuée la quadripartition de l'empire dans le cadre des réformes militaires qu'il effectua. Tous les sceaux nominatifs des élites sassanides sont des chatons de dimensions trop importantes pour être portés en bague, mais ils ont pu être sertis dans un pendentif ou dans un bracelet porté au-dessus du coude.

Le reste du corpus des sceaux nominatifs est très diversifié du point de vue de la facture et de l'iconographie. Quelques individus déclinent leur profession ou leur métier : mages (prêtres zoroastriens), scribes, prêtres chrétiens, etc., mais ils s'identifient plus volontiers en ajoutant le nom de leur père ou de leur « famille ». Si un large spectre de

motifs est attesté pour ces sceaux personnels, quelques règles ont régi certains choix iconographiques. Ainsi, le motif du buste féminin semble réservé aux seules femmes, tandis
qu'aucun sceau de mage zoroastrien ne porte de scorpion, animal néfaste et exécré dans
le zoroastrisme.

La majorité des sceaux est anonyme, ne portant pas d'inscription ou une simple formule. Certains sont restreints à un usage privé, en particulier ceux présentant des formules qui s'apparentent à la littérature des *andarz* (conseils à caractère sapientiel) et qui
illustrent les préoccupations morales du mazdéen. Ces formules font allusion à des
concepts spécifiquement zoroastriens comme l'âme, la triade éthique « bonnes pensées,
bonnes paroles, bonnes actions », la justice ou la générosité. En revanche, de simples
souhaits tels « Paix ! » ou « Bonne Journée ! » sont d'usage général et communs aux
zoroastriens et aux chrétiens. Cependant, chaque communauté se tourne parfois vers sa
propre religion pour énoncer des formules d'invocation : ainsi de « refuge en Âdur (dieu
du Feu) » ou de « confiance en Jésus ». Les sceaux chrétiens portent indifféremment des
légendes en syriaque ou en pehlevi, tandis que les sceaux juifs sont presque uniquement
inscrits en hébreu.

Sceau juif, *in* Pirouzan 1978, 60.2.

Si quelques sceaux sont aniconiques, la plupart portent un motif iconographique.
Bien que très stéréotypé, le buste humain fait fonction de portrait, de même que la représentation en pied, qui concerne un petit nombre de personnages. L'identité de ces personnes est parfois fournie par une inscription ou par des caractéristiques iconographiques spécifiques. C'est ainsi qu'ont pu être identifiées les divinités du soleil (Mithra)
et de la lune (Mâh). Des motifs comme celui du prêtre zoroastrien devant l'autel du feu
ou du laboureur avec un soc tiré par deux bœufs identifient peut-être le possesseur du
sceau mais peuvent aussi refléter des concepts ayant trait à la foi zoroastrienne ou à la
fertilité. Cette multifonction de l'image est une constante dans l'art sigillaire. De nombreuses représentations comportant des personnages humains sont de véritables petits
tableaux dont le sens réel, faute de référence culturelle, reste souvent obscur, comme l'est
aussi, par conséquent, la fonction exacte du sceau.

Quelques motifs fournissent heureusement la raison d'être de certains sceaux, comme
par exemple celui du « héros » agrippant un « démon » qui est une expression concrète
de la lutte du Bien et du Mal et de la victoire du premier sur le second. Un autre motif,
à caractère prophylactique, désigné sous le terme « Gayomard », appartient également au
mythe iranien. Mais de nombreux motifs et inscriptions sur les sceaux « magiques » révèlent d'autres tendances religieuses et culturelles originaires de l'ancienne Mésopotamie
ou du monde égyptien hellénisé. Cette réalité pluriculturelle de l'art sigillaire se manifeste
aussi à travers des symboles explicitement chrétiens, dont la croix, ou judaïques, comme
le *lulav* et l'*etrog*. À l'exception de ces symboles les plus ostentatoires, ces deux communautés, et d'autres groupes plus secrets, utilisent le même répertoire iconographique que
les zoroastriens. Celui-ci ne se limite pas à des considérations religieuses puisque sur des
sceaux de prêtres mazdéens sont même représentés des animaux prohibés par la doctrine
zoroastrienne. De nombreux motifs, tels les animaux ailés ou les êtres fantastiques mi-
hommes mi-animaux, sont une réinterprétation iranienne d'une tradition proche-orientale

qui a inspiré aussi l'art romain, d'où quelques motifs communs à la Perse et à Rome comme les grylles.

Le bélier, le lion, le bœuf à bosse, le cerf et divers oiseaux sont des motifs très populaires. Ils sont représentés seuls ou à plusieurs, ou associés à des personnages et à des végétaux. Si ces motifs peuvent avoir une connotation symbolique, ils font également partie intégrante de l'environnement matériel de l'homme sassanide et de son monde spirituel. De sens tout aussi complexe sont les éléments floraux et végétaux souvent tenus à la main par un personnage. La main seule peut de même constituer le motif principal d'un sceau. Protomes et têtes d'animaux sont assez courants. Parfois placés en rayons, ils peuvent être compris comme un symbole solaire. Très populaires aussi sont les compositions à structure géométrique qu'on désigne sous le terme peu adéquat de « monogrammes ». Certains de ces monogrammes portent des lettres qui composent quelquefois un terme ou un nom.

Sceau à monogramme.

145.

Camée. Victoire de Shapur Ier
sur l'empereur romain Valérien

Chaton en sardonyx à trois couches de couleurs différentes
0,009 x 0,103 x 0,068
IIIe siècle
Paris, BnF, département des Monnaies, Médailles et Antiques
inv. n° (1893).

Biblio. : Göbl 1974, 116.
Expos. : Vienne 1996, n° 78, p. 232, 399.

Ce camée est censé représenter la victoire du roi sassanide Shapur Ier sur l'empereur romain Valérien. La couronne que porte Shapur Ier ne correspond à aucune de
celles avec lesquelles il est représenté dans son monnayage. Toutefois, porteur de cette même couronne, il
figure sur le relief de Dârâb représentant une scène analogue. Le geste du roi sassanide empoignant la main de
l'empereur romain symbolise la reddition de ce dernier ou la conclusion d'une paix.

R. G.

146

Sceau de l'administration du magûh de
la capitale provinciale de Weh-Ardashir

Dactyloïde en agate brun-gris
0,0184 x 0,0243 x 0,0243
VIe-VIIe siècle
Paris, BnF, département des Monnaies, Médailles et Antiques
1972.1317.1 (don H. Seyrig).

Inscription en pehlevi lapidaire : « [Office du] magûh de
la capitale provinciale de Weh-Ardashir. [La province de]
Weh-Ardashir ».

L'administration du magûh,
comme son nom l'indique, est
gérée par les mages, en d'autres
termes par le clergé mazdéen, et
est implantée dans chaque ville
et grand bourg – une seule province hébergeant parfois jusqu'à
une douzaine d'offices de magûh.
Cette administration s'occupait,
à un niveau local, de tout ce qui

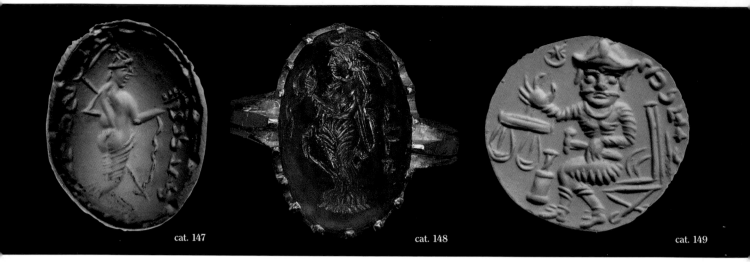

cat. 147   cat. 148   cat. 149

avait trait au droit, le droit familial en particulier, et au rituel zoroastrien.

La ville de Weh-Ardashir fut fondée par Ardashir Ier à côté de Séleucie et de Ctésiphon.

R. G.

147
Sceau personnel à « divinité »

Chaton convexe en grenat almandin serti dans monture.
0,0183 x 0,0135
Paris, BnF, département des Monnaies, Médailles et Antiques
Ancien fonds.

Personnage vu de trois-quarts dos, le bas du corps recouvert d'un vêtement drapé. Inscription pehlevie en écriture lapidaire nommant le ou la propriétaire du sceau « Burz-(Mihr-)Mârêy ».

Pour la posture générale et le type de vêtement, le graveur s'est de toute évidence inspiré du motif romain de la Vénus Victrix. Mais plusieurs attributs de cette dernière ont été oubliés (la colonne sur laquelle elle s'appuie) ou mal interprétés (de la main droite, qui devrait tenir un casque, sort un filet ondulant qui pourrait représenter de l'eau). Est-on simplement en présence d'une copie malhabile d'un motif romain ou celui-ci a-t-il été réinterprété de façon à correspondre à une divinité iranienne mineure ? À ce jour, on connaît encore trop peu de représentations anthropomorphiques de divinités zoroastriennes pour pouvoir résoudre la question.

R. G.

148
Sceau représentant une femme tenant un anneau enrubanné

Chaton convexe en grenat almandin serti dans une bague
[0,0055] x 0,0174 x 0,0118
Paris, BnF, département des Monnaies, Médailles et Antiques
Inv. N 3602 (1913).

Femme vêtue d'une longue robe suggérée par un tissu plissé en-dessous de la ceinture et d'une cape dont elle tient un pan de la main gauche. De la main droite, elle tend un anneau enrubanné qui, dans l'art dynastique, est souvent compris comme un symbole d'investiture, mais qui suggère probablement ici un événement festif. Ce motif s'inscrit dans une série iconographique bien attestée, sauf pour ce qui est de la coiffure inhabituelle : celle-ci pourrait constituer un signe distinctif d'identité ou d'origine encore impossible à déterminer pour le moment.

Les quelques lettres en pehlevi ne fournissent aucune lecture satisfaisante.

R. G.

149
Sceau d'un responsable de la Monnaie

Chaton plat en cornaline « brûlée »
0,0043 x 0,0018 x 0,0174
Paris, BnF, département des Monnaies, Médailles et Antiques
Inv. N 4867 (1919).

Homme assis sur une chaise, de profil, avec le torse tourné de face. Revêtu d'un habit indiqué par des plis recouvrant tout le corps et chaussé de bottes, il porte sur la tête un couvre-chef (en feutre ?) triangulaire, peut-être un

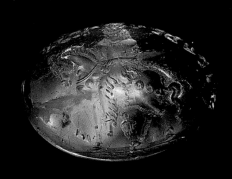

cat. 150   cat. 151   cat. 152

signe distinctif de la corporation à laquelle il appartient. Bien que les instruments nécessaires à la fabrication d'une monnaie soient ici représentés – balance, marteau et enclume – le propriétaire du sceau n'était certainement pas un simple graveur de monnaie. Malheureusement, la lecture et l'interprétation de la légende en pehlevi « Bayân-rad » n'est pas véritablement assurée et ne peut aider à identifier le possesseur.

R. G.

150
Sceau avec scène rituelle

Dactyloïde en jaspe rouge et blanc
0,0154 x 0,0194 x 0,0166
Paris, BnF, département des Monnaies, Médailles et Antiques 1975.7.4.

Homme assis sur un divan, s'appuyant du bras gauche sur une pile de trois coussins et tenant de cette même main une coupelle. Sa main droite, dont le pouce et l'index sont joints, pointe vers les lèvres.
L'inscription pehlevie en écriture lapidaire peut être comprise comme « La véracité (= la parole véridique) est la voie » et s'inscrit dans la littérature sapientielle zoroastrienne. Les trois coussins pourraient consister en une allusion au concept spécifiquement zoroastrien de « bonne pensée, bonne parole, bonne action » et la coupelle pourrait évoquer une libation. Ce sceau est l'un des rares exemples où la gestuelle et le sens de la légende sont en rapport très étroit.

R. G.

151
Sceau personnel d'un noble

Chaton convexe en améthyste
0,0076 x 0,0254 x 0,0182
IIIe-IVe siècles
Paris, BnF, département des Monnaies, Médailles et Antiques
Ancien fonds.

Cavalier de profil à droite. Le cheval est harnaché à la manière de ceux représentés sur les reliefs rupestres du IIIe siècle, en particulier dans la scène d'investiture à cheval d'Ardashir Ier à Naqsh-i Rustam. On ne peut malheureusement plus distinguer le couvre-chef du cavalier, qui aurait peut-être permis d'identifier le personnage représenté.
L'inscription, en pehlevi lapidaire, identifie le propriétaire du sceau « Ardag, fils de Tirâd ».
L'utilisation de l'améthyste, de même que l'iconographie, indique l'importance sociale du possesseur de cette intaille. Celle-ci a servi de modèle à de nombreuses imitations « modernes » du XVIIIe siècle.

R. G.

152
Sceau magique avec démon immobilisé

Dactyloïde en agate gris clair ocellée
0,0284 x 0,041 x 0,0392
Paris, BnF, département des Monnaies, Médailles et Antiques
Inv. M 2113.

Démon ithyphallique et cornu, attaché par le cou, les bras et les jambes à deux poteaux plantés chacun dans une sorte de monticule. Dans l'univers magique, représenter le démon exécré pour s'en protéger est un procédé courant.

cat. 153

cat. 154

cat. 155

La légende en pehlevi cursif décline la fonction d'amulette du sceau « Grand est ce charme de Shahrevar » ; toutefois, la gravure en négatif de l'inscription suggère une utilisation en tant que sceau. Le nom de Shahrevar, qui est aussi celui d'un jour et d'un mois, peut référer à une divinité protectrice contre le démon ou au propriétaire du sceau.

R. G.

153
Sceau avec main

Dactyloïde en jaspe
0,023 x 0,0305 x 0,0305
Paris, BnF, département des Monnaies, Médailles et Antiques
Inv. M 6755 (1908).

Main avec poignet enrubanné. Le motif du pouce et de l'index qui se joignent est un geste de révérence devant le roi ou la divinité. La représentation d'une main peut être perçue comme le symbole d'une promesse et a joué aussi un rôle dans le mithriacisme. La légende en pehlevi cursif « Croissance ! Bâbâ... cavalier » comporte une formule de souhait et l'identité du propriétaire du sceau.

R. G.

154
Sceau anonyme
« Maître des animaux »

Dactyloïde en calcédoine cendrée
0,0215 x 0,0297 x 0,0237
Paris, BnF, département des Monnaies, Médailles et Antiques
Inv. L 1594 (1888).

Homme vêtu d'une courte tunique et de pantalons moulants et flanqué de deux lions dressés sur leurs pattes postérieures. Un élément végétal est placé entre l'homme et chacun des lions.
Ce motif s'inscrit dans la tradition d'un ancien motif oriental du « Maître des animaux ». Il est accompagné d'une formule de souhait en pehlevi lapidaire « Bonne Journée ».

R. G.

155
Sceau magique.
Victoire du Bien sur le Mal

Dactyloïde en agate
0,0157 x 0,0344 x 0,0344
Paris, BnF, département des Monnaies, Médailles et Antiques
Inv. 1975.251.12 (ex-collection M. Le Berre).

Le Bien est représenté par un personnage d'allure royale brandissant une masse (?) et agrippant le démon par la tête. Sa coiffure bouclée est assortie de deux gros chignons et d'un diadème à longs rubans. Il porte le costume sassanide composé de pantalons drapés et d'une tunique à bord arrondi serrée à la taille par une double ceinture nouée devant. Sur une amulette très similaire, David Bivar a identifié le personnage comme le héros mythique Frêdôn. Le démon ithyphallique, peut-être hermaphrodite, aux pieds fourchus et aux longues oreilles d'animal, tient une sorte de serpille dans la main gauche. On distingue, dans le champ, une branche de palmier, élément très

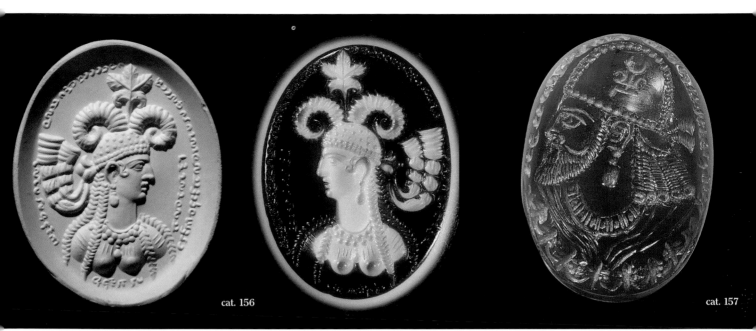

cat. 156   cat. 157

souvent associé à la magie, ainsi qu'une grande étoile à huit branches et un croissant. Le sens de l'inscription en pehlevi reste assez incertain, mais il pourrait comporter le nom de Sasan, qui était peut-être un dieu protecteur dans le monde de la magie.

R. G.

156
Sceau d'une reine du IVe siècle

Chaton en sardonyx à trois couches horizontales travaillé en nicolo. Cette même technique, alors appliquée en relief, est utilisée pour la fabrication des camées
0,004 x 0,044 x 0,034
IVe siècle
Probablement nord-ouest du Pakistan
Paris, BnF, département des Monnaies, Médailles et Antiques
Inv. 1974.1080.

Portrait d'une reine les cheveux couverts d'une calotte perlée surmontée d'une feuille de marronnier (?), elle-même placée au centre d'une paire de cornes d'ibex. La calotte est ceinte d'un double diadème noué derrière la tête et dont les extrémités se terminent en larges rubans. Les cheveux tombent en quatre longues tresses sur les épaules et la poitrine. Collier à double rang de grosses perles avec un pendentif central et boucle d'oreille à perle.
L'inscription en pehlevi lapidaire identifie la reine comme « Yazdan-Friy-Shapur, la plus aimée de Shapur, roi des rois, fils de Shapur ». Il s'agit donc de l'une des épouses de

Shapur III (383-388). Le seul autre personnage « historique » connu portant une couronne surmontée d'une paire de cornes d'ibex est un certain Wahram, roi kouchano-sassanide. Existerait-il un lien de filiation entre cet homme et la femme qu'épousa Shapur III ? Si, du point de vue typologique, le monnayage de Wahram avec une couronne à cornes d'ibex peut être placé dans la séquence du monnayage kouchano-sassanide, sa datation reste problématique du fait de l'incertitude chronologique liée à l'ère kouchan.

R. G.

157
Sceau personnel d'un *mogbed* provincial

Chaton convexe en cornaline
0,0092 x 0,0366 x 0,0258
VIe-VIIe siècle
Paris, BnF, département des Monnaies, Médailles et Antiques
Inv. Chabouillet 1339.

Ce sceau est tout à fait caractéristique de ceux des hauts fonctionnaires et des dignitaires appartenant à la noblesse. Buste d'homme barbu et moustachu, coiffé d'une tiare bordée de perles et ornée d'un « monogramme ». Le buste est placé sur une frise de motifs floraux et le vêtement est suggéré par des plis ondulant sur la poitrine et un large bandeau compartimenté autour du cou.
L'inscription en pehlevi lapidaire identifie le personnage comme « Weh-Ardashir, *mogbed* (de la province)

cat. 158   cat. 159   cat. 160   cat. 161

d'Ardashir-khwarrah », Ardashir-khwarrah étant l'une des premières villes qu'Ardashir Ier fonda en Perside.

R. G.

158
Sceau avec représentation du dieu Adur (?)

Ellipsoïde en agate zonée
0,030 x 0,0357 x 0,027
Paris, BnF, département des Monnaies, Médailles et Antiques
Inv. C 2971 (1849).

Buste de face, imberbe, auréolé de feu au-dessus d'un autel. Le concept d'un buste sur un autel est introduit dans le monnayage dès Shapur II, mais le personnage n'y est jamais représenté de face. Ce type de buste nimbé de face, mais sans autel, est attesté sur le revers de quelques émissions spéciales de Khosrow II.

L'inscription en pehlevi lapidaire sur deux lignes a été diversement lue par les spécialistes qui y ont cherché l'identité du propriétaire du sceau. Il n'est cependant pas exclu qu'il s'agisse en réalité du sceau « officiel » d'un Feu.

R. G.

159
Sceau chrétien de « mariage »

Chaton plan en cornaline « brûlée » serti dans une bague
[0,0147 x 0,0125]
Paris, BnF, département des Monnaies, Médailles et Antiques
Inv. L 1792 (1889).

Deux bustes se faisant face : à gauche une femme et à droite un homme. À chaque buste a été rajouté une main. Celle de l'homme tient une fleur.

Entre les deux bustes, deux croix latines potencées, celle du haut enrubannée.

La légende en pehlevi lapidaire est assez effacée. Elle comporte peut-être un nom propre, accompagné de la formule « confiance en dieu » qui fait explicitement référence à un seul dieu, au lieu de la formule zoroastrienne très courante « confiance en les dieux ».

R. G.

160
Sceau de mage

Chaton, probablement découpé d'un dactyloïde, en agate translucide
0,0042 x 0,023 x 0,023
Paris, BnF, département des Monnaies, Médailles et Antiques
Inv. D 3397 (1854).

Buste d'homme barbu de profil à droite, placé sur une base florale. L'inscription nomme le propriétaire du sceau « Bâbag, mage, [fils de] Mâh-Âdur-Gushnasp ».

R. G.

161
Sceau
Prêtre zoroastrien

Ellipsoïde en agate brune et blanche « brûlée »
0,0143 x 0,0179 x 0,0124
Paris, BnF, département des Monnaies, Médailles et Antiques
Inv. D 3404 (1854)

Homme de profil à droite devant un autel du feu. Pour ne pas souiller le feu sacré, il porte le *padâm*, un voile qui couvre le nez, la bouche et les cheveux. Un croissant et une étoile à six branches figurent dans le champ.

La légende en pehlevi lapidaire est un *andarz* (conseil sapiential) « Ce [qui vient] de la droiture [est] bon pour la divinité ».

R. G.

cat. 162   cat. 163   cat.164   cat.165

162

Sceau personnel. Lion

Dactyloïde en calcédoine
0,0194 x 0,0257
Paris, BnF, département des Monnaies, Médailles et Antiques
Inv. M 6107 (1905).

Motif très courant, le lion de toute évidence, ne fait pas référence au mazdéisme qui le considère comme une créature ahrimanienne. Sa popularité sur les sceaux sassanides s'explique par le caractère solaire et royal qu'il possédait déjà dans l'art de l'Orient ancien.

L'inscription en écriture cursive nomme le propriétaire du sceau « Farrbay-(Rashn), fils de Vishtasp ».

R. G

163

Sceau personnel. Éléphant

Ellipsoïde en agate grise
0,018 x 0,0209 x 0,0147
Paris, BnF, département des Monnaies, Médailles et Antiques, inv.1975.78.

Tout comme le lion, l'éléphant appartient à la création d'Ahriman. Cependant, son emploi comme auxiliaire indispensable dans la machine de guerre sassanide et ses qualités – longévité, mémoire, etc. – en ont fait un symbole de majesté et de souveraineté.

La légende en pehlevi lapidaire fournit le nom du possesseur du sceau « Varên, fils de Barrag ».

R. G.

164

Sceau personnel. Sanglier

Dactyloïde en calcédoine blanche, translucide
0,0148 x 0,0195 x 0,0195
Paris, BnF, département des Monnaies, Médailles et Antiques
coll. De Clercq 113 (don M et Mme H. de Boisgelin, 1967).

Sanglier passant à droite dans un paysage marécageux suggéré par des roseaux et par l'eau représentée au moyen d'une ligne ondulante sous l'animal. Le nom pehlevi du sanglier, « Warâz », est aussi celui de l'une des sept grandes familles de l'empire. L'animal symbolisant la force, son nom entre également dans la composition de titres prestigieux comme celui de Shahrwarâz, « sanglier de l'empire », arboré par plusieurs généraux dont le plus célèbre fut celui qui conquit Jérusalem sous Khosrow II. La légende en pehlevi lapidaire nomme le propriétaire du sceau « Sâm, fils de Burz-Âdur-Mihrâd ».

R. G.

165

Sceau de mage. Bélier

Dactyloïde en agate grise
0,0159 x 0,0213 x 0,0208 mm
Paris, BnF, département des Monnaies, Médailles et Antiques
Inv. 1975.73. (A1307)

Le bélier est l'un des symboles de la royauté. Ce caractère royal est souligné par le ruban (= diadème) noué autour du cou de l'animal et par l'anneau à trois (ici deux) sphères accroché à son poitrail. Sur le plan astrologique, le signe du Bélier est aussi de bon augure : il correspond au début du printemps et ses demeures lunaires, aquatiques, apportent la prospérité.

La légende en pehlevi, graphie cursive, désigne un prêtre zoroastrien comme possesseur du sceau « Shabên, mage, fils de Astôyên (?) ».

R. G.

cat. 166 cat. 167 cat. 168 cat. 169

166

Sceau. Scorpion et formule

Ellipsoïde en agate zonée grise et blanche.
0,0187 x 0,0142 x 0,0161
Paris, BnF, département des Monnaies, Médailles et Antiques
Inv. 1970.326 (ex-coll. Pirouzan, Téhéran).

Si le scorpion, d'un point de vue purement mazdéen, est l'animal nuisible par excellence — il est d'ailleurs le seul motif que les prêtres zoroastriens n'utilisent jamais sur leurs sceaux —, ici son association avec une formule à forte connotation éthique, « La bonne droiture des choses (se fait) par le sort », atteste clairement son caractère positif dans le language symbolique.

R. G.

167

Sceau anonyme. Lion et bœuf

Dactyloïde décoré en calcédoine blanche
0,0222 x 0,0288 x 0,024
Paris, BnF, département des Monnaies, Médailles et Antiques
Ancien fonds.

Le lion attaquant un bœuf est un motif bien connu dans l'art achéménide, en particulier sur les reliefs de Persépolis. Le motif peut être compris comme l'alternance du jour et de la nuit, le lion étant un symbole solaire associé au dieu Mithra tandis que le bœuf est associé au dieu Mâh (= la lune).

R. G.

168

Sceau personnel. Cheval ailé

Conoïde en calcédoine
0,0185 x 0,023 x 0,023
Paris, BnF, département des Monnaies, Médailles et Antiques
Inv. B 7 (ancien fonds).

Dans la zoologie zoroastrienne, le cheval appartient au groupe des animaux bénéfiques. Il est très présent dans l'épopée iranienne, qui fut partiellement préservée dans le *Shâhnâme* de Firdousi. Sur les sceaux toutefois, le cheval est presque toujours représenté ailé, ce qui lui donne un caractère transcendant.

La légende en pehlevi cursif nomme un mage comme propriétaire du sceau « (Yazd-)Ohrmazd, mage, fils de Mihrâd-bay ».

R. G.

169

Sceau magique au démon emprisonné

Dactyloïde en agate grise un peu « brûlée »
0,0187 x 0,0252 x 0,0246
Paris, BnF, département des Monnaies, Médailles et Antiques
Inv. 1972.131.768 (don H. Seyrig).

Le motif du démon enfermé est utilisé sur plusieurs plats magiques où figure en général une simple « muraille » circulaire. Sur ce sceau, le démon, ithyphallique et à queue et tête de loup, est enfermé dans une citadelle suggérée par une enceinte carrée dont l'extérieur est fortifié par douze tourelles. Il porte une corde au cou, autre indication de son emprisonnement, et est entouré de « symboles » dont le sens demeure inconnu.

R. G

cat. 160

cat. 171 et 172

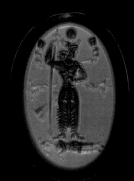

cat. 172

170

Sceau personnel. Fleur et oiseaux

Dactyloïde ébréché en jaspe sanguin
0,016 x 0,021 x 0,021
Paris, BnF, département des Monnaies, Médailles et Antiques
Inv. M 2805 (1899).

L'association d'éléments végétaux et d'oiseaux évoque la fertilisation de la nature.

La légende en pehlevi cursif donne le nom du propriétaire « Burz-Âdur xvârôy, fils de Mihrôg ».

R. G.

171

Sceau

Calcédoine brune
0,022 x 0,011
Vᵉ-VIᵉ siècle
Provenance inconnue.
St Pétersbourg, musée de l'Ermitage, inv. GL-948
Biblio. : Borisov et Lukonin, 1963, p. 84, n° 51 ; Horn, Pl. IIa, 613.

Intaille. Buste d'homme, tête tournée vers la droite (à l'impression), haut bonnet (*kulah*) avec deux étoiles à six pointes ; trois boucles parallèles tombant sur les épaules ; boucle d'oreille à deux pendants. Ailes déployées sous le buste. Inscription en moyen-perse : « Wehbaht, mage, fils de Yazdanak ». Intaille typique d'un prêtre et officiel sassanide.

A. N.

172

Fac-similé du sceau sassanide cat. 171.

Chaton en pâte de verre.
0,0054 x 0,0234 x 0,0228
Paris, BnF, département des Monnaies, Médailles et Antiques
coll. De Clercq 142 (don M et Mᵐᵉ H. de Boisgelin, 1967).

Cet épais chaton en pâte de verre bleuâtre provient très probablement de l'atelier de Tassie, qui possédait une collection de fac-similés publiée en 1791 par R. E. Raspe .

R. G.

173

Sceau du roi Bahram IV

Chaton en sardonyx à plusieurs couches travaillé en nicolo
0,031 x 0,019
Wahram IV (388-399)
Lonres, British Museum, inv 119352.

Le roi Bahram IV, reconnaissable à sa couronne spécifique, se tient debout au-dessus d'un personnage allongé face contre terre. Le souverain porte un habit royal — larges pantalons plissés, tunique à bord arrondi et ceinture nouée devant, collier de perles — assorti de plusieurs rubans, aux pieds, à la taille et aux épaules. La main droite repose sur le pommeau de l'épée et la main gauche tient une longue lance dont la pointe repose sur la nuque du personnage allongé, de toute évidence un ennemi vaincu. Aucune victoire militaire éclatante n'est rapportée pour l'époque de Bahram IV, mais il pourrait cependant s'agir d'une allusion au refoulement des Huns qui, à travers le Caucase, envahirent l'empire jusqu'à Ctésiphon. Le motif du roi piétinant un ennemi est également attesté sur le relief rupestre de Shapur II à Taq-i Bustan.

R. G.

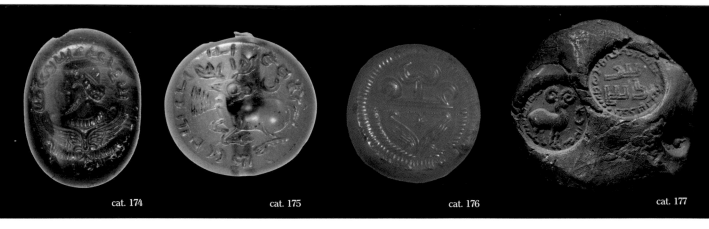

cat. 174 cat. 175 cat. 176 cat. 177

174

Sceau. Buste

Ellipsoïde en agate zonée brune
0,0243 x 0,0294 x 0,0214
Paris, musée du Louvre, département des Antiquités orientales
Inv. AO 24.422 (1971).

Buste d'homme, de profil à droite, au-dessus d'une paire
d'ailes et d'une paire de rubans.
L'inscription en pehlevi lapidaire comporte l'invocation
très courante « Confiance en les dieux ».

R. G.

175

Sceau. Cerf

Dactyloïde en calcédoine blanche translucide
0,0156 x 0,021 x 0,0216
Paris, musée du Louvre, département des Antiquités orientales
Inv. AO 8608 (don Virolleaud, 1922).

Cervidé couché à droite avec les bois représentés de face
et la tête tournée à gauche. Au cou, un collier à rubans.
Légende en pehlevi « confiance, Yazdân-Mihr ».

R. G.

176

Sceau anonyme. Monogramme

Dactyloïde en calcédoine
0,0195 x 0,025 x 0,023
Paris, musée du Louvre, département des Antiquités orientales
Inv. AOD 167 (ex-collection Dieulafoy).

Dans un cercle de traits, monogramme au-dessus d'une
paire d'ailes et d'une paire de rubans.

R. G.

177

Bulle administrative d'un *mogbed* d'Êrân-xwarrah-Shâpur

Argile brun gris et rosé
0,0275 x 0,057 x 0,053
Paris, musée du Louvre, département des Antiquités orientales
n° Sb.3672 (ex-coll. J. de Morgan).

Bulle comportant cinq empreintes. Le sceau principal
est celui de l'administration du « Mogbed d'Êrân-xwarrah-
Shâpur ». Cette province s'étendait autour de la ville du
même nom, appelée Karkha dhe-Ledan en syriaque. La
ville supplantera Suse, située un peu plus au sud, quand
celle-ci sera détruite par Shapur II à la suite d'une révolte.
La capitale provinciale d'Êrân-xwarrah-Shâpur abritait
des ateliers royaux, dont ceux où l'on fabriquait le brocart. L'administration provinciale du *mogbed*, littéralement « chef des mages », supervisait les nombreux mages
exerçant différentes fonctions religieuses et judiciaires.
L'une des quatre autres empreintes porte un nom propre,
les trois autres sont anonymes. Le rôle des cosignataires
sur les bulles est difficile à déterminer. Dans certains cas,
il a pu s'agir de simples témoins ou de vérificateurs.
Toutefois, il se peut aussi que les sceaux figurant à côté
du sceau administratif aient été ceux de personnes nom-
mées dans le document que scellait la bulle.

R. G.

cat. 178

cat. 179

178

Bulle administrative d'un *ôstândâr* de Wirôzân (Géorgie)

0,0225 x 0,081 x 0,0745
Paris, BnF, département des Monnaies, Médailles et Antiques
1983.358.1.

Bulle comportant quinze empreintes, dont celle du sceau administratif du « Wirôzân ôstândâr ». Lors de la conquête sassanide du royaume arsacide, le roi de Géorgie fit allégeance au nouveau pouvoir, conservant ainsi son trône. Mais ce sceau atteste qu'aux VIe-VIIe siècles la Géorgie, fortement christianisée, est bel et bien intégrée dans le canevas administratif provincial de l'Empire sassanide. L'un des sceaux figurant sur cette bulle porte d'ailleurs une croix pattée indiquant que son propriétaire était chrétien.

Tout à fait remarquable est le motif avec un oiseau de face tenant entre ses griffes un personnage féminin, également représenté sur un plat d'argent (cat. 40).

R. G.

179

Quatre bulles avec sceau officiel d'un général de l'un des quatre côtés de l'empire

Argile
0,024 x 0,070 x 0,062 ; 0,0325 x 0,080 (x 0,061) ; 0,0355 x 0,0857 x 0,0835 ; 0,0235 x 0,0701 x 0,0655
Khusro Ier (531-578)
Paris, BnF, département des Monnaies, Médailles et Antiques
2004/449-452 (don A. Saeedi).

Ces sceaux sont tous des chatons convexes sertis dans une monture large pourvue d'un bouton à 3h.

Chaque sceau porte le motif d'un cavalier de type *clibanarius*, dont la tête est coiffée d'un casque et tout le corps recouvert d'une cotte de mailles. Il tient une lance de la main droite, et un fourreau d'épée est attaché à sa ceinture. Son cheval est caparaçonné d'une cuirasse à lamelles ou écailles. C'est là, à quelques détails près, l'équipement de la cavalerie lourde qui avait été l'un des atouts militaires des Sassanides dans leurs guerres contre les Romains (IIIe-IVe siècles). L'efficacité de ce corps d'armée avait cependant été remise en question lors des guerres contre les Hephtalites (Ve siècle) dont les cavaliers, moins lourdement équipés, étaient ainsi plus mobiles. Il faut néanmoins présumer que la représentation idéalisée du général, au VIe siècle, était encore celle d'un cavalier pourvu d'un équipement lourd.

Ces sceaux sont la première preuve directe de la division de l'empire en quatre parties, selon les orientations nord, sud, ouest et est, que l'historiographie associe aux réformes militaires de Khosrow Ier.

L'inscription fournit l'identité et les titres du général ainsi que le territoire qui lui a été confié :

« Gôrgôn, (de la famille) Mihrân, ... chef de l'armée du côté de l'Âdurbâdagân (= nord) »,

« Cihr-Burzên, ... chef de l'armée du côté de l'est »,

« Wistaxm, chef des Mille ... chef de l'armée du côté de l'ouest »,

« Wahrâm, nom voulu par Khusro, Âdurmâh, chef des braves et eunuque ..., chef de l'armée du côté du sud ».

R. G.

Cat. 184, détail de l'avers.

La monnaie

Rika Gyselen

Lᴀ ɢᴇɴÈsᴇ ᴅᴇ ʟᴀ ᴍᴏɴɴᴀɪᴇ sᴀssᴀɴɪᴅᴇ s'explique par le contexte historique de la prise du pouvoir impérial par Ardashir Iᵉʳ. Avant de renverser la dynastie arsacide, Ardashir Iᵉʳ frappait un monnayage proche de celui de son père Pabag, « roi » en Perside. L'avers des premières monnaies d'Ardashir Iᵉʳ porte le buste royal représenté de face et coiffé d'un bonnet qui se prolonge en couvre-nuque et couvre-oreilles. Le même buste, mais de profil à gauche, figure au revers. Ces monnaies sont inscrites en moyen-perse, un stade du moyen-iranien propre à la Perside et appelé « pehlevi ». Celui-ci sera l'unique langue du monnayage impérial sassanide. En tant que roi sassanide, Ardashir Iᵉʳ choisit une nouvelle iconographie. Le buste royal est désormais tourné à droite et l'autel du feu remplace les représentations figuratives parthes. Le contenu des légendes met l'accent sur l'identité culturelle de la nouvelle dynastie qui se présente comme « iranienne » et « mazdéenne ».

À travers image et inscription, la monnaie permet à la dynastie sassanide de distiller son idéologie et de la diffuser sur une large échelle. Si l'avers porte invariablement le buste royal et le revers l'autel du feu, de très nombreux éléments iconographiques et épigraphiques seront en perpétuelle évolution sur les monnaies durant quatre siècles. Les longues titulatures royales du IIIᵉ siècle, comme celle d'Ohrmazd Iᵉʳ « L'Iranien, le Mazdéen, le Seigneur Ohrmazd, le roi des rois des Iraniens et des non-Iraniens, qui tient son apparence des dieux » vont, à partir du Vᵉ siècle, se résumer au seul nom du roi assorti d'épithètes diverses qui réfèrent souvent à la pérennité dynastique ou à l'accroissement de la gloire royale, le *khwarnah*, symbole par excellence de la royauté. L'inscription du revers, portant mention du « Feu royal » que chaque roi doit établir lors d'un cérémonial au début de son règne, va disparaître au bénéfice d'informations administratives comme le nom de l'atelier monétaire et l'année d'émission. Il est parfois difficile d'évaluer les subtils changements qui interviennent dans l'iconographie, plus particulièrement ceux relatifs aux deux personnages flanquant l'autel du feu, dont l'identité fait souvent l'objet de spéculations. Rares sont les influences étrangères à toucher le répertoire iconographique monétaire. C'est à leur compte toutefois qu'ont été mis les portraits multiples sur certaines émissions de Wahram II. Au début du VIe siècle, avec Kawad Ier, la symbolique astrale fait son apparition dans la marge de l'avers, puis, dès Khosrow II, dans la marge du revers.

Les influences du monnayage parthe arsacide se font sentir dans les aspects techniques — numéraires, poids, titre — mais pendant une courte période seulement. Très rapidement, Ardashir Ier haussera le poids de la drahm d'argent — dénomination inspirée du mot grec *drachme* et survivant dans le mot arabe *dirham* — de 3,70/3,80 g à 4,10/4,20 g. La *drahm* d'Ardashir Ier est la première monnaie à flan mince, concept qui, à travers Byzance et les Arabes, atteindra bientôt l'Europe, laquelle utilisera également le flan mince pour son monnayage au Moyen Âge. Vers la fin du règne d'Ardashir Ier, le titre d'argent de la drahm, la dénomination principale, se situe déjà autour des 90% et non plus des 70 %. Ce titre sera encore augmenté sous Shapur Ier — dans une moyenne de 95 % — et se maintiendra ainsi jusqu'à la fin de la dynastie. Ce n'est qu'à l'époque de Shapur Ier que fut émise une certaine quantité de drahms de mauvais aloi, dont le métal provenait probablement d'un butin pris sur les Romains. Certains numéraires hérités du système monétaire parthe, comme la tétradrachme en potin et les monnaies divisionnaires d'argent (1/2 drahm, 1/6 drahm), ne survivent guère au IVe siècle.

On constate davantage de variations iconographiques, épigraphiques et pondérales dans le monnayage d'or, qui avait plus un rôle de prestige qu'une fonction monétaire. Vers la fin de son règne, Ardashir Ier modifie le poids du *dinar* — terme emprunté au *denarius aureus* romain et survivant dans le mot arabe *dinar* —, le fixant autour de 7,32 g. Malgré quelques légères variations, ce poids sera maintenu jusque sous Wahram V. Ce numéraire sera ensuite remplacé par un dinar « léger » d'à peu près 4,24 g, lequel avait fait son apparition sous Shapur II ou III. La création de nouveaux numéraires est rare. Il faut mentionner, sous Kawad Ier, des émissions en bronze dont les dimensions s'apparentent à celles de la drahm d'argent. Assez mal connus sont les numéraires de cuivre et de plomb qui servaient au petit négoce.

Si le monnayage peut aider à rendre compte des réorientations idéologiques de la dynastie, il est aussi la seule source identifiant chaque roi de façon indubitable, celui-ci étant individualisé par une couronne spécifique ou, exceptionnellement, par deux ou plusieurs couronnes successives. En effet, l'un des symboles du *khwarnah*, la gloire royale, est concrétisé par la couronne que reçoit le roi lors de son investiture. Lorsque celui-ci est abandonné par son *khwarnah*, quand il perd son trône par exemple, sa réintronisation va de pair avec le choix d'une nouvelle couronne. En associant chaque couronne à un nom de roi, le monnayage permet d'identifier les souverains représentés sur les reliefs rupestres, l'argenterie, le stuc ou les sceaux.

Grâce à la stabilité de son poids et de son titre d'argent, la drahm sassanide acquiert une renommée internationale qu'elle maintiendra d'ailleurs pendant plusieurs siècles. Si elle est toujours un objet précieux qu'il est utile de thésauriser, elle entre parfois dans la circulation monétaire d'une région non-sassanide après avoir été validée par une contremarque. C'est en particulier le cas dans l'empire hephtalite où la drahm du roi Peroz avait été introduite par le biais des soldes payées aux troupes mercenaires hephtalites et de l'énorme rançon versée après la cuisante défaite sassanide de 474. C'est aussi le type monétaire de Peroz que le monnayage hephtalite prendra comme prototype.

Porté par son prestige, le monnayage sassanide fut de temps à autre imité dans des régions où l'autorité de l'État s'affaiblissait et où les frappes officielles étaient parfois si peu soignées qu'il était difficile de les distinguer des imitations. Monnaies authentiques et imitations ont servi de prototypes à de nombreux monnayages dans des régions politiquement et militairement perdues par les Sassanides : les monnaies de Shapur II (309-379) laisseront leur empreinte sur le monnayage des Kidarites et des Alchons qui occupent, à partir de 360 environ, la région de Kaboul ; la drahm de Wahram V (420-438) et ses imitations ont inspiré le monnayage des seigneurs de Boukhara en Asie centrale (VIᵉ-IXᵉ siècle) ; la drahm d'Ohrmazd IV (579-590) sera copiée en Géorgie et constituera un modèle pour le monnayage du roi géorgien Stéphane Iᵉʳ (591-593) ; la drahm de Khosrow II sera le principal prototype des dirhams des Arabes musulmans malgré la présence de l'autel du feu, symbole de la religion mazdéenne. Ce n'est qu'autour de 691 que le dirham arabo-sassanide subira d'importantes modifications iconographiques et épigraphiques. Dix ans plus tard, il sera remplacé par un type monétaire purement épigraphique. En dépit de ces changements radicaux, la drahm sassanide reste une référence de qualité sous les dynasties omeyyades et abbassides et continue à être thésaurisée et à circuler comme en témoignent les trésors monétaires de ces époques au Proche et Moyen-Orient et en Russie, ainsi que les trésors « vikings » en Suède.

C'est dans l'est iranien cependant que sera imité, longtemps encore après la chute de la dynastie sassanide, un type exceptionnel de Khosrow II qui résume à lui seul toute l'idéologie dynastique sassanide : l'image du roi et de son *khwarnah* auréolé de feu et de lumière y est accompagnée de la légende « Khosrow roi de rois / [qui a augmenté le *khwarnah* / [qui a] un bon augure [et qui a] accru (fait prospérer) les Aryens »

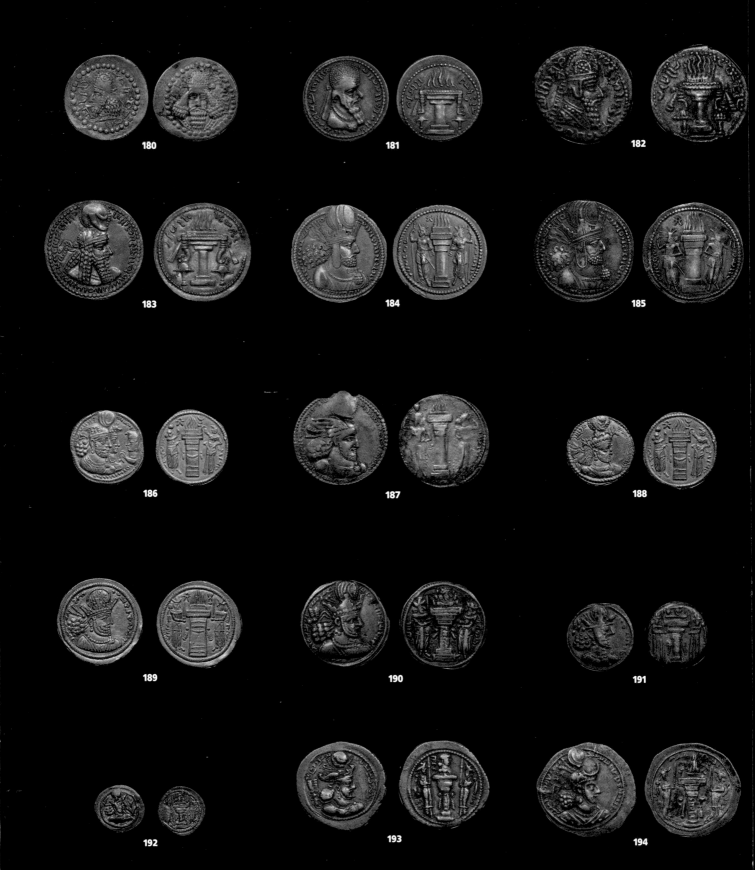

180

181

182

183

184

185

186

187

188

189

190

191

192

193

194

180. Drahm. Ardashir (Ier) en tant que roi de Perside.

Argent. 3,77 g
Paris, BnF, département des Monnaies, Médailles et Antiques
inv. 1972.54 (ex-coll. Y. Godard).

Av. Buste de face figurant « Le Seigneur Ardashir, roi ». Dans la tradition artistique iranienne, la représentation frontale est réservée aux divinités et aux rois. Le choix du buste de face peut être compris comme un défi au suzerain parthe.
Rv. Buste de profil à gauche, coiffé d'une tiare. Suite de la légende « fils du Seigneur Pabag, roi ».

181. Drahm. Ardashir Ier (224-241).

Argent. 3,82 g
Paris, BnF, département des Monnaies, Médailles et Antiques
Inv. Armand-Valton 538.

Av. Buste de profil à droite, coiffé d'une tiare. Dans un premier temps, Ardashir Ier conserve le type de buste royal qui avait cours à l'époque parthe, mais il en inverse l'orientation, optant pour le profil à droite alors que le monnayage précédent montrait le buste de profil à gauche. Par le choix de la légende « Le Mazdéen, le Seigneur Ardashir, roi des rois des Iraniens », il proclame l'appartenance de la dynastie à la religion mazdéenne et introduit la notion culturelle d'« er » (dont « eran » est le pluriel), c'est-à-dire iranien.
Rv. Autel du feu et mention du feu dynastique que chaque roi se doit d'allumer au début de son règne : « Feu d'Ardashir ». On remarquera que le terme pour « feu » est rendu par l'araméogramme NWRA au lieu du mot iranien *âdur*.

182. Tétradrahm. Ardashir Ier

Potin. 13,70 g
Paris, BnF, département des Monnaies, Médailles et Antiques
Inv. 1973.I.319.

Mêmes motifs et légendes que sur la monnaie précédente.

183. Drahm. Ardashir Ier

Argent. 4,36 g
Paris, BnF, département des Monnaies, Médailles et Antiques
Inv. 1972.58.

Av. Buste royal avec couronne à *korymbos*. Le *korymbos*,

placé au-dessus du crâne, est décrit comme une grosse touffe de cheveux, vrais ou faux, assemblés en chignon et recouverts d'un voile. Il constitue un élément indissociable de toute couronne royale. Ce type monétaire est aussi le premier à représenter la chevelure royale et à utiliser la légende canonique de tout le IIIe siècle : « Le Mazdéen, le Seigneur Ardashir, Roi des Rois des Iraniens, qui tient son apparence des dieux ».
Rv. Autel du feu « Feu d'Ardashir ».

184. Dinar. Shapur Ier (241-272)

Or. 7,45 g
Paris, BnF, département des Monnaies, Médailles et Antiques
Inv. L1683.

Av. Buste royal de profil à droite, coiffé d'une couronne murale. Légende : « Le Mazdéen, le Seigneur Shapur, Roi des Rois des Iraniens, qui tient son apparence des dieux ».
Rv. Shapur Ier introduit un nouveau concept iconographique au revers de la drahm. L'autel du feu subit une profonde transformation et est flanqué de chaque côté par un personnage. Ce motif du revers perdurera tout au long de l'époque sassanide, bien que les positions des personnages aient plusieurs fois été modifiées. Portant ici une couronne murale, ces personnages représentent probablement Shapur Ier lui-même. Inscription : « Feu de Shapur ».

185. Drahm. Shapur Ier

Argent. 4,20 g
Paris, BnF, département des Monnaies, Médailles et Antiques
Inv. collection Delpierre.

Mêmes iconographie et légendes que la précédente.

186. Dinar. Wahram II (276-293)

Or. 7,22 g
Paris, BnF, département des Monnaies, Médailles et Antiques
Inv. AF. Sas.9.

Bustes du roi et de la reine de profil à droite, tournés vers un buste plus petit tenant un anneau enrubanné. Peu de place est laissée pour la légende circulaire dont seuls le début et la fin sont véritablement lisibles : « Le Mazdéen [le Seigneur Bahram, roi des rois des Iraniens et des non-Iraniens, qui tient son apparence] des dieux ».
Rv. Deux personnages tournés vers un autel du feu. À

gauche, le roi, et à droite un personnage féminin, peut-être Anahita. À la gauche des flammes le symbole *frawahr*, emblème de la royauté, et à droite un symbole ayant probablement trait à la succession royale et au prince héritier.

187. Drahm hybride. Bahram II / Bahram I

AArgent. 3,93g.
Paris, BnF, département des Monnaies, Médailles et Antiques
Inv. 1972.81 (ex-coll. Y. Godard).

Av. Buste de Bahram II à droite. Légende : « L'Iranien, le Mazdéen, le Seigneur Bahram, Roi des Rois des Iraniens (...) qui tient son apparence des dieux ».
Rv. Autel du feu flanqué à gauche par le roi Bahram Ier reconnaissable à sa couronne à rayons avec korymbos.

188. Dinar. Narseh (293-303)

Or. 7,25 g
Paris, BnF, département des Monnaies, Médailles et Antiques
Inv. 1983.84

Av. Buste royal avec une légende abrégée : « Le Mazdéen, le Seigneur Narseh, roi des rois ».
Rv. Autel du feu flanqué de deux personnages. À la gauche des flammes, le *frawahr*, et à droite le nom de l'atelier monétaire de Marw, capitale de la Margiane. Cet atelier de l'est iranien est déjà mentionné sur quelques dinars de Shapur Ier et de Bahram II, ce qui souligne son importance dans la propagande et la politique sassanide au IIIe siècle.

189. Dinar. Shapur II (309-379)

Or. 6,95 g
Paris, BnF, département des Monnaies, Médailles et Antiques
AF.Sas.7.

Av. Buste à droite avec une légende courte : « Shapur, roi des rois ».
Rv. Autel du feu flanqué de deux personnages royaux et inscription : « Feu de Shapur ».

190. Drahm. Shapur II

Argent. 4,24 g
Paris, BnF, département des Monnaies, Médailles et Antiques
Inv. AF.Sas.

Rv. Deux personnages tournés vers un autel du feu avec un buste dans les flammes. Plusieurs numismates tiennent ce buste pour celui du roi.

191. Demi-drahm. Shapur II

Argent. 2,86 g
Paris, BnF, département des Monnaies, Médailles et Antiques
Inv. 1965.358 (don. R. Curiel).

192. 1/6 drahm. Shapur II

Argent. 0,69 g
Paris, BnF, département des Monnaies, Médailles et Antiques
collection J. de Morgan.

Av. Anépigraphe avec buste royal face à un élément floral.
Rv. Autel avec buste dans les flammes.

193. Drahm. Bahram IV (388-399)

Argent. 4,08 g
Paris, BnF, département des Monnaies, Médailles et Antiques
Inv. AF.Sas.

Av. Buste à droite avec une légende courte : « Le Mazdéen, le Seigneur Wahram ».
Rv. Autel du feu avec buste dans les flammes, flanqué de deux personnages. À la gauche des flammes, les lettres AS, abréviation du nom de l'atelier Asorestan. C'est sous Wahram IV que les drahms commencent à porter plus fréquemment le nom de l'atelier monétaire. Cette tendance va se généraliser sous Peroz, et à partir de Kawad Ier toutes les drahms porteront le nom de l'atelier. Cependant, l'indication de ce nom sous la forme de la ou des premières lettres du toponyme est source de confusion lorsque plusieurs noms de lieux susceptibles d'avoir abrité un atelier monétaire commencent par les mêmes lettres.

194. Drahm. Yazdegird Ier (399-420)

Argent. 4,06 g
Paris, BnF, département des Monnaies, Médailles et Antiques
Inv. 1972.105.

Av. Buste à droite. Légende : « Le Mazdéen, le Seigneur Yazdegird, roi des rois d'Er‹an› ».
Rv. Autel du feu flanqué de deux personnages. À la gauche des flammes, les lettres DA, et sur le fût de l'autel la suite du nom de l'atelier, Darabgird. Grâce à ce type de

monnaies qui portent à la fois l'abréviation et le nom entier de l'atelier, plusieurs sigles monétaires ont pu être identifiés. Dans la légende « Feu de Yazdgird, feu de Darabgird », c'est désormais le mot iranien *âdur* qui est utilisé pour désigner le feu.

195. Drahm. Peroz (457/459-484)

Argent. 4,11 g
Paris, BnF, département des Monnaies, Médailles et Antiques
Inv. 1965.372.

Av. La légende de l'avers est simplement *Kay Peroz* « Le Seigneur Peroz ».

Rv. À partir de cette époque, le nom de l'atelier monétaire indiqué par ses premières lettres trouve sa place canonique : à la droite de l'autel du feu. Ici ce sont les lettres WH qu'on peut lire, désignant probablement la ville de Weh-az-Andiyok-Shapur dans le Khuzistan, mieux connue comme Gund-i Shapur.

196.. Drahm. Walkash (484-488)

Argent. 4,06 g
Paris, BnF, département des Monnaies, Médailles et Antiques
Inv. 1969.310.

Rv. Les lettres GW constituent le début du nom de l'atelier. Toutefois, plusieurs toponymes commençant par *gw*, son identification reste problématique.

197. Drahm. Kawad Ier (484; 488-497; 499-531)

Argent. 4,10 g
Paris, BnF, département des Monnaies, Médailles et Antiques
Inv. 1972.139.

Av. La légende se limite aux premières lettres du nom de Kawad.

Rv. À droite, les lettres AY (pour « E »), qui peuvent être le début de plusieurs toponymes, en particulier ceux commençant par le terme Eran, comme Eran-xwarrah-Shapur, Eran-asan-kar-Kawad, Eran-xwarrah-Yazdegird et bien d'autres encore.

198. Drahm. Zamasp (497-499)

Argent. 4,09 g
Paris, BnF, département des Monnaies, Médailles et Antiques
Inv. 1971.60.

Av. Face au buste royal, un petit buste tenant un anneau enrubanné. Ce dernier a été interprété comme une divinité investissant le roi.

Rv. Au revers, indication de l'atelier (AY) et de l'année, 10. La mention de l'année de règne du roi devient canonique à partir de cette époque. Cette indication n'est pas fournie au moyen d'un chiffre mais du nom de ce chiffre. Les noms des chiffres de 2 à 10 sont donnés sous forme d'araméogramme, les autres années sous leur forme iranienne.

199. Drahm. Khosrow Ier (531-579)

Argent. 3,82 g
Paris, BnF, département des Monnaies, Médailles et Antiques
Inv. AF.Sas.

Av. Buste de profil à droite dans un cercle de grènetis flanqué d'un croissant à 3h, 6h et 9h. À partir de Khosrow Ier, l'emplacement des légendes devient canonique : à droite le nom du roi et derrière la tête une formule, ici « croissance ».

Rv. Les personnages qui flanquent l'autel du feu sont désormais représentés de face. Seul l'usurpateur Wahram VI réintroduit pendant un an le motif des deux personnages tournés vers l'autel du feu. Sigle monétaire GW. Année de règne 13.

200. Drahm. Khosrow II (590/591-628)

Argent. 4,09 g
Paris, BnF, département des Monnaies, Médailles et Antiques
Inv. 1980.198.

Le motif et la légende suivent le modèle instauré par Khosrow Ier, mais Khosrow II augmente le nombre des cercles de grènetis (deux à l'avers, trois au revers) et place à l'avers, à 3h, 6h et 9h, une étoile inscrite dans un croissant, et au revers à 3h, 6h, 9h et 12h, un croissant, qu'il changera en étoile inscrite dans un croissant après la reconquête de son empire en 591.

L'inscription indique que la monnaie a été frappée en l'an de règne 1 à Bishapur.

201. Dinar. Khosrow II

Or. 4,57g
Paris, BnF, département des Monnaies, Médailles et Antiques
Inv. 1973-I-339 (don H. Seyrig).

Av. Buste de profil à droite dans un simple cercle de grènetis. Légende plus longue que sur les drahms : « Khosrow, roi des rois, qui a fait croître le *khwarnah* ».
Rv. Buste de face avec tête auréolée de lumière dans un simple cercle de grènetis. À droite, suite de la légende de l'avers avec les épithètes royales «qui a fait croître les Iraniens, qui a un bon destin », et à gauche l'année de frappe, 21. Ce motif du revers est aussi attesté sur quelques séries de drahms qui portent exceptionnellement un buste frontal à l'avers et qui amorcent un nouveau type d'organisation spatiale de la monnaie avec la marge entourée d'un deuxième cercle de grènetis. Ce type servira de modèle à plusieurs émissions post-sassanides dans l'est iranien.

202. Drahm. Khosrow II

Argent. 4,07 g
Paris, BnF, département des Monnaies, Médailles et Antiques
Inv. 1970.689.

Av. Quand Khosrow II remonte sur le trône après avoir vaincu l'usurpateur Wahram VI, il modifie sa couronne en y ajoutant une paire d'ailes, symbole de Verethragna, dieu de la victoire. Il indique son nom à droite et change la formule « croissance », placée à gauche, en « le *khwarnah* a été augmenté ». On peut aussi comprendre la légende de l'avers comme : « Khusro qui a augmenté son *khwarnah* ».
À partir de l'an 12 (ou 11) de son règne, Khosrow II émet, à côté du monnayage habituel, des séries monétaires qui portent dans le deuxième quadrant de la marge le terme *abd* « merveilleux ». Ces monnaies ont souvent un titre d'argent supérieur aux autres et ont dû être frappées dans un dessein précis encore mal défini.
Cette monnaie porte à 8h une contremarque représentant une tête couronnée. Les contremarques servent en général à authentifier une monnaie « étrangère » et à l'autoriser à entrer dans la circulation monétaire. La contremarque sur cette monnaie daterait au plus tôt de l'an 70 de l'hégire et appartiendrait à l'une des principautés de l'est iranien.

Rv. À gauche, mention de l'an 32 et à droite ART, sigle monétaire pour l'atelier monétaire d'Ardashir-khwarrah.

203. Drahm. Ardashir III (628/630)

Argent. 3,92 g
Paris, BnF, département des Monnaies, Médailles et Antiques
Inv. 1972.185.

Av. : Ardashir III étant encore un enfant lorsqu'il accède au trône, il est représenté sans barbe sur son monnayage. Il renoue avec la légende monétaire de Khosrow Ier.
Rv. La monnaie est datée de l'an 2 d'Ardashir III et a été frappée dans l'atelier de Darabgird, dans le Fars.

204. Drahm. Boran (630/631)

Argent. 4,14 g
Paris, BnF, département des Monnaies, Médailles et Antiques
Inv. Y.19758.

Av. Buste de la reine caractérisé par de longues tresses.
Rv. La légende porte la date de l'an 1 et le nom de l'atelier WYHC localisé soit dans le Fars, soit dans la capitale de l'empire.

205. Drahm. Azarmigdukht (631)

Argent. 4,11 g
Paris, BnF, département des Monnaies, Médailles et Antiques
Inv. 1972.192 (ex-coll. Y. Godard).

Av. Tout le monnayage de la reine Azarmigdukht, qui n'a régné qu'une année, porte un buste de roi.
Rv. Légende identique à celle de la reine Boran (n° 29).

206. Dirham arabo-sassanide au nom de « Khosrow »

Argent. 4,05 g
Paris, BnF, département des Monnaies, Médailles et Antiques
Inv. 1971.93.

Av. Même type monétaire que celui des années 11-39 de Khosrow II. Cependant, la légende en arabe *bismillah* « Au nom de Dieu », dans le deuxième quart de la marge de l'avers, indique que la monnaie a été frappée à l'époque islamique.
Rv. La monnaie provient de l'atelier de Shiraz et est datée de l'an 22. Cette date réfère à l'ère du dernier roi sassanide, Yazdegird III, qui commence avec la première année de son règne et qui continue à être utilisée après la chute de l'empire sassanide. L'an 22 correspond approximativement à l'année 34 de l'ère de l'hégire.

207. Dirham arabo-sassanide
au nom d'al-Hajjaj ibn Yusuf

Argent. 3,61 g
Paris, BnF, département des Monnaies, Médailles et Antiques
Inv. 1968.849.

Av. À droite du buste traditionnel de Khosrow II, une légende en arabe mentionnant Al-Hajjaj ibn Yusuf, qui était vice-roi de tout l'Orient sous le calife omeyyade Abd al-Malik. La marge porte la formule *bismillah* « Au nom de Dieu » dans le deuxième quart et le nom de Hajjaj en pehlevi dans le troisième quart. Contrairement aux Sassanides, les Omeyyades autorisent les gouverneurs à frapper des monnaies à leur nom.

Rv. La légende mentionne Bishapur comme atelier monétaire et date la monnaie de l'an 81 de l'hégire (= 700 de l'ère chrétienne).

208. Monnaie arabo-sassanide avec *senmurw*

Cuivre. 1,07 g
Paris, BnF, département des Monnaies, Médailles et Antiques
Inv. 1989.218.

Av. Le graveur a suivi le modèle du monnayage de Khosrow II, mais a remplacé le nom de Khosrow par le terme Farroxzad, littéralement « né fortuné », qui est une épithète ou le nom de l'émetteur de la monnaie.

Rv. *Senmurw* entouré de la légende *abad Ardashir-xwar-rah* identifiant l'atelier monétaire.

Sous les Omeyyades, le monnayage de cuivre ne suit plus, comme cela était le cas sous les Sassanides, le modèle monétaire de la drahm. Cette liberté d'expression a permis de créer des types monétaires originaux faisant appel à des motifs tels le *senmurw*, le cavalier, le cheval ailé, etc., et de développer un nouveau vocabulaire monétaire en pehlevi.

Ouvrages cités

Ouvrages cités

ACKERMAN P., 1938, « Textiles through the Sasanian period » dans A.U. Pope (dir.), 1938 (a), p. 681-715.

Id., 1938 (b), « Sasanian seals », dans A.U. Pope (dir.), 1938 (a), p. 784-815.

ALRAM M. et GYSELEN R., 2003, *Sylloge Nummorum Sasanidarum Paris-Berlin-Wien*. Band I. *Ardashir I. - Shapur I.* [Veröffentlichungen der numismatischen Kommission, Band 41]. Vienne, Österreichische Akademie der Wissenschaften.

AMIET P., 1967, « Nouvelles acquisitions : Antiquités parthes et sassanides », dans *La Revue du Louvre*, 17, n° 4-5, 1967, p. 273-282.

Id., 1970, « Orfèvrerie sassanide au musée du Louvre », in *Syria* 47, 1970, p. 51-64, 3 fig., pl. V-VI.

Id., 1971, *Les antiquités orientales au musée du Louvre*, Paris.

Id. 1974, « La donation Roman Ghirshman », dans *La Revue du Louvre et des Musées de France*, 24e année, n° 3, 1974, p. 195-196.

Id., 1978, *Guide du visiteur, département des Antiquités orientales*, 1978.

AN JIAYAO, 1986, « A Glass Bowl Found in the Tomb of Li Xian of the Northern Zhou Period – The Discovery of and Research on Sasanian Glassware » in *Kaogu*, 1986, pt. 2, p. 173-181 (en chinois).

ARENDT W., 1935, « Der Nomadenhelm des frühen Mittelalters in Ost-Europa », dans *Zeitschrift für Historischen Waffen-und Kostümskunde*, 5, 1935/1936.

ARVEILLER-DULONG V. et NENNA M.-D., 2005, *Les Verres antiques du musée du Louvre, II, Vaisselle et contenants du Ier siècle au début du VIIe siècle après J.-C.*, Paris, 2005.

AZARNOUSH M., 1994, *The Sasanian Manor House at Hajiabad, Iran*, Florence.

AZARPAY G., 1976, « The Allegory of Dên in Persian Art », dans *Artibus Asiae*, 38, 1976, p. 37-48.

BABELON E., 1897, *Catalogue des camées antiques et modernes de la Bibliothèque nationale*, Paris, 2 vol.

Id., 1902, *Histoire de la gravure sur gemmes en France depuis les origines jusqu'à l'époque contemporaine*, Paris, 1902.

BACHHOFER L., 1933, « Sasanidische Jagdschalen », dans *Pantheon*, 11, 1933, p. 62-66.

BALINT C., 1978, « Vestiges archéologiques de l'époque tardive des Sassanides et leurs relations avec les peuples des steppes », dans *Acta Archaeologica Academiae Scientiarum Hungaricae*, 30, 1978, p. 173-212, 17 fig.

Id., 1989, *Die Archaologie der Steppe*, Vienne, Cologne.

Id. 1992, *Kontakte zwischen Iran, Byzanz und der Steppe*, in F. Daim (dir.), Awarenforschungen, I, 1992.

BALTRUSAITIS J., 1938, « Sasanian Stucco. A. Ornamental », dans A. U. Pope, 1938 (a), p. 601-630.

BALTY J. C., 1993, « Les mosaïques »*in* Bruxelles 1993, p. 67-69.

BARATTE F., 1996, « Dionysos en Chine : remarques à propos de la coupe en argent de Beitan » *Arts asiatiques* 51.

BARATTE F., LANG J., LA NIECE S., METZGER C., 2002, *Le trésor de Carthage, contribution à l'étude de l'orfèvrerie de l'Antiquité tardive*, Études d'Antiquités Africaines, CNRS, 2002.

BARNETT R. D., 1963, « A review of acquisitions 1955-62 of Western Asiatic Antiquities (I) », dans *British Museum Quarterly*, 26, 1963, p. 92-101, pl. XXXV-L.

BARNETT D. et CURTIS J. E., 1973, « A review of acquisitions 1955-62 of Western Asiatic Antiquities (I) », *British Museum Quarterly*, 26, 1973, p. 92-101, pl. XXXV-L.

BARNETT R. D. et WISEMAN D. J., 1960, *Fifty Masterpieces of Ancient Near Eastern Art*, Londres, 1960.

BARRETT D. E., 1949, *Islamic metalwork in the British Museum*, Londres, 1949.

BAUSANI A. « Un auspicio armeno di capodanno in una notizia di Iranshahri (nota ad Ajello) », dans *Oriente Moderno*. Juillet -août 1978, p. 317-319.

BENAZETH D., 1991, « Une paire de jambières historiées d'époque copte, retrouvée en Égypte », dans *La Revue du Louvre*, 1991, p. 16-29.

Id., 2004, « Les tissus 'sassanides' d'Antinoé au musée du Louvre », dans C. Fluck, G. Vogelsang-Eastwood (dir.), *Riding Costume in Egypt. Origine and Appearance*, Leyde/Boston, 2004, p. 117-128.

Id., (à paraître), « Essai de datation des soies d'Antinoé par la méthode du radiocarbone », dans C. Fluck (dir.), *Textiles and methods of dating*, actes du Workshop du groupe de recherche international « Textiles from the Nile Valley » (Anvers, 2005).

BENAZETH D. et DAL PRA P., 1993, « Quelques remarques à propos d'un ensemble de vêtements de cavaliers découverts dans des tombes égyptiennes », *L'armée romaine et les Barbares du IIIᵉ au VIIᵉ siècle* (actes du colloque de Saint-Germain-en-Laye, 1990), *Mémoires publiées par l'Association française d'archéologie mérovingienne*, tome V, Saint-Germain-en-Laye, 1993, p. 367-382.

Id., 1995, « Renaissance d'une tapisserie antique », *La revue du Louvre et des musées de France* 4, 1995, p. 29-40.

BENAZETH D. et FLUCK C., 2004, « Fussbekleidung der Reitertracht aus Antinoopolis im Überblick », dans C. Fluck, G. Vogelsang-Eastwood (dir.), *Riding Costume in Egypt. Origine and Appearance*, Leyde/Boston, 2004, p. 189-205.

BENAZETH D. et RUTSCHOWSCAYA M.-H., 2004, « Avancée des recherches sur les tissus de provenance égyptienne conservés dans les collections publiques françaises », dans *Tissus et vêtements dans l'Antiquité tardive*, actes du colloque de l'Association pour l'Antiquité tardive, Lyon, musée des Tissus, 18-19 janvier 2003, *Antiquité Tardive* 12, 2004, p. 79-86

BIER L., 1986, *Sarvistan, A Study in Early Iranian Architecture*, The College Art Association Monographs on the Fine Arts, n° 41, University Park, Pennsylvania, Pennsylvania State University Press for the association, 1986.

BIRDWOOD G. C. M., 1880, *The Industrial Arts of India*, Londres, 1880.

BIVANCK L. et VAN UFFORD K., 1973, « Un bol hellénistique en Suède » in *Bulletin Antieke Befchaving* 48, 1973.

BIVAR A. D. H., 1969, *Catalogue of the Western Asiatic Seals in the British Museum. Stamp Seals II, The Sasanian Dynasty*, Londres, 1969.

Id., 1995, « The Royal Hunter and the Hunter God, Esoteric Mithraism under the Sasanians? » , dans *Res Orientalis* VII, 1995, p. 29-38.

BLAIR D., 1973, *A History of Glass in Japan*, New York, Kodansha International USA Ltd.

BOARDMAN J. Sir, 1993, *The Seventeenth J. L. Myres Memorial Lecture, Classical Art in Eastern Translation*, Oxford.

Id., 1994, *The Diffusion of Classical Art in Antiquity*, Londres.

BOHNER K., ELLMERS D. et WEIDEMANN K., 1972, *Das frühe Mittelalter, Führer durch das Römisch-Germanische Zentralmuseum in Mainz*.

BORISOV A. J. Et LUKONIN V. G., *Sasanitskie gemmy*, Léningrad, 1963.

BREWERTON A., 1991, « Masterpieces of Glass, A World History from The Corning Museum of Glass, by R. Charleston, book review », dans *Grafts*, 12, 1991, p. 57-58.

BRILL R. H., 2005, « Chemical Analyses of Some Sasanian Glasses from Iraq », in D. Whitehouse, *Sasanian and Post-Sasanian Glass in The Corning Museum of Glass*, Corning, New York, the museum, 2005, p. 65-88.

British Museum, 1967, *The British Museum Report of the Trustees 1966*, Londres.

BRUNNER C. J., 1974, « Middle Persian Inscriptions on Sasanian Silverware » in *The Metropolitan Museum of Art Journal*, 9, 1974, p. 109-121.

Bulletin of the Cleveland Museum of Art, 1967, « Annual Report », dans *The Bulletin of the Cleveland Museum of Art*, 54, 1967, p. 177-178.

Bulletin of the Metropolitan Museum of Art, 1970, « Reports of the departments 1969-1970, Islamic Art » dans *Bulletin of The Metropolitan Museum of Art* N.S. XXIX, oct. 1970, p. 85.

BURNES A. Sir, 1842, *Cabool, being a Personal Narrative of a Journey to, and Residence in that City, in the Years 1836, 7 and 8*, Londres, 1842.

CAHIER C. et MARTIN A., 1847-1856, *Mélange d'archéologie, d'histoire et de littérature*, 4 tomes en 2 vol., Paris, 1847-1856.

CALAMENT F., 2004, « L'apport historique des découvertes d'Antinoé au costume dit de 'cavalier sassanide' », dans C. Fluck, G. Vogelsang-Eastwood (dir.), *Riding Costume in Egypt. Origine and Appearance*, Leyde/Boston, p. 37-72.

Id., 2005, *La révélation d'Antinoé par Albert Gayet, Histoire, archéologie, muséographie*, Bibliothèque d'études coptes 18, Le Caire, Institut français d'archéologie orientale.

CARDON D., COLOMBINI A. et OGER B., 1990, « Analyse of medieval red dyes by HPLC with special emphasis on the insects dyes », *Dyes in History and Archaeology* 8, 1990, p. 22-31.

CARTER M. L., 1979, « An Indo-Iranian silver rhyton in the Cleveland Museum », dans *Artibus Asiae*, 41, 1979, p. 309-332.

Id., 1987, « A Note on metalwork from the Hellenistic East », dans *Bulletin of the Asia Institute*, 9, 1967, p. 257-266.

Catalogue Berlin, 1971, *Museum für Islamische Kunst. Katalog*, Berlin.

Catalogue Berlin, 1979, *Museum für Islamische Kunst. Katalog*, Berlin.

Catalogue Cluny, 2004, S. Desrosiers, *Musée national du Moyen Âge Thermes de Cluny. Catalogue. Soieries et autres textiles de l'Antiquité au XVIe siècle*, Paris

Catalogue Florence, 1998, *Antinoe cent'anni dopo*, Florence, Palazzo Medici Ricardi.

Catalogue Louvre, 1986, M.-H. Rutschowscaya, *Musée du Louvre. Catalogue des bois de l'Égypte copte*, Paris.

Catalogue Louvre, 1997, M. Martiniani-Reber, *Textiles et mode sassanides*, Inventaire des collections publiques françaises. Louvre. Département des antiquités égyptiennes, Paris, 1997.

Catalogue Louvre, 2000, V. Montembault, *Musée du Louvre. Catalogue des chaussures de l'Antiquité égyptienne*, Paris.

Catalogue Lyon, 1986, M. Martiniani-Reber, *Lyon, musée historique des Tissus. Soieries sassanides, coptes et byzantines Ve-XIe s.iècle*, Inventaire des collections publiques françaises. Lyon, musée historique des Tissus, Paris.

Catalogue Paris, 2000, *L'art copte en Égypte. 2000 ans de christianisme*, Paris, IMA, mai-sept. 2000 et Cap d'Agde, musée de l'Éphèbe, sept.2000-janv. 2001, Paris.

CHABOUILLET A., 1858, Catalogue méthodique et raisonné des camées et pierres gravées de la Bibliothèque Nationale, Paris.

CHARLESTON R. J., 1980, *Masterpieces of Glass, A World History from The Corning Museum of Glass*, New York.

Id., avec des contributions de D. Whitehouse et S. K. Frantz, 1990, *Masterpieces of Glass, A World History from The Corning Museum of Glass*, (éd. augmentée), New York.

CHERRY J. (dir.), 1995, *Mythical Beasts*, Londres.

CHOSKY J. K., 1988, « Sacral Kingship in Sasanian Iran », dans *Bulletin of the Asia Institute*, 2, 1988, p. 35-52.

CHRISTENSEN A., 1944, *L'Iran sous les Sassanides*, Copenhague.

COLLEDGE M. A. R., 1977, *The Parthians*, Londres.

COLLINGWOOD P., 1982, *The techniques of tablet-weaving*, Londres.

COLLON D., 1995, *Ancient Near Eastern Art*, Londres, 1995.

CONTENEAU G., 1948, *Arts et styles de l'Asie antérieure d'Alexandre le Grand à l'Islam*, Paris.

CONWAY W. M., 1915, « The Abbey of Saint-Denis and its Ancient Treasures » dans *Archaeologia or Miscellaneous Tractq relating to Antiquity*, LXVI (2e série, XVI), 1915, p. 103-158.

COTTEVIELLE-GIRAUDET R., 1938, « Coupes et camées sassanides du Cabinet de France » dans *Revue des arts asiatiques*, XII, 1938, p. 52.

CRUIKSHANK DODD E., 1961, *Byzantine Silver Stamps*, Dumbarton Oaks Research..

CURTIS J., 1989, *Ancient Persia*, Londres.

Id., 2000, *Ancient Persia*, Londres.

DAIM F., 1996, *Reitervolker aus dem Osten; Hunnen und Awaren*, Eisenstadt.

DAL PRA P., 1994, « Étude et conservation d'une série de soieries de style sassanide appartenant au musée du Louvre », *La conservation des textiles anciens*, (Actes des Journées d'études de la SFIIC, Angers, 20-22 octobre 1994), Paris, 1994, p. 195-206.

DALTON O. M., 1909, « On a Persian Silver Dish of the Fourth Century », dans *Archaeologia* 61, 1909, p. 381-382, pl. XLVIII.

Id., 1922, « A Late Sassanian Silver Dish », dans *The Burlington Magazine*, 40, n° 227, 1922, p. 69-70.

Id., 1964, *The Treasure of the Oxus with othe Examples of Early Oriental Metalwork*, 3e édition, Londres.

DARKEVICH V. P., 1976, *Khudozhestvennyi metal Vostoka VIII-XIIIvv. Proizvedenija vostochnoj torevtiki na territorii Evropejskoj chasti SSSR I Zaural'ja*. « Nauka », Moscou, 1976.

DEMANGE F., 2004, « Nouvelles acquisitions », dans *La Revue du Louvre*, 4, 2004, p. 87, fig. 5a et b.

DE MOOR A., VAN STRYDONCK M. et VERHECKEN-LAMMENS C., 2004, « Radiocarbon Dating of two Sasanian Coats and Three Post-Sasanian Tapestries », dans C. Fluck, G. Vogelsang-Eastwood (dir.), *Riding Costume in Egypt. Origine and Appearance*, Leyde/Boston, 2004, p. 181-187.

DENTZER-FEYDY J., 1990, « Les linteaux à décor figuré en Syrie méridionale », dans *Colloque de Suweida, 29-31 octobre 1990*.

DEZZO T. et CURTIS J., 1991, « Assyrian Iron Helmets from Nimrud now in the British Museum », dans *Iraq* LIII, 1991, p. 105-126, 22 fig., pl. XV-XX.

DIMAND M.S., 1937, « Studies in Islamic Ornament, » dans *Ars Islamica* 4, 1937.

Id., 1959, « A Group of Sasanian Silver Bowls » in *Aus der Welt der islamischen Kunst, Festschrift fur Ernst Kuhnel*, Berlin, 1959, p. 11-14.

DIRVEN, 2005, « Banquet scene from Hatra, *Aram* 17, 2005, p. 61-62.

DOLEZ A., 1988, *Glass Animals, 3500 Years of Artistry and Design*, New York.

DUNAND M., 1926, « Rapport sur une mission archéologique au Djebel Druze » dans *Syria*, VII, 1926, p. 326-335.

DUCHESNE-GUILLEMIN M., 1993, *Les instruments de musique dans l'art sassanide*, Iranica Antiqua, supplément VI, 1993.

EASTMOND A. et STEWART P., 2006, *The Road to Byzantium. Luxury Arts of Antiquity*, Londres.

ERDMANN H., 1936, « Die Sasanidischen Jagdschalen. Untersuchung zur Entwicklungsgeschichte der iranischen Edelmetalkunst under den Sasaniden », in *Jahrbuch der Preussischen Kunstsammlungen*, LXXV, 1936.

Id., 1943, *Die Kunst Irans zur Zeit der Sasaniden*, Berlin.

Id.(dir.), 1967, *Iranische Kunst in deutschen Museen*, Wiesbaden, 1967.

ETTINGHAUSEN R., 1972, From Byzantium to Sasanian Iran and the Islamic World, Leiden, 1972.

FLANDIN E. N. et COSTE P., 1843 *Voyage en Perse, entrepris par ordre de M. le ministre des Affaires étrangères, d'après instructions dressées par l'Institut*, (dessins de Coste et Flandin gravés par A. Guillaumot, Jacobs, Lesnier et E. Ollivier), Paris, 1843-1845.

FLUCK C., 2004, « Zwei Reitermäntel aus Antinoopolis im Museum für Byzantinische Kunst, Berlin. Fundkontext und Beschreibung », dans Fluck C. et Vogelsang-Eastwood G. (dir.), 2004, p. 137-152 (avec bibliographie détaillée p. 149).

FLUCK C. et VOGELSANG-EASTWOOD G. (dir.), 2004, *Riding Costume in Egypt, Origin and Appearance*, Leiden, 2004.

FRANCOVICH G. De, 1964, « Il concetto della regalita nell'arte sassanide e l'interpretazione di due opere d'arte bizantine del periodo macedone », dans *Arte Lombarde*, 9, 1964, p. 1-48.

FUKAI S., 1960, « A Persian Treasure in the Shosoin Repository," dans *Japan Quarterly*, v. 7, 2, 1960, p. 169-176.

Id., 1968, *Perushia kobijutsu kenkyû* [Study of Iranian art and archaeology. Glassware and Metalwork], Tokyo, 1968.

Id. et HORIUCHI K., 1972, *Taq-i-Bustan II*, Tokyo.

Id., 1973, *Perushia no Garasu*, Kyoto.

Id., 1977, *Persian Glass*, New York, Tokyo et Kyoto.

GALLOIS H. C., 1923, « Une statuette sassanide au musée du Louvre », dans *Arethuse* I-1, 1923, p. 22-27, pl. IV.

GARDNER P., 1968, *The Coinage of Parthia*, San Diego.

GHIRSHMAN R., 1956, *Bîchâpour*. Vol. 2, *Les mosaïques sassanides*, Paris.

Id., 1962 (a), *Iran, Parthes et Sassanides*, Paris, 1962

Id., 1962 (b), *Persian Art, The Parthian and Sasanian Dynasties*, New York 1962.

Id., 1963, « Notes iraniennes XIII, trois épées sassanides », dans *Artibus Asiae* XXVI, 1963, p. 293-311, 13 fig.

Id., 1974, « Les Dioscures ou Bellerophon? » *Mémorial Jean de Menasce*, Louvain 1974, p. 163-167.

Id., 1975, « Les scènes d'investiture royales dans l'art rupestre des Sassanides et leur origine », dans *Syria*, LII, Paris, p. 112-129.

Id., 1976, « Terrasses sacrées de Bard-è Néshandeh et Masjid-i Solaiman, l'Iran du Sud-ouest du VIIIᵉ siècle avant notre ère au Vᵉ siècle de notre ère », dans *Mémoires de la Délégation archéologique en Iran, Mission de Susiane*, tome XLV, Paris, E. J. Brill, 1976.

GIGNOUX P., 1983, « La chasse dans l'Iran sassanide » in *Orientalia Romana, Essays and Lectures 5. Iranian Studies*, 1983, p. 101-118.

Id., 1995, « Review of M. Azarnoush, The Sasanian Manor House at Hajiabad, Iran », Florence 1994, dans *Studia Iranica* 24, 1995, p. 147-149.

Id., 1998, « Les inscriptions en moyen-perse de Bandian », in *Studia Iranica* 27, 1998, p. 251-258.

GIROIRE C., 1997, « Le tissage aux cartons à Antinoé », dans *Bulletin du Centre international d'étude des textiles anciens*, 74, 1997, p. 6-17.

GOBL R., 1974, *Der Triumph des Sasaniden Sahpuhr über die Kaiser Gordianus, Philippus und Valerianus*, Vienne.

GODARD Y., 1938, « Bouteille d'argent sassanide » dans *Athar-è Iran*, 3, 1938, p. 291-300.

GOLDMAN B., 1964, « Early Iranian Art in the Cincinnati Art Museum », dans *The Art Quarterly*, XXVII-3, 1964, p. 324-341.

GRABAR O., 1967, « An introduction to the Art of Sasanian silver » voir cat. exp. Ann Arbor, 1967, p. 19-84.

GRANCSAY S. V., 1963, « A Sasanian Chieftain's Helmet », dans *The Metropolitan Museum of Art Bulletin*, 1963, p. 253-262, 17 fig.

GRAY B., 1991, « Post-Sasanian Metalwork », in *Bulletin of the Asia Institute*, 5, 1991, p. 59-64.

GRENET F., 1983, « Un plat sasanide d'Ardashir II (379-383) au bazar de Kabul », in *Studia Iranica* 12, 1983, p. 195-205.

GUICHERD F., VIAL G., 1962, « Le linceul de saint Remi », dans *Bulletin de liaison du CIETA*, 1962, 15, p. 46-47.

Guide Corning, 2001, Guide to the Collections, The Corning Museum of Glass.

Guide Londres, 1900, Guide to the Babylonian& Assyrian Antiquities, Londres, The British Museum.

Guide Lyon, 1998, Marielle Martiniani-Reber, *Tissus byzantins et tissus de tradition sassanide*, dans M. Bernus-Taylor et coll., *Musée des Tissus de Lyon. Guide des collections*, Lyon, p. 39-60.

Guide Lyon, 2001, Musée des Tissus de Lyon. Guide des collections, Lyon, 2001.

GUNTER A.C., 1987, « Ancient Iranian Drinking Vessels », dans *Orientations*, 1987, p. 38-45.

Id., 1988, « The Art of Eating and Drinking in Ancient Iran », dans *Asian Art*, I, 2, 1988, p. 7-52.

Id., 1991, « Art from Wisdom, The Invention of Chess and Backgammon », dans *Asian Art*, I, 4, 1991, p. 6-21.

GUNTER A.C., JETT P., 1992, Ancient Iranian Metalwork in the Arthur M. Sackler Gallery and the Freer Gallery of Art, Washington D.C.

GYSELEN R., 1992, « Notes de glyptique sassanide », dans *Studia Iranica*, 21, 1, 1992, p. 95-102.

Id., 1993 (a), « Éléments de décors dans l'art sassanide. Les sceaux à dos décorés », dans *Studia Iranica*, 22, 1, 1993, p. 15-48.

Id., 1993 (b), *Catalogue des sceaux, camées et bulles sassanides de la Bibliothèque nationale et du musée du Louvre, I. Collection générale*. Paris, 1993.

Id., 1995, *Sceaux magiques en Iran sassanide* [Cahiers de Studia Iranica nº 17], AAEI, Paris.

Id., 2000 (a), « Un dieu nimbé de flammes d'époque sassanide », dans *Iranica Antiqua*, vol. XXXV, 2000, p. 291-314.

Id., 2000 (b), *Arab-Sasanian Copper Coinage* [Veröffentlichungen der numismatischen Kommission, Band 34]. Vienne, Österreichische Akademie der Wissenschaften, 2000.

Id., 2001, *The Four Generals of the Sasanian Empire, some Sigillographic Evidence* [Conferenze 14], Rome, Istituto Italiano per l'Africa e l'Oriente, 2001.

Id., 2004, « L'administration 'provinciale' du *naxwâr* d'après les sources sigillographiques. Avec une note additionnelle sur la graphie du mot *naxwâr* par P. Huyse », dans *Studia Iranica* 33, 2004, p. 31-46.

HARDEN D. B., 1972, « Ancient Glass III, Post-Roman », dans *The Archaeological Journal*, 128, 1972, p. 78-117, pl. V-XIV.

HARPER P. O., 1961, « The Senmurv » dans *The Metropolitan Museum of Art Bulletin*, XX, novembre 1961, p. 95-100.

Id., 1965, « The Heavenly Twins » in *Bulletin of The Metropolitan Museum of Art* 23, 1965, p. 188-195.

Id., 1966, « Portrait of a king » in *Bulletin of The Metropolitan Museum of Art*, nov. 1966, p. 136-146.

Id., 1971, « Sources of Certain Female Representations in Sasanian Art », dans *La Persia nel Medioevo*, Rome, Accademia Nazionale dei Lincei, 1971, p. 503-515.

Id., 1974, « Sasanian Medallion Bowls with Human Busts », in *Near Eastern Numismatics, Iconography, Epigraphy and History, Studies in honour of G. C. Miles*, Beyrouth, p. 61-80.

Id., 1977, « A stucco King from Sasanian Kish », in L. D. Levine et T. Cuyler Young Jr. (dir.), *Mountains and Lowlands, Essays in the Archaeology of Greater Mesopotamia*, Bibliotheca Mesopotamica, p. 75-79.

Id., 1979, « Court Silver of Sasanian Iran » dans E. Yarshater et R. Ettinghausen, *Highlights of Persian Art*.

Id., 1983, « Sassanian silver, Internal developments and Foreign influencies » dans Baratte F. (dir.), *Argenterie romaine et byzantine. Actes de la Table Ronde, Paris, 11-13 oct. 1983*, Paris, 1988, p. 153-162.

Id., 1988 (a), « Boat-shaped bowls of the Sasanian period », dans *Iranica Antiqua*, XXIII, 1988, p. 331-345.

Id., 1988 (b), « Sassanian silver, Internal developments and Foreign influencies » dans Baratte, F. (dir.), *Argenterie romaine et byzantine. Actes de la Table Ronde, Paris, 11-13oct. 1983*, Paris, 1988, p. 153-162.

Id., 1989, « A Kushano-SasanianSilver Bowl. » in *Archaeologia Iranica et Orientalis* II, ed. L. de Meyer, E. Haerinck, 1989, p. 847-866.

Id., 1990, « An Iranian Vessel from the Tomb of Feng Hetu » in *Bulletin of the Asia Institute* 4, 1990, p. 51-60.

Id., 1991, « Silver-gilt Plate. » voir cat. expo. New York, 1991, p. 58-59.

Id., 1993, « La vaisselle en métal », voir cat. expo. Bruxelles, 1993, p. 95-108.

Id., 2000, « Sasanian Silver Vessels, The Formation and Study of Early Museum Collections » in *Mesopotamia and Iran in the Parthian and Sasanian Periods*, Londres, British Museum Press, 2000, p. 46-56.

HARPER P. O. et MEYERS P., 1981, *Silver Vessels of the Sasanian Period, I, Royal Imagery*, New York, 1981.

HASKINS J. F., 1952, « Northern Origins of 'Sasanian' Metalwork », dans *Artibus Asiae*, 15, 1952, p. 241-267, 324-347.

HASSON R., 1979, *Early Islamic Glass*, Jérusalem, L. A. Mayer Memorial Institute for Islamic Art, 1979.

HERMANN G., 1977, *The Iranian Revival*, Londres, 1977.

HERON DE VILLEFOSSE, 1898, « Musée du Louvre. Département des Antiquités grecques et romaines. Acquisitions de l'année 1898 », dans *Bulletin de la Société Nationale des Antiquaires de France*, Paris, 1898, p. 413-425.

HERZFELD E., 1920, « Der Thron des Khusro –quellen-kritische und ikonographische Studien über Grenzgebiete der Kunstgeschichte des Morgen – und Abendlandes », dans *Jahrbuch der Preussischen Kunstsammlungen*, vol. XLI, 2, 1920, p. 103-147.

Id., 1924, *Paikuli, monument and inscription of the early history of the Sasanian empire*, Berlin, Dietrich Reimer, Forschungen zur Islamishen Kunst, 3, 1924.

Id., 1938, « Khusrau Parwez und der Taq-i Vastan », dans *Archaeologische Mitteilungen* aus Iran, 9, 1938, p. 91-158.

HOLMES PECK E., 1969, « The Representation of Costumes in the Reliefs of Taq-i Bustan », in *Artibus Asiae*, vol. XXXI, 1969, p. 101-124, 16 fig.

HORN P. et STEINDORFF G., 1891, *Sasanidische Siegelsteine*, Berlin, 1891.

HUCHARD V., 2004, « Un feuillet du lectionnaire de l'abbaye de Cluny », dans *La Revue des musées de France-Revue du Louvre*, 2004, 5, p. 13-15.

HUFF D., 1993, « Architecture sassanide » voir cat. expo. Bruxelles, 1993, p. 45-61.

HUGHES M. J. et HALL J. A., 1979, « X-ray Fluorescence Analysis of Late Roman and Sasanian Silver Plate », dans *Journal of Archaeological Science*, 6/4, 1979, p. 321-344.

IERUSALIMSKAJA A. A., 1978, « Le caftan aux *simourghs* du tombeau de Motchtchevaja Balka », dans *Studia Iranica*, 7, 1978, p. 183-212.

Id., 1992, *Caucase sur la Route de la Soie*, Saint-Petersbourg, musée de l'Ermitage.

Id., 1996, *Die Gräber der Môscevaja Balka. Frühmittelalterliche Funde an der Nordkaukasischen Seidenstrasse*, Munich.

IERUSALIMSKAJA A. A et BORKOPP B., 1996, *Von China nach Byzanz. Fruhmittelalterliche Seiden aus der Staatl*, Saint-Petersburg, musée de l'Ermitage, Munich, Bayerisches Nationalmuseum, 1996-1997.

JAMES S., 1986, « Evidence from Dura Europos for the origins of late Roman Helmets », in *Syria*, LXIII, 1986, p. 115-127, 19 fig.

Journal of Glass Studies, 1963, « Recent Important Acquisitions », in *Journal of Glass Studies*, v. 5, 1963, p. 156-169.

Journal of Glass Studies, 1964, « Recent Important Acquisitions », in *Journal of Glass Studies*, v. 6, 1964, p. 156-169.

KAIM B., 2002, « Un temple du feu sassanide découvert à Mele Hairam (Turkménistan méridional) », in *Studia Iranica* 31, 2002, p. 215-230.

KAJITANI N., 2001, « A Man's Caftan and Leggings from the North Caucasus of the Eight to the Tenth Century, A Conservator's Report » in *The Metropolitan Museum Journal*, 36, 2001, p. 85-124.

KENDRICK A. F., 1925, *Victoria and Albert Museum, Department of Textiles. Catalogue of Early Medieval Woven Fabrics*, Londres, 1925.

KENT J.P.C. et PAINTER K.S. (dir.), 1977, *Wealth of the Roman World*, British Museum, Londres.

KROGER J., 1982, *Sasanidischer Stuckdekor*, Mayence.

Id., 1993, « Décor en stuc », voir cat. expo. Bruxelles, 1993, p. 63-65.

Id., 1999, « Vom Flügelpaar zur Flügelpalmette. Sasanidische Motive in der islamischen Kunst », in *Rezeption in der islamischen Kunst*, B. Finster-Chr., Beyrouth, 1999, p. 193-204.

Id., 2002, « The Samarra Bowl with the half-palmette animals reconsidered », dans *Cairo to Kabul, Afghan and Islamic Studies presented to Ralph Pinder-Wilson*, Londres, 2002, p. 151-156.

LAING E. J., 1991, « A Report on Western Asian Glassware in the Far East », dans *Bulletin of the Asia Institute*, new series, v. 5, 1991, p. 109-121.

LAMM C. J., 1929, *Mittelalterliche Gläser und Steinschnittarbeiten aus dem Nahen Osten*, 2 v., Forschungen zur Islamischen Kunst, v. 5, Berlin, Verlag Dietrich Reimer/Ernst Vohsen, 1929-1930.

Id., 1931, « Les verres trouvés à Suse », dans *Syria*, 12, 1931, p. 358-367.

Id., 1939, « Glass and Hard Stone Vessels », dans A. U. Pope (dir.), 1939, p. 2592-2606.

LANGDON S. et HARDEN D. B., 1934, « Excavations at Kish and Barghutiat 1933 », dans *Iraq*, I, 1934, p. 113-136.

LAPORTE J.-P., 1988, « Le tissu aux faisans nimbés de Jouarre, description et étude stylistique », in *Textiles Anciens – Historic Textiles, Bulletin du centre international d'étude des textiles anciens*, 66, 1988, p. 15-25.

LAWTON T., SHEN FU, LOWRY G. D., YONEMURA A. et BEACH M. C., 1987, *Asian Art in the Arthur M. Sackler Gallery*, Washington, D.C.

LECHTMAN H. N., 1971, « Ancient Methods of Guilding Silver, Examples from the Old and New Worlds », dans R. H. BRILL (dir.), *Science and Archaeology*, 1971, p. 2-18.

LECLANT, J., « Glass of the Meroïtic Necropolis of Sedinga » in *Journal of glass studies* 15, 1973, p. 52-68

LECOMTE O., 1993, « Ed-Dur, les occupations des IIIe et IVe siècles apr. J.-C. », in U. Finkbeiner (dir.), *Materialien zur Archäologie der Seleukiden-und Patherzeit im südlichen Babylonien und im Golfgebiet*, Tübingen.

LERNER J., 1996, « Horizontal-Handled Mirrors, East and West », dans *The Metropolitan Museum of Art Journal*, 31, 1996, p. 11-24.

LEVEL D., 1967, « Histoire de la coupe de Chosroès » dans *Bulletin d'information de l'Association française de gemmologie*, II, juillet 1967.

LINAS Ch. de, 1864, *Orfèvrerie mérovingienne. Les oeuvres de saint Eloi et la verroterie cloisonnée*, Paris.

LINS P. A. et ODDY W. A., 1975, « The origins of mercury gilding », in *Journal of Archaeological Science*, 2/4, 1975, p. 365-373.

LINSCHEID P., 2004, « Gaiters from Antinoopolis in the Museum für Byzantinische Kunst Berlin », dans Fluck C. et Vogelsang-Eastwood G. (dir.), *Riding Costume in Egypt. Origin and Appearance*, Leiden, p. 153-161.

LUKONIN V. G., 1967, *Persia II*, Cleveland-New York.

Id., 1967, *Iran II, Des Séleucides aux Sassanides*, Paris-Genève-Munich, 1967.

Id., 1967 (b), « Kushano-sasanidskie monety », in *Epigrafika Vostoka*, 18, 1967, p. 16-33.

MALCK K., 2004, « Technische Analyse der Berliner Reitermäntel und Beinlinge », dans Fluck C. et Vogelsang-Eastwood G. (dir.), *Riding Costume in Egypt. Origin and Appearance*, Leiden/Boston, p. 163-173.

MASIA K., 2000, « The evolution of swords and daggers in the Sasanian Empire », dans *Iranica Antiqua*, 35, 2000, p. 185-289.

MARSHAK B., 1986, *Silberschatze des Orients. Metallkunst des 3-13. Jahrhunderts und ihre Kontinuität*, Leipzig.

Id., 1998, « The decoration of some late Sasanian silver vessels and its subject-matter », dans *The Art and Archaeology of Ancient Persia. New light on the Parthian and Sasanian Empires*. Londres/New York, 1998, p. 84-92.

Id., 2002, (avec un appendice de Vladimir A. Livshits) *Legends, Tales, and Fables in the Art of Sogdiana*. Biennial Ehsan Yarshater Lecture Series, SOAS, University of London (May 10-17, 1995), n° 1. New York, Bibliotheca Persica Press, 2002.

Id., 2004, « Central Asian Metalwork in China », voir cat. expo. New York, 2004, p. 47-55.

MARSHAK B. et KRIKIS I. A., 1969, « Chilekskie Chashi », dans *Trudy Gosudarstvennogo Ermitazha*, 10, 1969, p. 55-81.

MARTINIANI-REBER M., 2004, « Témoignages textiles des relations entre Égypte et Proche-Orient (VIIe – IXe siècles) », dans *Tissus et vêtements dans l'Antiquité tardive*, actes du colloque de l'Association pour l'Antiquité tardive, Lyon, musée des Tissus, 18-19 janvier 2003, *Antiquité tardive* 12, 2004, p. 113-119.

MELIKIAN CHIRVANI A.S., 1974, « The White Bronzes of Early Islamic Iran » in *Journal of The Metropolitan Museum of Art* 9, 1974, p. 123-151.

Id., 1990, « From the Royal Boat to the Beggars Bowl » dans *Islamic Art* 4, 1990-1991, p. 14-15.

Id., 1992, « The Iranian Bazm in Early Persian sources », in *Banquets d'Orient, Res Orientales*, IV, 1992, p. 95-120.

Id., 1995, « Rekab, the polylobed wine boat from Sasanian to Saljuq time », in *Res Orientales VII*, 1995, p.187-203.

Id., 1996, « The Iranian Wine Horn from the Pre-Achemenid Antiquity to the Safavid Age » in *Bulletin of the Asia Institute. Studies in honor of V. A. Livshits*, New Series, vol. 10, 1996, p. 85-139.

MEYER C., 1996, « Sasanian and Islamic Glass from Nippur, Iraq » dans *Annales du 13ᵉ Congrès de l'Association internationale pour l'Histoire du Verre*, Pays-Bas, 1995 (Lochem), 1996, p. 247-255.

MEYERS P., 1998, « Technical Examinations of Sasanian Silver Objects in Riggisberg. » in *Entlang der Seidenstrasse*, Riggisberger Berichte 6, Abegg-Stiftung, Riggisberg, p. 239-246.

MIGEON G., 1927, *Manuel d'art musulman, t. I, Peinture et miniature, sculpture décorative ; t. II, Orfèvrerie, cuivres, cristaux de roche, verrerie*, Paris, 1927.

MOUSSAVI A., 1990, « Two bronze statuettes from Tuzandejan Khurasan », dans *Bulletin of the Ancient Orient Museum*, 1990, p. 132.

NICOLLE D. et McBRIDE A., 1996, *Sasanian Armies. The Iranian Empire early 3rd to mid-7th centuries AD*, Stockport, 1996.

NIKEL H., 1973, « The Art of Chivalry », dans *Bulletin of the Metropolitan Museum of Art*, 32, 1973-74, p. 59-104.

ORBELI J., 1938, « Sasanian and early Islamic Metalwork », dans A. U. Pope, 1938 (a), p. 716-770.

OVERLAET, B., 1982, « Contribution to Sassanian armament in connection with a decorated Helmet », dans *Iranica Antiqua XVII*, 1982, p. 189-206, 3 fig., V pl.

Id., 1989, « Swords of the Sasanians, Notes on scabbard tips », dans *Archaeologia Iranica et Orientalis miscellanea in honorem Louis Vanden Berghe*, Gand, 1989, p. 741-755, 4 fig., II pl.

Id., 1995, « A Chieftain's folding stool and the Cheragh Ali Tepe Problem », dans *Iranica Antiqua XXX*, 1995, p. 93-122, 12 fig.

Id., 2004, *Ein spätsassanidischer Helm und eine « sella castrensis » aus Nordwestiran*, Th. Stöllner, R. Slotta et A. Vatandoust (dir.), Persiens Antike Pracht. Bergbau-Handwerk Archäologie, Katalog Deutsches Bergbau-Museum Bochum, Bochum, 2004, p. 450-453, 799.

PAINTER K., 1977, *Gold and Silver in the Roman World*, Londres, 1977.

PERROT P., 1972, *A Tribute to Persia, Persian Glass*, Corning, New York, The Corning Museum of Glass, 1972.

PEZARD M., POTTIER E., 1913, *Les Antiquités de la Susiane*, Paris.

Id., 1926, *Catalogue des Antiquités de la Susiane*, Paris.

PFISTER R., 1929, « Gobelins sassanides du musée de Lyon », dans *Revue des arts asiatiques* VI, 1929/1930, p. 1-23.

Id., 1935, « Teinture et alchimie dans l'Orient hellénistique », dans *Seminarium Kondakovianum* 7, Praha, Institut Kondakov, 1935, p. 1-59.

PFROMMER M., 1993, *Metalwork from the Hellenized East*, Malibu, 1993.

PHILBY S. J., 1981, *The Queen of Sheba*, Londres.

PINDER-WILSON R., 1963, « Cut-Glass Vessels From Persia and Mesopotamia », dans *British Museum Quarterly*, 27, 1963, p. 33-39, pl. XV-XVII.

Id., 1968, « Pre-Islamic Persian and Mesopotamian, Islamic and Chinese Glass », in *Masterpieces of Glass*, Londres, 1968, p. 98-126.

Id., 1971, *Royal Persia, a commemoration of Cyrus the Great and his successors on the occasion of the 2500th anniversary of the founding of the Persian Empire*, Londres.

Id., 1991, « The Islamic Lands and China », dans *Five Thousands Years of Glass*, Londres, 1991, p. 112-143.

POBLOME J., 1996, « The ecology of Sagalassos (southwest Turkey) Red Slip Ware », dans *Archaeological and Historical Aspects of West-European Societies*, Leuven, 1996, p. 499-512.

PONZI MANCINI N., 1968, « Sasanian Glassware from Tell Mahuz (North Mesopotamia) », in *Mesopotamia*, v. 3-4, 1968-1969, p. 293-384.

Id., 1984, « Glassware from Choche (Central Mesopotamia) » dans R. Boucharlat and J.-F. Salles, (dir.), *Arabie orientale, Mésopotamie et Iran méridionale de l'âge du fer au début de la période islamique*, Mémoire n° 37, Paris, Éditions Recherche sur les Civilisations, 1984, p. 33-40.

POPE A. U.(dir.), 1938 (a), *A Survey of Persian Art from Prehistoric Times to the Present*, I, Oxford, 1938-1939.

Id., 1938 (b), « Sasanian Stucco, B figural », dans A. U. Pope, 1938 (a), p. 631-645.

Id., 1938 (c), *A Survey of Persian Art*, Londres/New-York, 1938, vol. IV.

Id., 1939, A. U. Pope (dir.), *A Survey of Persian Art from Prehistoric Times to the Present*, Londres et New York, v. III.

Id., 1945, *Masterpieces of Persian Art*, New York, 1945.

PRICE J., WORRELL S., 2003, « Roman, Sasanian, and Islamic Glass from Kush, Ras al-Khaimah, United Arab Emirates, A Preliminary Survey » in *Annales du 15ᵉ Congrès de l'Association internationale pour l'Histoire du Verre, New York and Corning, 2001 (Nottingham)*, 2003, p. 153-157.

PUTTRICH-REIGNARD O., 1934, *Die Glasfunde von Ktesiphon*, Kiel, 1934.

RAHBAR M., 1998, « Découverte d'un monument d'époque Sassanide à Bandian, Dargaz (Nord-Khorassan). Fouilles 1994 et 1995 », dans *Studia Iranica* 27, 1998, p. 213-250.

RAWLINSON G., 1894, *Parthia*, Londres.

READE J. E., 1998, « Greco-Parthian Nineveh », in *Iraq*, 60, 1998, p. 65-83.

REUTHER O., 1938, « Sâsânian Architecture. A History, » dans A. U. Pope (dir.), 1938 (a)., p. 493-578.

RIBOUD K., 1976, « A newly excavated caftan from the Northern Caucasus », in *Textile Museum Journal*, IV, n° 3, 1976, p. 21-42.

ROSS M. C., 1961, *Catalogue of the Byzantine and early Mediaeval Antiquities in The Dumbarton Oaks Collection*, I, Washington D.C. 1961.

RUBIN I. E. (dir.), 1975, *The Guennol Collection of Mr and Mrs. Alastair B. Martin*, New York, vol. I, 1975.

SARKHOSH CURTIS V., 1993, *Persian Myths*, Londres.

Id., 2001, « Partian belts and belt plaques », dans *Iranica Antiqua*, XXXVI, 2001, p. 299-327.

SARRE F., 1922, *Die Kunst des alten Persien*, Berlin.

SCHINDEL N., 2004, *Sylloge Nummorum Sasanidarum Paris-Berlin-Wien. Band III. Shapur II. - Kawad I.* [Veröffentlichungen der numismatischen Kommission, Band 42]. Vienne, Österreichische Akademie der Wissenschaften.

SCHOEFER M., 2004, « Présentation d'un ensemble trouvé à Antinoé, rapporté par Albert Gayet en 1897-1898 », dans C. Fluck, G. Vogelsang-Eastwood (dir.), *Riding Costume in Egypt. Origine and Appearance*, Leyde/Boston, p. 109-115.

SCHRAMM P. E. et MUTHERICH F., 1962, *Denkmale der deutschen Könige und Kaiser, Ein Beitrag zur Herrschergeschichte von Karl dem Grossen bis Friedrich II, 768-1250*, Munich.

SEYRIG H., 1937, « Antiquités syriennes 20, Armes et costumes iraniens de Palmyre », dans *Syria*, 18, 1937, p. 4-31.

SHALEM A., 2000, « Die Achat-Platte vom ursprünglichen Einband », dans *Das Buch mit 7 Siegeln Die Bamberger Apokalypse*, Lucerne, 2000, p. 169-182

SHEPHERD D. G., 1964, « Sasanian Art in Cleveland », dans *The Bulletin of the Cleveland Museum of Art*, 51, 1964, p. 66-92.

Id., 1967, « Textile and Near Eastern Art« , dans *The Bulletin of the Cleveland Museum of Art*, 54, 1967, p. 177-178.

SILVI ANTONINI C., 2003, *Da Alessandro Magno all'Islam. La pittura dell'Asia Centrale*, Rome, 2003.

SIMPSON St. J., 1996, « From Tekrit to the Jaghjagh, Sasanian sites, settlement patterns and material culture in Northern Mesopotamia », in *Continuity and Change in Northern Mesopotamia from the Hellenistic to the Early Islamic Period*, Berlin, p. 87-126.

Id, 2005, « Sassanian glass from Niniveh » Annales du 16ᵉ congrès de l'Association internationale pour l'Histoire du Verre, Londres, 2005.

SMIRNOV Y., 1909, *Argenterie orientale*, Saint-Pétersbourg.

SONO T. et FUKAI S., 1968, *Dailaman III. The Excavations at Hassani Mahale and Ghalekuti, 1964*, Tokyo, Institute of Oriental Culture, University of Tokyo, 1968.

STRONG, D. E., 1966, *Greek and Roman Gold and Silver Plate*. Londres, 1966.

TALBOT RICE T., 1965, *Ancient Arts of Central Asia*, Londres, 1965.

THIERRY F., 1993, « Sur les monnaies sassanides trouvées en Chine », R. Gyselen (dir.), *Circulation des monnaies, des marchandises et des biens* [Res Orientales V], Bures-sur-Yvette, Groupe pour l'Étude de la Civilisation du Moyen-Orient, 1993, p. 89-139.

THOMAS E., 1868, « Sasanian inscriptions », in *Journal of the Royal Asiatic Society*, 1868, p. 346-358.

THOMPSON D., 1976, *Stucco from Chal Tarkhan-Eshqabad near Rayy*, Warminster 1976.

TILKE M., 1923, *Orientalische Kostüme in Schnitt und Farbe*, Berlin, 1923.

TREVER C. et ORBELI J., 1935, *Orfèvrerie sassanide, objets en or, argent et bronze*, Moscou, Léningrad, 1935.

TREVER C., 1937, « Novye sassanidiskie blynda Ermitazha » Moscow-Leningrad Akademiya Nank SSSR I Gosudarstevnniyi Ermitazha.

Id., 1938, *The Dog-Bird, Senmurv-Paskudj*, Léningrad.

Id., 1964, « Tête de Senmurv en argent des collections de l'Ermitage », dans *Iranica Antiqua*, IV/2, 1964, p. 162-170.

TREVER, K.V. et LUKONIN V.G., 1987, *Sasanidskoe Serebro, Sobranie Gosuderstvennogo Ermitazha. Khudozhestvennaja kul'tura Irana III-VIII vekov*, Moscou, « Iskusstvo ».

UNGER A., 2004, « Farbstoffanalyse an der Berliner Reitertracht », dans C. Fluck, G. Vogelsang-Eastwood (dir.), *Riding Costume in Egypt. Origine and Appearance*, Leyde/Boston, 2004, p. 175-180.

VANDEN BERGHE L., 1959, *Archéologie de l'Iran Ancien*, Leiden.

Id., 1983, *Reliefs rupestres de l'Iran ancien*, Bruxelles, musées royaux d'Art et d'Histoire, 1983-1984.

Id., 1993, « Historique de la découverte et de la recherche », voir cat. expo. Bruxelles, 1993, p. 13-18.

VAN ESS M. et PEDDE F., 1992, *Uruk Kleinfunde*, v. 2, *Metall und Asphalt, Farbreste, Fritte/Fayence, Glas, Holz, Knochen/Elfenbein, Leder, Muschel/Perlmutt/ Schnecke, Schilf, Textilien, Uruk-Warke Endberichte*, v. 7, Mainz, Philipp von Zabern.

VAN FALKE O., 1913, *Kunstgeschichte der Seiden-weberei*, Berlin, 1913.

VAN STRYDONCK M. et VAN DER BORG K., 1990, « The construction of a preparation line for AMS targets at the Royal Institute of Cultural Heritage Brussels », dans *Bulletin van het Koninklijk Instituut voor het Kunstpatrimonium*, XXIII, 1990-91, p. 228-234.

VERDI R. (dir.), 2003, *Saved! 100 Years of the National Art Collections Fund*, Londres, 2003.

VIAL G., 1988, « Le tissu aux faisans nimbés de Jouarre, dossier de recensement, description technique, dans *Textiles Anciens –Historic Textiles, Bulletin du centre international d'étude des Textiles anciens*, 66, 1988, p. 16-23.

VICKERS M., 1995, « Metrological Reflections, Attic, Persian, Hellenistic, Roman and Sasanian Gold and Silver Plate » dans *Studia Iranica* 24, 1995, p. 163-184.

VON DER OSTEN H. H., 1956, *Die Welt der Perser*, Stuttgart, 1956.

VON GALL H., 1971, « Die Mosaïken von Bishapur », dans *Archäologische Mitteilungen aus Iran*, Neue Folge 4, 1971, pl. 31-35, p. 193-205.

VON SALDERN A., 1963, « Achaemenid and Sasanian Cut Glass, » dans *Ars Orientalis*, v. 5, 1963, p. 7-16.

Id., 1967, « The So-Called Byzantine Glass in the Treasury of San Marco, » dans *Annales du 4e Congrès des Journées Internationales du Verre*, Ravenne et Venise, (Liège), 1967, p. 124-132.

WACHTSMUTH F., KUHNEL E. et DIMAND M. S., 1933, *Die Ausgrabungen der zweiten Ktesiphon-Expe-dition, hiver 1931/32*, Berlin.

Id., 1945, « Zur Datierung des Tacq-i-Bustan und der Pariser Silberschale » dans *Zeitschrift der deutschen morgenländischen Gesellschaft*, 99, 1945-1949, p. 12-224.

WARD R., 1993, *Islamic Metalwork*, Londres.

WATELIN L. C., 1938, « Sasanian Architecture, C. The Sasanian Buildings near Kish » in A. U. Pope (dir.), 1938 (a), p.584-592.

WEINBERG G. D. (dir.), 1988, *Excavations at Jalame, Site of a Glass Factory in Late Roman Palestine*, Columbia, Missouri.

WERNER J., 1949, « Zur Herkunft der frühmittelalterli-chen Spangenhelme », dans *Praehistorisches Zeitschrift*, XXXIV-V, 1949-50, p. 183-193.

WHITHCOMB D. S., 1985, *Before the Roses and the Nightingales. Excavations at Qasr-i Abu Nasr, Old Shiraz*, New York.

WHITEHOUSE D., 2005, *Sasanian and Post-Sasanian Glass in The Corning Museum of Glass*, Corning.

WILCOX P. et McBRIDE A., 1986, *Rome's enemies 3. Parthian and Sasanid Persians*, Londres, Osprey, Ment-at-arms series 175, 1986.

WILKINSON C., 1960, « The First Millenium B. C. », in *The Metropolitan Museum of Art Bulletin* XVIII, 1960, p. 261-268, fig. 21-33.

WULFF O. et VOLBACH W. F., *Spätantike und koptische Stoffe aus ägyptischen Grabfunden*, Berlin.

WU ZHUO, 1989, « Notes on the Silver Ewer from the tomb of Lixian », dans *The Bulletin of the Asia Institute*, vol. 3, 1989, p. 61-69.

YARSHATER E. et ETTINGHAUSEN R., 1979, *Highlights of Persian Art*, Boulder, Colorado, 1979.

YOSHIMIZU T.(dir.), 1992, *The Survey of Glass in the World*, Tokyo (en japonais).

ZERWICK C., 1980, *A Short History of Glass*, New York.

Id., 1990, *A Short History of Glass*, second edition, New York.

EXPOSITIONS

Ann Arbor, 1967, *Sasanian Silver, Late Antique and Early Mediaeval Arts of Luxury from Iran*, The University of Michigan Museum of Art, 1967.

Berlin, 1989, *Europa und der Orient, 800-1900*, Gropius Bau, 1989.

Bruxelles, 1993, *Splendeur des Sassanides, l'Empire perse entre Rome et la Chine (224-642)*, musées royaux d'Art et d'Histoire, 1993.

Corning, 1957, *Glass from the Ancient World, The Ray Winfield Smith Collection*, R. Smith (dir.), 1957, The Corning Museum of Glass, 1957.

Id., 1972, *A Tribute to Persia, Persian Glass*, The Corning Museum of Glass, 1972.

Id., 1992, *Treasures from Corning 1992*, D. Whitehouse and others, *Treasures from The Corning Museum of Glass*, exhibition catalogue, Yokohama Museum of Art, 1992.

Id., 1994, *National Treasures of Georgia*, The foundation for international arts & education, 1994, [catalogue d'exposition reportée] / Ori Z. Soltes (dir.), Londres, 1999.

Mayence, 2003, *catalogue Museum of Islamic Art*, 2003.

Mexico, 1994, *Arte islamico del Museo Metropolitano de Arte de Nueva York*, 1994.

New York, 1978, *The Royal Hunter, Art of the Sasanian Empire*, Asia Society, 1978.

Id., 1991, *Glories of the Past, Ancient Art from the Shelby White and Leon Levy Collection* ed. D von Bothmer, 1991.

Id., 1984, *Treasures from Korea 1984*, R. Goepper and R. Whitfield, *Treasures from Korea, Art through 5000 Years*, exhibition catalogue, British Museum Publications, 1984.

Id., 2004, J. C. Y. Watt and others, *China, Dawn of a Golden Age, 200-750 AD*, exhibition catalogue, The Metropolitan Museum of Art and Yale University Press, 2004.

Paris, 1961, *7000 ans d'art en Iran*, Petit-Palais, octobre 1961-janvier 1962.

Id., 1967, *Vingt ans d'acquisitions au musée du Louvre*, musée de l'Orangerie, 1967-1968.

Id., 1973, *Trésors d'Orient*, Bibliothèque nationale, 1973.

Id, 1979, *Trésors de Chine et de Haute-Asie*, Bibliothèque nationale, 1979.

Id., 1980, *La Vie mystérieuse des chefs-d'œuvre, la science au service de l'art*, Grand-Palais, 1980-1981.

Id., 1988, *Trésors sacrés, Trésors cachés, patrimoine des églises de Seine-et-Marne*, musée du Luxembourg, 1988.

Id., 1989, *Le Patrimoine libéré*, Bibliothèque Nationale, 1989.

Id., 1990, *Aux sources du monde Arabe. L'Arabie avant l'Islam. Collections du Musée du Louvre*, Institut du Monde arabe, 1990-1993.

Id., 1991, *Le Trésor de Saint-Denis*, musée du Louvre, 1991.

Id. 1994, *À la rencontre de Sindbad, la route maritime de la soie*, musée de la Marine, 1994.

Id., 1995, *Les pierres précieuses de l'Orient ancien, des Sumériens aux Sassanides*, musée du Louvre, 1995.

Id., 2001, *L'étrange et le merveilleux en terres d'Islam*, musée du Louvre, 2001.

Id., 2002, *Chevaux et cavaliers arabes*, Institut du Monde Arabe, 2002-2003.

Id., 2005, *La France romane au temps des premiers Capétiens (987-1152)*, musée du Louvre, 2005.

Rome, 1994, *La seta e la sua Via*, Palazzo delle Esposizioni, 1994.

Stuttgart, 1980, *Die Meisterwerke aus dem Museum für Islamische Kunst Berlin*, 1980.

Tokyo, 2003, *Alexander the Great, East –West Cultural Contacts from Greece to Japan*, Tokyo National Museum, 2003.

Vienne, 1996, *Weihrauch und Seide. Alte Kulturen an der Seidenstrasse*, Kunsthistorisches Museum, 1996.

Vienne, 2000, *7000 Jahre Persische Kunst, Meisterwerke aus den Iranische National Museum in Teheran*, Vienne, 2000.

Wiesbaden, 1967, *Iranische Kunst in deutschen Museen*, 1967.

Firuzabad, Iran. Victoire d'Ardashir Iᵉʳ sur le souverain
parthe Artaban, détail, *in* Flandin et Coste 1843.

Crédits photographiques

Table des matières

Traductions :
François Barboux (anglais), Anne Moulin-Klimoff (russe)
Marion Picker (allemand).
Secrétariat de rédaction :
Françoise Mahot, François Barboux
Suivi éditorial
Éditions Findakly, Adeline Souverain
Cartes : p. 22-23 et 31
©Hélène David, Paris
Conception, maquette, fabrication :
Éditions Findakly
Photogravure :
E.G. Photogravure, 89100 Maillot
Impression et brochage :
Clerc, 18200 Saint-Amand-Montrond

Achevé d'imprimer sur les presses de CLERC S.A.S.
à Saint-Amand-Montrond
le 10 septembre 2006

Diffusion :
Actes Sud

Distribution :
UD-Union Distribution
AS 3813

ISBN 2-87900-957-X (Paris-Musées)
ISBN 2-86805-133-2 (Éditions Findakly)

Dépôt légal : septembre 2006

En couverture :
Yazdgard Ier (399-421) tuant un cerf (cat. 28)
©Metropolitan Museum of Art, New York.